푸틴의 스파이기관들 : 오늘과 어제

FSB, GRU, SVR, KGB 등의 공작 수법

이일환 교수 편저

들어가는 말

"러시아가 꿈꾸는 세계는 국경이 없으며, 러시아의 영향력이 갖가지 형태로 구석구석 미치는 그런 세계다. 문화, 정보, 군사, 경제, 이데올로기 및 인도주의에 이르기 까지 어디든지 편재한다."

푸틴의 머리를 지배하는 문장이다. 푸틴은 2024년 전 폭스 뉴스 진행자인 터커 칼슨(Tucker Carlson)과의 인터뷰에서, 결함 많은 자신의 역사관을 선택적으로 보여주었다. 바로 러시아 제국주의와 영토 확장이다. 이 그릇된 역사관의 첫 시험장이 우크라이나이다. 2014년 크림반도를 슬며시 병합하면서, 그 야욕을 드러냈으나, 서방은 무시했고 침묵했다. 그 후과는 2022년 2월 우크라이나 전면침공이라는 극악한 형태로 나타났다. 푸틴의 야심을 꿰뚫어 보지 못하고, 무시했던 미국을 비롯한 서방은 그에 대한 후과를 단단히 치루고 있다.

푸틴의 영광스러운 소련제국 부활 야심 이면에 자리 잡은 기관이 있다. FSB, SVR, GRU로 대표되는 스파이기관들이다. 이들 기관들은 푸틴의 야망을 실현시키기 위해 물불을 가리지 않는다. 그래서 영국 이코노미스트지는 말했다.
"러시아 스파이들이 돌아왔다."

서방의 한 정보장교도 진단했다.
"러시아 정보기관은 거대한 기계다. 그들은 이제 되돌아와 늘 하던 일을 하고 있다. 러시아의 활동은 냉전 시대와 같거나 더 높은 수준이다."

푸틴은 정보전 역량을 강화시키기 위해, 2023년 1월 <특별영향력위원회>라는 이름만으로는 무슨 일을 하는 기관인지도 알 수 없는, 애매모호한 임시기구를 만들었다. 자신의 핵심 측근인 세르게이 키리옌코 크렘린궁 행정실 제1부실장을 책임자로 임명했다. 이후 러시아 스파이기관들은 우크라이나 전쟁 초기 치욕스런 정보실패를 딛고 재기하고 있다. 유럽 지역 파견 요원들이 대거 추방되고, 활동의 제약이 커진 상황에 적응하기 위해 여러 가지 변화를 시도하면서, 존재감을 키우고 있다.

그 중 하나가 외국 국적을 지닌 '대리 요원'과 '흑색요원(잠복스파이 illigals)을 활용술이다. 비밀공작을 위해 정계, 경제계, 범죄조직 출신의 다양한 외국인을 이용한다. 2924년 미군 군사기술을 러시아에 판매한 혐의로 이탈리아에서 체포된 러시아 사업가 **아르템 우스**를 탈출시킨 세르비아 갱단이 대표적인 사례다.

사이버로 통칭되는 디지털 공간을 그냥 내버려 둘리 없다. 그 어느 국가보다 사이버공간을 적극 활용한다. 이를 구체화시킨 전술이 군사/정보 혼합전인 하이브리드전이다. 적의 내부 혼란을 조성한 뒤, 하이브리드전을 통해 신속한 해결을 도모하는 '푸틴식 전략'으로, 크림반도 합병작전에서 유용하게 써 먹었다. 푸틴의 정보전략은 나날이 발전해, 미국과 나토의 내부 분열까지 도모하는 수준으로 고도화되고 있다. 이른바 **'그림자 전쟁(shadow war)'**이다. 서방의 개방된 민주주의 제도와 정치체제의 약점을 공략해, 내부분열을 증폭시켜 스스로 붕괴하도록 도모하는 것이 최종 목표다.

푸틴의 성향을 보거나, 국제질서를 새롭게 짜려는 푸틴의 거대 전략을 고려하면, 스파이기관들의 부활은 일회성에 그치지 않을 것이다. 이코노미스트는 "스탈린 시절 강력했던 비밀기관의 영광을 되찾으려 노력하고 있다"며, "러시아 정보기관은 그 어느 때보다도 위험한 상태"고 경고했다.

소련 시절과의 큰 차이는 당이 통제하던 KGB와 달리, FSB는 오직 한 사람(푸틴)의 시종이 되었다는 점이다. 이는 푸틴이 권력을 한 손아귀에 쥘 수 있는 엄청난 수단이 되었고, 사회 각계각층을 통제하는 촉수 기능을 하고 있다.

이제 러시아는 세계를 불안하게 만드는 트리거이다. 그래서 푸틴의 스파이기관들의 활동실태를 정리하는 것은, 오늘날의 러시아와 푸틴을 이해하는 초석이 된다. 푸틴의 스파이기관들의 오늘과 어제의 활동상을 책을 펴낸 이유다. 해외 유수 언론이 간헐적으로 보도한 내용과 정보를 연구하는 국제정치학자들이 기고한 논문을 위주로 정리했다. 그러다 보니 낯선 러시아어 이름이 페이지마다 그득하다. 독자들이 익숙치 않아 불편함도 있겠지만, 미지의 영역을 탐구하는 호기심도 준다고 본다.

이 책은 3부로 나누어 정리했다.
제1부는 푸틴의 집권 이후 러시아 스파이기관들의 활동상과 문제점 등을 다루었다. 제2부는 우크라이나전쟁 와중에서 러시아 스파이기관들의 포섭 공작 등을 정리했다. 제3부는 없어진 KGB의 활동상을 중점적으로 정리했다. KGB라는 단어는 사라졌지만, KGB의 그림자는 여전히 길고도 두텁다.

현재의 스파이기관들을 이해하기 위해서는 KGB 기초를 알아야 한다는 게 저자의 생각이다. 스파이기관들이나 정보를 연구하는 입장에서 늘 애로에 부딪치는 것이 자료 확보다. 종합적인 1차 자료를 확보하는 것이 하늘의 별따기 만큼 어려워서, 부득이 학술자료를 주로 활용했다.

마지막으로 언제나 든든한 원군이 되어주고 있는 집사람과 딸에게 지면으로 나마 감사의 마음을 전한다. 그리고 그 누구보다도 이 책을 만드는데 큰 도움을 준 교수가 있다. 인하대 **박준표** 초빙교수다. 한양대 재료공학과를 졸업하고, 일본에서 박사학위를 받은 뒤, 포철연구소에서 30여 년 간 간부로 재직 후, 인하대로 자리를 옮긴 재원이다. 이과출신 답지 않게 스파이 기관들의 활동상에 관심이 많아, 제3부 KGB에 관한 내용을 대부분 집필해주었다. 고맙다는 말을 다시 한 번 남긴다.

아울러 정보기관과 관련한, 공개되지 않은 아카이브를 찾아내, 중앙선데이에 훌륭한 기획기사를 기고하는 **최성규** 박사에게도 우회적으로 고맙다는 뜻을 표한다. 최 박사의 글이 큰 도움이 되고, 미처 필자가 발굴하지 못한 사안을 기고해주어서, 스파이기관 연구를 풍성하게 해주고 있기 때문이다.

2025년 8월 목멱산아래 연구실에서

들어가는 말

Chaper 1
푸틴의 스파이 기관들

- 푸틴의 스파이기관들 : 오늘 /15
- 새롭게 탄생한 스파이수법 /44
- 방화범, 킬러, 사보타주, 그리고 스파이 /54
- 전면으로 부상한 GRU /67
- 비밀성을 포기한 스파이기관 /72
- 스파이기관의 꿍꿍이속은? /79
- 스파이기관이 두려워 하는 것은? /88
- 프리고진 반란 후 스파이 기관의 운명은? /99
- 스파이기관의 전매특허 '암살' /106
- 영국 거주 체제비판자 암살 등 시도 /111
- 스파이 수법 변화 /114
- 비밀공작 취약점 : 자만심/119
- 언론인 활용 공작 /123

Chapter 2
스파이 기관들과 우크라이나 전쟁

- 스파이기관들의
  우크라이나 지도층 내
  스파이망 구축 공작 /144

- 우크라이나 전쟁과 정보전
  : 소셜미디어와
  AI 역할 /190

- 우크라이나 침공과 정보/195

Chapter 3
스파이 기관들의 어제 : KGB 활동

- KGB 알아보기 /201
- 공룡 KGB 특징 /212
- KGB의 전술과 수법 /221
- 전위조직 /227
- KGB의 사찰 수법 /231
- 소련 몰락과 SVR 탄생, 생존술 /236
- 페레스트로이카와 KGB 셀프 개혁 /246
- 미국의 인종 갈등과 '판도라 공작' /269
- 영국에서 사망한 KGB 이중 스파이 /274
- '프라하의 봄'과 KGB 전진공작 /277
- 1970년대 소련과 중국의 스파이전쟁 : Part1-6 /283
- 중국 겨냥 시베리아에 장기 부식한 첩보원 /319

Chapter 1

푸틴의 스파이 기관들

푸틴의 스파이 기관들 :
오늘

러시아에는 불길한 속담이 있다.

"어느 누구도 그 밤에 무엇을 준비하고 있는지 모른다
(No one knows what the night prepares)"

들어가기 : 피할 수 있는 실패

2022년 2월 푸틴의 우크라이나 전면 침공은 묵과하기 어려운 정보실패를 동반했다. 일부 실패는 그간 딜란(Dylan) 같은 학자들이 지적한 것처럼, 전체주의 정권하에서 보다 빈번히 일어나는 것들이었다. 이런 실패는 푸틴의 전쟁기획자들에게 여러 핵심이슈를 던져주었다. 러시아군이 우크라이나에서 직면한 저항의 수준과 서방의 즉각적인 대응 수준 등이었다.

한물간 지도, 엉망진창인 타깃 등을 푸틴의 전쟁기계와 그렇지 않아도 준비가 허술했던 러시아 침공군에게 지원했을 정도다. 그 후과는 러시아의 재앙으로 귀결되었다. 키이우로 가는 혼잡한 도로위에서, 상당한 부대와 장비를 손실했으며, 우크라이나는 푸틴의 구소련 제국 회복이라는 망령을 따끔하게 지적하면서 살아남았고, 젤렌스키는 여전히 권좌를 지키고 있으며, 국제사회에 기대주로 부상했다.

이에 참고할 만한 논문이 2022년에 발표된 *The Autocrat's intelligence Paradox*이다. 이 논문은 2022년 러시아 침공을 엉망으로 만든 러시아 정보기관의 정보실패를 정면으로 다루었다. 푸틴과 같은 정보기관 경험이 많고 정보에 대해 일가견이 있다고 자부하는 지도자가 정보실패의 함정에 빠졌는지에 대한 수수께끼를 풀려고 했다. 이 논문은 이렇게 결론지었다. 러시아 정보기관의 전략 문화와 역사 때문으로, 원천적인 뿌리는 전체주의 성격과 철저한 푸틴스러움(Putinesque)이 큰 요인이었다.

전제군주적인 세계에서, 정보 및 국가안보기구는 정치적 반대자와 야당의 공격으로부터 체제를 보위하는 것을 최우선임무로 삼는다. 대외정책도 정보사용자를 실망시키는 내용은 보고하지 않고, 지도자의 의견과 배치되는 견해를 제시하길 꺼린다. 소위 메아리(echo chamber)만 한다. 그래서 전제주의 정권은 의사결정을 할 때 정보가 가진 이점을 레버리지로 삼으려고 안간힘을 쓴다. 푸틴이 딱 이 경우에 해당한다.

서방정보기관이 중시하는 특징들 - 정보의 독립성, 지적 진실성, 기존의 정치적 통념과 거리두기 등 - 은 크게 신경 쓰지 않는다. 역사에서 보여준 많은 전제군주처럼, 정보기관은 푸틴을 기쁘게 하는 정보만 제공한다. 이른바 **매춘보고서**이다.

공평한 평가는 애초부터 안중에 없다. 이로 인해 제도적 확증편향에 사로잡혀 정보판단을 하게 된다. 푸틴의 스파이기관들은 해외 정보를 책임지고, 국내에서는 보안을 전담함으로써 푸틴의 권력행사의 중심으로 자리 잡고 있다. 어찌 보면 정보의 그릇된 관리와 연이어 드러난 군사적 재앙의 공동정범이다. 이 사안은 푸틴이 집권한 이래 최대 위협으로 부상되었다.

몇 주 만에 끝날 것이라던 우크라이나 전쟁은 3년째 포성이 오가고 있다. 이 과정에서 푸틴의 스파이기관들이 멍청한 짓을 하고, 푸틴 역시 허접한 정보소비자란 사실이 여러 곳에서 드러났다. 러시아를 대표하는 정보기관인 **FSB**는 모스크바에 환영받지 못한 뉴스를 보고하길 꺼리고, 우크라이나 정부를 옴짝달싹하게 하지도 못했으며, 친러시아 근거지도 제대로 육성하지 못했고, 젤렌스키의 권력 장악을 흔들지 못했다.

일부 학자들은 푸틴의 정보실패에 대한 추가적인 인사이트를 제시한다. 1) 민주국가에서 중시한 전략적 정보평가를, 푸틴은 의사 결정할 때 중시하지 않았다. 러시아 외무장관 세르게이 라프로프(Sergei Lavrov)는, 중대한 군사작전을 착수하기 전에 필요한 논의를 하기보다, "푸틴은 3명의 참모를 두고 있다. Ivan the Terrible(이반 4세, 이반 4세 바실리예비치는 1533년부터 1547년까지 모스크바 대공국의 대공이었으며, 차르라는 호칭을 공식적으로 사용한 최초의 통치자였다. 별명은 뇌제였다) , Peter the Great(피터 대제), 그리고 Catherine the Great(캐서린 대제) 등이다."

푸틴의 정치적 프로젝트는 - 그가 정치적 평가를 두는 상황을 담은- 아무런 제지도 받지 않았고, 기껏 하는 것이라곤 전술적으로나 능동적으로 추켜세우는 것 뿐 이었다.

이렇게 되면 정보기관과 정보소비자 간에 준비 내지는 처리 방식이 흐트러지기 마련이다.

필수불가결한 기관

푸틴의 스파이기관들은 전략적 평가를 축적하는 것 이상의 일을 하며, 의사결정 이점을 만드는 것 이상의 기능을 수행한다. 전제주의 정권의 생존이 가장 큰 목표다. 이것이 재앙적 정보실패에도 불구 살아남도록 해주고, 오히려 더 번창하기 까지 하게 해준다. 이는, 사전에 정해 놓은 결과도 아니다. 궁금한 것은, "어떻게 이런 일이 일어났느냐"이다. 스파이기관들이 재기하는 요인은 러시아 정보기관의 핵심 역량이 푸틴에게 유용한 때문이다.

구소련 시절에도 탐이 나는 기법이었다.   1) 첩보활동, 2) active measures(러시아식 영향공작), 3) 방첩활동, 4) 국내 반체제인사 탄압 등이다. FSB, GRU/GU, SVR이 핵심기관으로, 각 기관의 업무범위 내에서 체제안전을 위협하는 요소를 찾아 여러 가지 방법으로 각자 책임을 다하고 있다. FSB는 푸틴이 수장으로 있던 기관답게, 우크라이나전과 국내에서 반체제 인사 탄압에 선봉에 선다.

러시아 군정보기관인 GRU는 본래의 업무를 훌쩍 넘어선 활동을 하고 있는데, 바그너 그룹을 이끈 **프리고진**에 대한 암살공작[1]을 하면서, 우크라이나로 정보활동 범위를 넓히고 있다.

---

[1] 프리고진은 군사 반란 두 달 만인 2023년 8월 23일 상트페테르부르크에서 모스크바로 향하는 비행기에 탑승했다가 비행기 추락으로 사망했다. 비행기 추락 원인은 내부 폭발로 추정된다. 앞서 푸틴 대통령에게 도전했던 러시아

이외 시리아와 아프리카에서도 공공연하게 활동한다. 해외정보국 SVR은 러시아 전시경제에 필요한 물자구입선을 뚫기 위해 고군분투한다. 이런 역할 때문에 종종 중대한 실패를 범하고도 푸틴을 꽤 효과적으로 뒷받침하고 있다.

러시아 정보체제의 핵심 약점도 있다. 1) 공정한 평가 부재, 2) 푸틴이 싫어할만한 보고는 하지 않기, 3) 금전적 부패와 정보 부패 등이다. 하지만 푸틴은 전형적인 전제군주와 비슷한 방법으로 정보를 이용하다보니, 전제군주의 모순 요소들이 현격하게 드러난다. 정보기관들이 수행하는 보안 분야는 푸틴 정권을 지탱하는데 예전보다 더 비중이 커졌지만, 비용은 더 들 것이다. 푸틴은 도박을 하듯이, 미국/유럽 국가들을 상대로 한 영향공작이 국제적인 정치적 압력과 우크라이나전에서의 군사적 압력을 완화해주리라고 본다. 어쩌면 옳을 지도 모른다.

하지만 보안기구들이 국내 반체제 인사 탄압에 무게중심을 둠으로써, 테러와 같은 심각한 안보위협분야에 대한 투자를 소홀히 하거나 심지어 내팽겨 쳐버린다. 2024년 3월 크로쿠스 시청사(Crocus City Hall) 테러 공격이 대표적이다. 2024년 3월 22일 오후 8시경(MSK, UTC+3) 모스크바 서쪽 가장자리에 위치한 러시아 도시 크라스노고르스크의 크로쿠스 시티홀 음악 공연장에서 대규모 총격과 다중 폭발이 발생했다. 복면을 쓰고 위장한 무장괴한 5명이 행사장에 모인 사람들에게 총격을 가해 최소 137명이 사망하고, 182명 이상이 부상당했다. 미국 정보기관이 사전 경고하고 이 같은 내용을 정보공유 차원에서 통보해주었는데도 막지 못했다.

인사들이 석연치 않은 죽음을 맞았다는 점에서, 프리고진 역시 무장 반란에 대한 복수로 암살당했다는 주장이 제기됐다.

2022년 우크라이나 침공이후, 강화된 것이 있다. 러시아인들을 대상으로 한 감시, 억압, 벌주기 수준이 한층 두드려졌다. 체제 안정에 효과적이라고 판단한 듯하다. 하지만 푸틴은 친구들이 점점 떨어져 나가고, 죽거나 부상당한 수십 만 명의 러시아 젊은이 친척들은 푸틴으로부터 멀어져 가고 있다. 잠시 동안은 시스템으로 이들의 분개를 억누를 수 있지만, 진정으로 완화해줄, 필요한 옵션을 잘 보이지 않는다. 푸틴의 정책을 실행하는 정보기관들의 활동은 푸틴의 미래에 대한 방패막이도 되지만, 역설적으로 푸틴의 장악력을 위협하는 동인으로 비화할 수 있다.

억압과 피로 점철된 유산

러시아의 스파이활동과 전복 활동은 편집광처럼 푸틴을 지배하고 있다. 이는 러시아의 전략문화에서 비롯되어 그 문화를 키워왔다. 진짜이든 상상이든, 위협을 인식하고 관리하는 러시아식 접근방법으로, 스파이기관들은 전통적으로 러시아 내부에 포커스를 두어왔다. 외부세계를 확고한 적대국가로 간주함에 따라, 러시아 스파이기관은 소련의 전략적 도구 중에서 가장 으뜸 되는 위치로 올라서게 되었다. 소련 지도자들이 20세기 동안 자신의 지위를 확보할 수 있었던 것은 바로 정보였다. 소련 혁명의 와중에, 피를 먹고 사는 도살자들이 레닌 혁명 후에 생긴 NKVD 와 KGB에 자리 잡아 반체제 인사를 체포하고 억지춘향격으로 죄를 만들고, 새로운 질서를 만든다는 명목으로 무고한 사람을 '인민의 적'으로 몰아 숙청했다.

구소련 시절 '위대한 애국전쟁(2차 대전을 지칭)' 동안, 악명 높은 **SMERSH**('스파이에겐 죽음을' 이라는 러시아 혼성어)는 소련군 내에 침투한 독일 스파이를 발본색원하는데 혈안이 되었다. 전쟁 포로 중 처형된 3만 여명은 스탈린 계급으로 되돌아온 **Nazi Manchurian candidate**(2차 대전 후 남아메리카로 도망친 나치 고위 관리가 외국권력에 의해 비밀 통제되어 서방정보체계에 침투하여 관리된다는 것을 우회적으로 표현)가 될 수 있었다. 냉전 말기 그 유명한 고르바초프의 페레스트로이카와 글라스노트 시절에도 그 시스템은 여전히 체제 비판자를 옥죄었다. 1986년 소련의 개혁실험이 물거품이 된 이후, KGB는 정치국 노선에서 벗어나는 사람들을 타깃으로 삼는, 전통적 역할을 이어갔다. 당시 정치국은, 체르노빌 원자로 폭발사고는 원자로 설계 등 근본적인 기술적 결함이 아닌, 인간의 실수 때문이라는 주장을 펴왔다.

전략문화, 규범, 마인드셋, 제도적 기억 등 소비에트 시절 화석화되었던 것들이 소련 제국 붕괴와 더불어 다시 고개를 내밀었다. 상대적 자유화를 구가했던 1990년대, 범죄자본주의가 판을 치고, 기업은 약탈을 일삼고, 역사가/비평가/야당 등이 약간의 비판활동을 할 공간이 주어지던 그 시점에, 시민사회와 시민의 자유를 조이기 시작했다.

소련의 아카이브는 재빨리 외국인이나 비판적인 역사가들에게 보지 못하게 했다. 낙관주의는 오래전에 사라지고, 소련의 영광스러운 과거를 되돌아보기 시작했다. 금세기에 들어서면서, 푸틴, 체키스트, 러시아 전략문화 관리인들은 새로운 그 무엇을 만들어 시계바늘을 거꾸로 돌리기 시작했다.

오로지 충성만 강요하는 봉건제도와 비슷한 국가관리 형태/법은 지도자만을 위해 존재하고, 정보기관은 전복활동을 파악하여 뿌리 뽑았다. 푸틴의 스파이기관들은 명확한 존립 근거를 찾게 되었다.

차르 보호

러시아가 푸틴의 아우타르키(경제자립정책)로 정확하게 언제 나아갔는지 파악하는 것은 판단의 문제다. 1999년 아파트 폭탄 사건, 제2차 체첸 전쟁을 치르면서, 정치적이든, 개인적이든 반대파의 입지는 현격히 축소되었다. 모든 사람에게 적용되었다. 1999년 폭탄사건과 기타 분노사건이나, 만연한 부패의 수렁에 빠진 것은 체제가 공모한 때문이라고 비판한 스파이들은 암살되었다.

전 FSB 요원으로 영국에 망명한 **알렉산더 리트비넨코**는 2006년 런던에서 동료가 건네준 주스를 마시고 독살되었다. 그 주스에는 살상용 폴로늄 201이 들어있었다. 폭탄 사건을 조사하거나 의문을 제기한 정치인은 살해되었다. 2003년에 살해된 세르게이 이우스옌코프(Sergei Yushenkov)와 유리 스크예코크이크임(Yuri Shchekochikhim)이 그들이다.

각종 문제에 진지하게 이의를 제기한 정치인은 음해를 당하거나 폭력에 시달렸다. 보리스 넴초프(Boris Nemtsov)는 2015년 2월 크레믈린의 어두운 곳에서 총에 맞았고, 푸틴의 최대의 정적 **나발리**의 경우, 2020년 독살시도에서는 구사일생으로 살았으나, 독일에서 치료받고 러시아로 돌아간 뒤 체포되어

2024년 2월 시베리아의 차디찬 감옥에서 옥사했다.

푸틴에게, 배반자는 옷을 바꿔 입는 그 이상으로 정의한다. 독립이나 비판성은 국가전복이나 충성하지 않는 것으로 해석한다. 모든 반대자는 그 자체로 위협이며, 정치적 파워의 대안적인 노드의 잠재적인 핵심 세포로 보았다. 국내방첩기관의 활동대상이 된다. 정보기관이 주의를 기울이는 사안에 말을 잘 듣지 않는 정치인/언론인/기업인/시민단체 활동가 등도 들어가 있다.

정부의 노선에 과감히 도전하는 사람들은 모든 문제에서 학대당해 더 나빠진다. 탐사전문 언론인 **안나 플리콥스카야**(Anna Politkovskaya)는 2006년 푸틴의 생일날 총에 맞았다. 푸틴은 러시아를 경찰국가로 만든다고 비판한 탓이었다. 2021년 프리덤 하우스는 발표했다. 러시아는 정치적 권리분야에서 40개국 중 5위, 시민자유권은 60개 국가 중 15위였지만, 종합적으로는 'Not Free'로 판정했다.

푸틴의 도전자들은 주변부로 밀려나 정보기관의 손아귀에 놓여있다. 푸틴의 술책은 전임자보다 훨씬 교활하지만, 동일한 천(cloth)을 자른다. 푸틴은, "서방에 포위된 러시아라는 성채는 서방과 전쟁을 지속하면서, 존재가치가 있다"는, 전략문화 속에서 커가고 있다.

방첩 빌미 전방위로 탄압

러시아의 인권이나 정치적 자유 등은 시간이 갈수록 나빠지고 있다. 2022년 우크라이나를 침공한 것을 계기로 더 옥죄고 있다. 푸틴은 시민사회에 대해 산소공급을 하지 않는다. 자신이 바라는 결정적인 승리가 담보되지 않으면, 2014년 크림반도 장악 후 갈채를 받았던 그런 인기를 누리지 못할 것이다.

푸틴은 안보를 권력 장악의 최우선순위에 둔다. 그의 오판과 지위에 대한 불안의 증대는 반대자들이 결집하는 잠재적 포인트가 되어, 시위하고 심지어 도전도 불사할 것이다. 푸틴도 잘 안다. 승리는 동맹을 만들지만, 패배는 허약함과 근심을 유발한다는 것을!.

이는 한때 2023년 6월 푸틴의 대리인이자 해결사 역할을 했던, **프리고진**의 결실을 맺지 못한 반란이 이를 입증하는 사례다. 이 반란은 푸틴에게 자신의 권좌에 대해 들으라는 듯이 투덜거리는 세력이 있음을 성찰하게 해주었다. 쿠데타가 잠시 머뭇거리는 사이 무모한 인내를 하기도 했다. 프리고진은 으스대며 신변안전이 확보되었다고 오판하고 이전 상태로 돌아왔다. 몇 주 후에 비행기 폭사 형태로 죽음을 맞이한 것은 그리 놀랄만한 일도 아니다. 2023년 8월 23일에 벌어진 일이다.

푸틴은 아무리 충성스럽더라도 무장한 부대를 모스크바를 때릴 수 있는 위치에 둔 것은 자신의 실책임을 깨닫고, 프리고진 반란 진압 후 바그너그룹 부대를 러시아 국방부 산하로 편입시키고, 군정보기관인 GRU의 감시 하에 두었다. 바그너그룹과 같은 러시아 사설민병대 기업은 아프리카에서 러시아의 전략적 목표를 달성하는 동안, 접이식(fold)에 더 가까이 갔다. 푸틴의 방첩기관들은 쿠데타 징후를 포착하지 못했지만, GRU는 기민하게 변신하여 자유분방하고 변덕스러운 지도자가 제기하는 리스크를 제거하는, 유용한 능력이 있음을 보여주었다.

프리고진과 같은 지도자들은 진실한 마음으로 이의를 제기하는 추종자가 마땅히 있어야 했다. 위협으로부터 자신의 지위를 방어하고자 하는 푸틴 작전의 핵심 강령(plank)은, 잠재적 추종자들을 없애거나 동원하지 못하도록 하는 것이다. 반대파의 위협으로부터 자신을 방어하는 전략은 그 어떤 것도 의문을 제기하지 않는, 현실을 만들고 유지하는 것이다.

제한을 두지 않는다. 즉 공식적 위치에서 거기에 근접하는 주장이 바로 전쟁이 아닌, **'특별군사작전'**이었다. 침공은 방어를 위한 것이었으며, 러시아에 적대적인 서방국가들이 러시아 제도, 가치, 이익을 국내외에서 공격했기에 방어해야 한다는 논리와 러시아의 대외정책과 정부의 내러티브를 문제 삼는 것은 국가를 전복하기 위한 배반이라는 주장이 그것이다.

이런 환경 하에서 반정부 시위, 비판 등이 들어설 여지는 없다. 개인이나 그룹은 사사로운 시위만 하려 해도 신상에 위협을 받는다. 푸틴의 스파이기관들은 스탈린의 숙청을 상기시키듯, 진짜든 상상이든 반대파를 찾아내어 징벌하는 등 탄압의 중심에 서있다. 수법도 과거 소비에트 시절 악랄한 수법을 되살려 러시아인들을 억압한다. 수십 년 간 권좌에 있는 푸틴이 휘두르는 잣대를 갖고 가혹하게 탄압한다. 이런 공세와 면죄부는 다중적 힘의 행사자(force multiplier)로 행동하게 한다. 대담한 폭력과 억압은 징벌만큼이나 억제 기능을 발휘한다. 감히 어느 누구도 이의를 제기하지 못한다.

크레믈린은 옥사한 나발리나 블라디미르 카라 무르짜(Vladimir Kara-Murza)와 같은, 전쟁에 반대하는 사람들을 탄압하기 위한 법률적 틀을 창안해냈다. 법에 걸거나 신상위협으로 충분하면 살인청부업자에 의존할 필요도 없었다. 야당성향자들은 선거 때 후보 등록조차 하지 못했다.

보리스 나데스딘(Boris Nadezhdin)은 반전 후보로서 선풍적인 인기를 끌었지만, 2024년 2월 선관위에 의해 '정상적이지 않음'을 이유로 투표조차 하지 못했다. 나발리의 반부패 재단은 2021년에 '극단주의자 조직'으로 매도되었다.

정당과는 별개로, 우크라이나전쟁을 반대한 시민들은 가혹한 탄압과 폭력을 선물처럼 받아야 했다. 2022년 3월 기준으로 13,500명이 체포되었고, 2022년 9월에 발동한 부분 동원령 와중에 2,400명이 체포되었다. 푸틴은 불만을 터트리는 반대자에게는 인센티브를 주지 않거나, 법적으로 발목을 잡는 시스템을 창안했다. 이를 강조하는 것은, 정보 및 감시시스템의 성행위능력이자 무시무시한 명성이었다.

바로 **'효율 좋은 현대 방첩국가**'이다.

오늘날 러시아 감시체제와 소비에트 감시체제 간에는 개념이나 실증적 측면에서 유사성이 있다. 소비에트 선조들의 변칙적 산물로 바라보는 것은 현대 방첩국가들이 휘두르는 파워를 간과하고 역할을 낮게 보는 것이다. 디지털 시스템에 칩입하고 활용하는 능력이다. 모든 시민들은 매일매일 자신도 모르게 디지털 흔적을 남기는데, 러시아 시민들도 예외 없이 디지털 커뮤니케이션을 엄청나게 하고 있다.

FSB의 방첩활동 대부분은 온라인상에서 이루어지며, 억압과 탄압을 일삼고 있다. 통신회사는 법으로 정보기관에 협조하도록 강제되어 있다. Roskomnadzor's Technical Measures to Combat Threats(TSPU)를 의무적으로 설치하고, 감시활동을 지원하며, 웹사이트를 검색하거나 블로킹한다. 가려진 콘텐츠에는 서방의 뉴스나 소셜미디어 웹사이트 및 우크라이나 언론보도 등이다.

VPNs를 이용하여 이런 장애물을 우회하려는 사용자들은 자신들과 연관 있는 이슈를 보도한다. 오늘날 러시아란 감시국가는 각종 도구와 의지를 갖고, 독립매체나 외부 매체의 정보 유입을 질식시켜, 러시아인들이 보거나 듣지 못하게 한다. 규모나 입도(밀도 granularity) 측면에서, 아날로그 방식이었던 소비에트 시절과는 비교가 되지 않을 정도로, 디지털 콘텐츠에 접근한다.

푸틴 정권은 디지털 공간을 악용하여 초기 단계에서부터 반대파를 말살하는 능력을 갖고 있다. 감시체제 또한 탄탄하다. 사람들이 상호 연결하고 무언가를 조직화하는 것을 철저히 잡아낸다. 감시시스템은 어떤 의미에서 기묘하기 까지 하다. 이를 폭로한 'the Vulcan Files'를 보면, 강경한 노선을 암시하는 문장에 통찰이 담겨있다.

인터넷 제공업체들은, 보안기관이 인터넷 트래픽을 모니터링 할 수 있는 설비를 설치하도록 법으로 강제되어 있다. 이름하여 'System for Operational Investigative Measures'이다. Vulcan 개발자들은 FSB내에 **Fraction**으로 알려진 벌크 데이터 수집프로그램을 설치했는데, 공개 자료에 키워드를 집어넣어 반대파나 체제불만세력을 파악하는 프로그램이다.

인기 있는 메신저 앱이나 네트워킹 앱을 정기적으로 모니터링하고, 텔레그램 방 같은 앱에 침투한다. 나발리가 활발히 활동하던 당시에는 그의 행적이나 행동을 추종하는 사람들을 잡아냈다. 왓츠앱(WhatsApp)이나 시그널(Signal, 이 앱은 2025년 초 해임된 트럼프 안보보좌관 마이클 왈츠가 예맨 후티 세력에 대한 폭격방침을 가족이나 지인들과 공개하여 문제가 된 앱이다)과 같은 암호가 걸린 앱 침투능력도 개발했다.

뉴욕타임즈는, 러시아는 그간 중국이나 이란에 비해 디지털 기술 활용 능력이 뒤졌다는 평가를 받았지만, 근래 급속도로 따라잡았다고 보도 했다.

그러한 능력의 억제효과는 한마디로 말하기 어렵지만 (intangible), 본질 면에서나, 실제 활용 능력 면에서 뛰어나고, 선제적인 장악능력을 과시한다. 비판적인 목소리는 나오기도 전에 포착되어 시위하기도 전에 위협공세 시달리거나 체포된다.

사람들의 커뮤니케이션 체계 속에 들어가 헤집고 다니는 사례는 수없이 많다. Arkhangels에서는, 학생들이 소셜미디어에 포스팅하는 즉시, FSB 감시시스템에 입력되고, 가택연금을 하기 전에 '너의 죄를 인정'해라는 압력을 받는다. 엉뚱한 사례도 있다. FSB를 연상시키는 미술작품을 그린 아이들을 발견하면, 학교와 집, 그리고 아버지까지 찾아가고, 결국 그 아이를 아이들의 쉼터에서 내쫓는다. 그 소녀는 불과 13살이었다. 이러한 행동은 사람들로 하여금 피해망상환자로 만든다. 러시아에 사는 그 누군가와 연락하면, 그 사람의 생사여부는 알 길이 없기 때문이다. 원래는 활동가들만 대상으로 했지만, 이제는 우크라이나 전쟁에 반대하는 모든 사람들로 대상을 확대했다.

푸틴의 스파이기관들이 사이버 공간에서 탄압하는 것을 보면서, 과거 스탈린의 잔혹성이 떠오른다. 푸틴이 갖는 공포감의 뿌리는 최근 러시아와 소비에트 역사의 상흔에 연유하는 측면도 있다. '엄마의 캠페인(mother's campaigns)'이란 생각을 갖고 있는지도 모른다. 이른바 **부식효과**(the corrosive effect)로서, 고르바초프 집권 시기인 1980년대에 <러시아 군인들의 어머니 위원회>라는 기구를 만들어 아프가니스탄에서 아무짝에도 쓸모없는 캠페인을 벌인 것을 염두에 둔 것이다.

이는 1994년 보리스 옐친이 체첸과의 피의 혈전을 벌일 당시, 이 방법을 답습하여 절정에 이뤘다. 미국 정보공동체는 2023년 12월, 러시아군 병사 중 315,000여명이 다치거나 사망했다고 평가했다. 하지만 FSB는 군 동향에 대한 정보수집을 가혹하게 탄압하여 상트페테르부르크의 <군인들의 어머니들>과 같은 전사자 가족들을 옹호하는 조직의 활동을 어렵게 했다.

활동가들은 고통을 당하고 있다. <러시아 군인들의 어머니와 부인들 위원회>리더인 올가 추카노바(Olga Tsukanova)는 모스크바로 가는 도중 2023년 1월 체포되었다. 검찰총장에게 군인 가족 등이 제공한 700개의 청원서를 제출하려던 참이었다. 당국은 2023년 5월 이런 단체들을 나무를 베듯 베어내기 위해 '외국 에이전트'로 뒤집어 씌워 해체해버렸다.

하지만 이는 끝이 아니었다. 유사단체들이 네트워크 형태로 생겨나 전장에서의 안전귀환을 확보하려는 운동이 이어졌다. 이 활동에 화룡점정을 찍은 인물은 안드레이 카르타폴로프(Andrei Kartapolov)로서, 러시아 의회 국방위원회 의장이자 한때 러시아 연방군 군 정치국장이었다. 군부대를 더 이상 동원해서는 안 된다는 소신을 갖고, 푸틴이 규정한 '특수군사작전'이 끝날 때까지 투쟁하겠다고 선언했다.

온라인을 이용, 조직을 만들고 소통하면서 텔레그램 채널 *Put Domoy*(영어로는 '집으로 가는 길') 통해 각종 성명 등 입장을 발표하고 있다. 비록 그들이 정치적이지 않더라도, Heller-like 음침한 푸틴의 전쟁에 대한 논리를 넘어서지 못한다. 동원된 병사는 끝도 없이 싸워야 하지만, 죄수나 수형자들은 풀려나기 위해 싸운다.

푸틴은 무언가를 양보함으로써 안게 되는 망신을 반복하지 않기 위해, 전쟁을 계속하는 것에 우선순위를 둔다. *Put Domoy* 플랫폼은 적대적인 외국의 이익에 복무하는 도구로 비하되며 연일 공격을 받고 있다. FSB가 위협 공갈 활동에 전면에 서서 남편들을 겁준다, FSB 지부 등은 2024년 대통령 선거가 임박하자, 업무 최우선 순위를 시위 차단에 두었다. 개인을 상대로 한 인신공격도 배가되었다. 스파이기관들은 마누라끼리 주고받는 온라인 채팅방을 실시간으로 체크하며, 인터뷰 등을 하지 못하도록 막았다. 침묵의 대가로 돈을 주기도 했다.

이런 유형의 그룹들은 푸틴에게 나름대로 문제제기를 한다. 즉, 그들의 요구를 들어주거나 무작정 탄압하는 것은 리스크가 따른다. 억압은 성찰을 하게하며, 단기적으론 덜 위험스런 옵션으로 여겨진다. 하지만 소비에트/러시아 역사를 보면, 그러한 불만 세력을 무한정 고기 치어처럼 가두어 두기란 어렵다. '집으로 가는 길'이란 단체를 비공식으로 이끈 마리아 안드레예바(Maria Andreeva)는 원칙을 실행하기 위해 모든 것을 감수할 각오가 되어 있기에 두렵지 않다고 말한다.

나발리처럼. "두렵거나 감추어야할 이유가 없다. 모든 것이 드러나 있기 때문이다. 러시아 스파이기관 등은 우리의 사랑하는 이를 잡아가지 않았느냐"고 외치는 사람도 있다. FSB는 자신들을 향한 비판이 날로 심화되자, 톱니바퀴를 계속 조이고 있다. 사별한 친척들을 더 고립화시키는 방식으로. 요원들이 여전히 현실을 망상적으로 바라보면서, 체제 불만자를 하나도 남기지 않겠다는 의무를 고집하는 한. FSB가 선택할 옵션은 거의 없다.

현재 진행형인 우크라이나 전쟁을 지켜보면서, 우리는 스파이 기관들이 푸틴을 수호하기 위해 배전의 노력을 기울이는 것을 목도하고 있다. 두 가지 근본적인 이유를 대며 활동한다.

첫째, 푸틴에게 위협이 될 만한 잠재적 요소나 인물들을 제거하는 일이다. 도크 속에서 반대자나 배반자를 찾아내는 패턴은 계속 고수할 것이다. 나발리와 프리고진이 대표적인 사례다.

둘째, 스탈린의 소련 체제와 하나도 다를 바 없는 감시 및 억압기구를 갖고 있다는 점이다. 이는 러시아의 음습하면서도 가혹한 방첩 재능을 상기시킨다. 이들은 핵심세력을 자리 잡아, 러시아의 전략문화의 강령을 준수하며, 반대자들이 눈덩이처럼 불어나는 것을 방지하는데 역점을 두어왔다. 스파이기관들은 디지털 공간에 적응하고 압도하면서 시위활동을 옥죄고 있다. 나아가 암호화하여 지하조직을 만들고 활동하는 것 조차 질식시키고 있다. 러시아 스파이기관들은 우크라이나 전쟁의 엄혹한 결과에 대한 경고는 실패하지만, 반체제 인사들을 때려잡는 일에 혁혁한 성과를 보임으로써, 과거 스탈린 시절 소비에트 방첩국가의 현대적인 변종이 되어가고 있다.

외국 상대로 첩보활동과 영향공작 자행

지난 십 여 년을 돌이켜보면, 러시아 스파이기관들이 해외에서 이리저리 벌인 공작 등에 대한 기록이 남아있다. 의심의 여지없는 성공을 거둔 적도 있고, 핵심 적대국가의 정치세력 등에 침투하여 크나큰 상처를 남기기도 했다.

2016년 미국 대선 개입이 대표적이다. 그러는 동안에, 귀순자와 반대파 등은 스파이기관들의 끝없는 추적을 받고 낯선 이국땅에서 유명을 달리했다.

악랄한 행위를 저질러도 후폭풍도 없었다. 영국의 <정보안보위원회> 같은 감시위원회는 2020년 러시아 스파이기관들의 풍성한 자원을 등에 업고 '거대한 리스크를 기호식품처럼 즐기는 행태(enormous risk appetite)'에 대해 코멘트한 적이 있다. 하지만 러시아 스파이기관들은 2022년 우크라이나 전쟁을 전후로 명명백백한 실책을 저질렀다. 여기에는 출처에 대한 허술한 평가도 포함되는데, 이는 평가를 중요시하지 않는 러시아 정보문화의 유산 때문이었다.

실패는 전통적인 경쟁의 영역에서 두드러졌다. 인간출처를 통한 수집 등으로, 우크라이나전에서 형편없었다. 무엇보다 부패로 인한 것이 컸다. 2010년 서방으로 귀순한 SVR 요원 **알렉산더 포테예프(Poteyev)**는 미국에서 러시아의 불법적인 정보 및 공작활동과 가면으로 가린 네트워크의 실체를 벗겼다. 러시아 공작원들은 첩보활동, 영향공작, 우크라이나/미국/핵무기금지기구 등을 상대로 준군사작전에 간여했다.

리트비넨코와 2018년 전 GRU 대령 **세르게이 스크리팔** 부녀 등에 대한 암살 또는 암살 시도는 공개출처를 통해 이들의 신상을 파악했다. 이는 푸틴의 스파이기관들이 길을 잃고 있다는 인상을 남겼다. 후폭풍이 거세게 불어 닥쳤다. 2018년 스크리팔에 대한 노비촉이란 독극물에 의한 암살 실패 이후, 정보요원으로 추정되는 러시아 외교관 100여명이 유럽 각국에서 추방되었으며, 러시아 정보기관이 해외를 마음껏 유린한다는 그간의 평가도 절하되었다.

전임자들이 해왔던 기술을 답습하여 공작을 펼친 것은 분명하지만, 그 기교는 촌스러웠다. 즉, 사브작 사브작 소리 없이 공작하는 요원은 적어지는데 반해, 갱단과 같은 공작원은 늘어났다. 이는 러시아 스파이기관들이 범죄조직과 밀접하게 연결되어 있음을 보여주었다.

푸틴의 스파이기관들은 회복력이 뛰어나다. 우크라이나에서 참담하게 정보를 실패하고, 유럽 각국에서 수백여 명이 추방당하고, 언론매체들이 수시로 영향공작 실상과 주모자를 폭로하며, 나토에서 암약한 협조자들이 체포당했음에도 불구하고, 들불처럼 다시 일어났다.

푸틴은 우크라이나 정보실패의 경우, 몇몇 책임자만 처벌하고, 조직에겐 책임을 더 이상 묻지 않고 전선으로 나가도록 내몰았다. 우크라이나에서 FSB 첩보망이 백일하에 드러났음에도, 전통적으로 해왔던 비밀 자료 빼내기 공작은 계속한다. 2024년 2월, 우크라이나 정보국(SBU)은 러시아 스파이망이 47개나 되며, 2022년 이후 이들 기관에 협조한 협조자 2,000여명을 체포했다고 언론에 브리핑했다. 이는 러시아의 협조자 채용 능력이 우크라이나와 서방의 노력에도 불구, 탄탄함을 보여주었다.

우크라이나의 핵심 파트너국가 내부에 요원들이 깊숙이 침투하고 있음도 드러났다. 2024년 3월이다. 영국에서 러시아 스파이 조직으로 추정되는 6명이 기소되었다. 2020년 8월부터 2023년 2월까지 활동한 조직이었다. 폴란드에서는, GRU가 우크라이나에 군사물자를 선박으로 지원하는 것을 파악하는 정보원과 사보타주 용의자 네트워크를 관리하는 사실도 수면위로 드러났다.

독일의 경우, 2023년 4월, 독일 국내보안기관인 BfV는 푸틴의 스파이기관들의 허위조작정보 공작 활동이 "눈에 띄게 급증"하고 있음을 경고했다. 이는, 극우정당 AfD 소속 의원들의 보좌관들이나, 독일 해외정보부 BND의 고위 간부를 체포하는 증거가 되었다.

푸틴의 스파이기관들은 우크라이나와 동맹국들을 상대로, 디지털 시스템을 철저히 활용하여 첩보원을 부식한다. 네트워크에 침투하거나, 타깃을 삼은 국가의 허술한 보안상태를 자기자본화한다. 후자의 사례는 2024년 3월 드러났다. 러시아 스파이들이 독일 군 고위 장교 사이에 오간, 민감한 컨퍼런스 전화 내용을 기록하고 러시아 우호매체에 이 내용을 흘렸다. 러시아 스파이들은 서방의 디지털 인프라에 귀신같이 침투한다. SVR 산하의 'Cozy Bear'가 주도한 **솔라윈즈 해킹 공작**이 대표적이다. 미국 각급 정부의 보안문서에 접근한 공작이다. 나아가 이들 해킹그룹과 하부조직들은 마이크로소프트 이메일 시스템과 호주 정부를 2024년 1월 공격했다.

위에서 제시한 사례는 푸틴의 스파이기관들이 서방을 상대로 펼쳐 혁혁한 성공을 거둔 것들의 빙산의 일각일 뿐이지만, 러시아가 휴민트는 물론, 온라인 첩보활동 기술을 지속적으로 개발하고 있음을 보여주고 있다. 러시아의 첩보활동은 새로운 열의를 갖고 임해, 놀랄만할 정도의 성공을 거두고 있다. 이는, 푸틴의 스파이기관들이 2022년 우크라이나 전쟁 전후에 정보 실패를 했다고 해서, 결코 얕잡아 보거나 시스템 상 능력이 저하된 것으로 보아서는 안 된다. 기본적인 능력이 있는데다, 일을 저질러도 면죄부를 받는 다는 것, 암살이나 폭력을 휘둘러도 리스크 감내 능력이 엄청난 때문이다.

새로운 스파이, 낡은 구습

푸틴의 스파이기관들이 자행하는 것은 억압과 정보만이 아니다. 과거 소비에트에서 자행되던 유산들이 각광을 받고 있다. 즉, 제재회피, 러시아의 적들을 겨냥한 영향공작 등이다. 냉전 시기 KGB는 서방의 선진기술을 따라잡기 위해 서방의 첨단기술 수집을 최우선 정보목표로 삼았다. 공작명 **'라인 X'**로 불리는 산업스파이 공작, 러시아 국방력을 향상시키거나 민간경제의 능력을 제고할 수 있는 기술 등을 수집하는 것이다.

하지만 제재를 회피하거나, 러시아 군 등에 필요한 공산품을 획득하거나, 제품 제조에 관한 비밀 탈취에는 창의적인 정보활동이 뒤따랐다. 냉전 시절 소련은 對공산권 수출규제 기구인 COCOM 때문에 마음 놓고 서방제품을 수입할 수 없었다. 전략 물자에 대해 수출을 금지한 때문이다. 첨단 전자기술을 수출을 통제한 서방 지도자들은 상당한 이점을 누리고 있다고 자평했을 정도다.

2022년 이후 러시아 제재가 강화되자, 냉전 시절 써먹었던 고전적 수법을 현대에 맞게 변형하여 가동하고 있다. 첨단 기술 구매와 전달 임무를 맡은 네트워크들이 드러남에 따라, 서방 각국 정부는 러시아의 제재망 회피를 차단하기 위해 관련기업을 현미경 보듯 들여다보면서, 러시아의 불법적인 구매 활동을 저지하기 위해 다종다양한 노력을 하고 있다.

하지만 푸틴의 스파이기관들은 보란 듯이 자신들의 선적 리스트에 원하는 제품을 성공적으로 싣고 있다. 파이낸셜 타임즈는, FSB는 전위 회사로 '세르니야 엔지니어링(Serniya Engineering)'을 운영하면서, EU로부터 기계, 마이크로칩 및 잡다한 공산품을 구매하고 있다. 미 법무부는 이 네트워크를 운영자로 의심되는 FSB 요원을 기소했다. 이들은 미국 시민을 고용하여 함께 공모했다. 민감한 미국 기술을 교묘한 네트워크를 통해 빼내 자신들의 전쟁기계(Russian war machine)를 원활히 돌아가게 하려 한다.

이런 사례는 또 있다. 나토 계약자이 SVR 구매 네트워크와 꼴라보하고 있는 것이 밝혀지기도 했다. SVR의 군부대 33949에게 민감한 군사기술을 넘겨준 것이다. 푸틴의 스파이기관들에게 있어 우크라이나 침공은 중세 르네상스처럼 '스파이기관들의 르네상스'를 부활시켰다.

"Old dogs, old tricks, new weapons"

과거 소비에트 시절 단골로 써먹던 스파이 기술은, 러시아 정보 공작을 살펴보면, 그 반향의 소리가 더 크게 메아리 친다. 즉, 사보타주, 암살, 전방위적인 영향공작이 그것이다. 이런 공작들 상당수는 우크라이나 침공 후 백일하에 드러났다. 서방정보기관들의 적극적인 방첩활동 덕분이긴 하지만, 푸틴의 스파이기관들은 이에 아랑곳하지 않고 험난한 환경과 맞장 뜰 각오로 리스크를 감내하고 있다. 많은 사보타주와 살해 사건이 이를 예증한다.

유럽 국가들의 중대한 디지털 및 물리적 인프라를 타깃으로 삼아왔다. 동시에 암살단은 러시아 언론인들과 러시아에서 유럽으로 건너간 이주자들 사이에서 암약하고 있다. 2024년 2월, 막심 쿠즈미노프(Maksim Kuzminov)는 첨단비행기를 몰고 우크라이나로 귀순했으나, 스페인에서 살해되었다. 러시아 정보기관이 자행했거나, 아니면 대리조직을 시켜서 했을 것은 너무나 자명하다.

푼틴은 이 같은 파괴공작을 자행함에 있어, 과거 소비에트 시절 KGB가 했던 방식에 부합되게 한다. 전쟁 시 구사하는 스파이기관들의 핵심 역량을 국내외 적들을 향해 난사하는 것이다. 그가 던지는 메시지는 역사적인 반향이 있다.
"체제 비판자나 충성하지 않는 자들은 땅 끝까지 찾아가 징벌할 것이다."

살인과 사보타주는 공세적인 영향공작이 뒤를 받친다. 영향공작으로 불리는 **act measures**는 정책결정자들이나 관측자들이 빈번히 떠올리는 개념이지만, 정교하지 않다. 오히려 KGB Major General로 은퇴하여 미국에서 살고 있는 올레그 칼루긴(Oleg Kalugin)의 개념 정의가 보다 설득력이 있다.

"active measures는 전복(subversion)이다. 전복활동은 소비에트 정보기관들의 영혼이자 심장이다. 서방의 단결을 저해하고, 서구 동맹국들내에, 골프에 비유하면 웻지를 휘둘려는 것이며, 나아가 불화를 조장하려는 속셈이다."

지금 러시아가 자행하는 해외에서의 공작은 첨단기술이란 외피만 변했을 뿐, 수법이나 본질은 거의 변한 것이 없다. 푼틴의 스파이기관들은, 소비에트 전임자들이 서구사회에 섬유조직처럼 형성되어 있던 다종다양한 조직들을 이용했듯이, 이를 악용하여 미국 사회의 양극화의 불만을 심고 극대화하려 하고 있다.
SVR과 GRU가 특히 우크라이나 전쟁 이후 이런 테크닉을 실험하고 적용하고 있다. 타깃을 설정하고 기회주의적이지만 전략적인 방법으로 웻지를 휘두르고 있다.

일례로, 냉전 시절, 나치의 상징인 '만자십자장'을 이용하여 서독에 거주하는 유대교 회당을 모욕하는 것이다. FSB가 이를 본 따, 가자 전쟁을 기화로 파리 빌딩에 있는 Stars of David 상에 그라피티를 그리는 공작을 후원했다. 불안과 혼돈을 조장하기 위해서였다. 2023년과 2024년에 폴란드 농민들이 우크라이나와 EU 반대시위를 벌이자, 시위대 중 한명은 "푸틴이 어서 달려와 폴란드와 브뤼셀을 없애줄 것을 요청"하는 플래카드를 게시했다. 나중에 밝혀졌다. 이 사람은 친러시아 활동을 하는 단체성원으로서, 러시아가 부식한 첩자였다.

SVR 요원들은 외교관 간판을 달고 대서양을 종횡무진한다. 미국/캐나다/유럽에서 프로파간다, 영향공작 및 전복활동을 주도하며, 비밀 데이터베이스를 흘리기도 한다. 소비에트 전임자들이 자행하던 방식을 답습하여, 다기화된 서방 정치권과 시민사회에 기민하게 침투한다.

'useful idiots'가 대표적이다. 유용한 바보들이란 의미인데, 냉전시절 즐겨 써먹던 수법이다. 서방 정치권이나 시민사회에 협조자를 부식하여 러시아에 대한 우호적인 메시지와 토킹(talking) 포인트를 앵무새처럼 되 내이는 것이다. 젤렌스키가 부패했다는 등, 무기를 사야할 미국 돈을 갖고 호화 요트를 사는데 돈을 물 쓰듯 하고 있다는 등과 같은 악성 루머를 퍼트리면서, 러시아의 우크라이나 침공에 대한 정당성을 확대하고자 한다. 러시아의 정보공작은 우크라이나를 지원하려는 서방의 결의를 약화시키며, 재정적 물질적 지원을 지연시키려는 푸틴의 계산을 뒷받침하고자 한다.

러시아 정보기계들이 성공적으로 미국 공화당에 영향을 끼칠 수 있던 요인들은 공화당 소속 마이클 터너 미 하원 정보소위원회 의장으로, 2024년 4월 동료들과 함께 러시아의 프로파간다를 'abosolutely'란 강조어를 반복한데서 알 수 있다. 그가 코멘트한 이래, 우크라이나에 대한 미국의 지원 노력이 현저히 줄어들었음이 전장에서 명확히 드러났다. 미국의 지원이 축소되자 전쟁의 모멘텀이 러시아로 넘어 간 것이다.

크레믈린의 시각에서 보면, 이 같은 성취는 대전략의 한 요소였을 뿐이다. 미국과 나토 회원국들의 우크라이나에 대한 정치적 지지를 더 약화시키려고 선동했다. 제재와 혼동을 뒤섞어, 우크라이나를 고립시키고 탈진시켜, 러시아군의 우크라이나 동부 진군을 용이하게 하려는 속셈이었다. 미국 의회가 2024년 4월 우크라이나에 대한 패키지 지원을 마지못해 승인했지만, 지원 타이밍을 놓쳤다. 러시아는 가성비 좋은 영향 공작을 통해 미국 조야에 영향을 준 때문이다.

많은 러시아 공작은 특정 영역에서 놀이하듯 흥겹게 자행하고 있지만, 자주, 빠른 속도로 그 전모가 드러나고 있다. 이유는, 3가지 고질병 때문이다. 무지, 무관심, 무경쟁이 그것이다. 앞서 잠깐 언급했듯이, 러시아 스파이기관들의 고위험 감수 태도와도 흡사하다. 그렇다고 해서 노출을 곧 공작 또는 정보실패와 동일시하는 것을 잘못이다.

러시아 접근방식의 강점은 사이버 혹은 정보공작이 노출되거나 어설프거나, 조악하다해도 크게 문제 삼지 않는다. 정보 생태계를 오염시키고, 서방과 국제기구에 대한 신뢰를 깎아내리며, 건강한 정치논쟁의 개념을 하찮게 만들며, 양극화를 선동하는데 주목적이 있다. 서방에서 허위조작정보는 유기적인데 반해, 푸틴의 스파이들은 거짓을 부풀림으로써, 이런 허위조작정보 공작이 해외에서 시작된 건지, 국내에서 발현된 것인지 구분하기 조차 어렵다. 나름의 시나리오대로 움직인다.

허위조작선전 활동의 모델에 따라 간여하고, 씨를 뿌려, 양극화된 토양이 잘 자라도록 공작한다. 양극화된 토양은 악의적인 메시지를 너무나 너무나 거리낌 없이 받아들인다. 푸틴의 스파이기관들은 국내에서는 물론이고 해외에서도 자신들의 전쟁 노력을 엄청 중요시하여, 크나큰 성공을 거두고 있다.

다시 찾아온 취약점

푸틴의 스파이기관들의 성공은 서방과 다른 정보시스템과 정보문화에서 비롯된 것이 명확하다. 전체주의 특징이 배어있다. 바깥을 향하기보다 내부를 향하고, 통찰보다는 보안에 보다 더 집중하는 것이다. 나아가 푸틴 규칙의 홀마크(hallmark)다. 무모함, 파 헤쳐도 파 헤쳐도 끝이 없는 부패 등.
하지만 이는 장기적인 특징으로 자리 잡고 있다. 푸틴 자신이 체키스트였던 것을 감안해서, 이 같은 고질적인 것들을 품고가기로 한 듯하다. 이러한 것들은 장기적으로 유지되고 체질화되어 온 것으로, 소비에트 시절 KGB나, 차르 시절 **오흐라나(Ohrana)**로 거슬러 올라가고, 그들의 정신세계를 둘러싸고 있다.
우크라이나 침공 이후 전통적인 소비에트/러시아 관점이 더욱 강화되었다. 불구대천의 원수인 서방을 상대로 한 공세적인 공작은 당연히 필요한 것으로 정당화되었다. 푸틴의 스파이기관들은 전임자 KGB처럼, 정보수집, 협조자 포섭, '쓸 만한 바보 채용', 국내에서의 억압, 영향공작 분야에서 전임자 보다 더 능숙하게 수행한다.

정보가 옳은지에 대한 평가에는 관심이 없고, 오로지 권력자의 눈높이에 맞는 정보를 수집하고 공작한다. 우크라이나 전쟁 초기 정보실패를 겪은 후에 스프링처럼 신속히 일어선 것은 푸틴에게 보고한 분석실패 만큼이나 그리 놀랄만한 일은 아니다. 푸틴은 그릇된 가정에 매몰되어, 무력으로 우크라이나를 뒤집으려 했는데, 여기에 푸틴의 스파이기관들이 일조했다.

그럼에도 푸틴의 스파이기관들은 서방에서 공작 활동 시, 상당한 압력에 시달리고 있다. 서방의 적극적인 대응으로 수동적으로 태도가 변하고 있다. 내부적으론, 숨이 팍팍 막히는 전체주의 맥락에서 여전히 공작을 수행하지만, 서방의 방첩기관들의 헌신적이고 공세적인 방첩활동으로 인해 위축되고 있다.

푸틴은 자신이 난장판을 만들어 놓고, 정보요원들에게 도덕적인 측면을 고려하라고 주문한다. 서방 정보기관들은, 상당수의 푸틴의 스파이들이 전쟁은 불필요하며, 경제 제재와 고립에 따른 효과, 러시아 이미지 악화, 러시아 젊은 세대 다수의 인명손실, 파괴적인 행위 등으로 인해, 러시아는 과거 소련제국의 영화를 회복하기는커녕 파워를 약화시킨다고 본다.

국내에서의 저항의 길은 봉쇄되어 있지만, 푸틴을 깎아내리는 형태로 저항할 수 있다. 미국과 영국이 기대하는 것이다. CIA는 이런 낙관적인 전제하에서 푸틴의 스파이들이 서방으로 귀순하는 기회를 놓치지 않으려 하고 있고, 영국 MI6(SIS) 리차드 무어 국장은 공개적으로 "푸틴의 스파이들이 역사의 올바른 길에 서면, 그에 합당한 보호와 보상을 해 주겠다"고 공언했다. 일부 열매를 거두었지만, 푸틴을 더 편집광으로 몰아가는 부정적 측면도 만들었다.

푸틴의 스파이기관들은 전제국가의 비밀경찰처럼, 억압/균열/역정보 흘리기/정보 수집을 정보활동의 우선순위로 둔다. 오랜 경험을 바탕으로 효과적으로 하고 있다. 그들의 임무는 명확하다. 즉, 푸틴의 권력을 유지하는 것이고, 푸틴의 리얼리티가 대중의 담론을 지배하도록 하는 것이다.

푸틴은 러시아 시민사회를 골프채의 그립을 쥐듯 꽉 틀어쥐고 있다. 반대자는 용서하지 않는다. 그에 맞서는 몇 안 되는 사람들은, 엄청난 파워를 휘두르는 푸틴의 스파이기관들에 의해 기술적으로 교묘하게 그리고 무모한 방법으로 억압당하고 있다.

하지만 푸틴이 성공적으로 만든 스파이기관 제국은 자신의 통치 기술에 핵심 약점으로 작용한다. 즉, 다른 옵션이 없다. 푸틴의 머릿속에 떠나지 않는 것이 있다. 고르바초프 시절, 페레스트로이카 정책을 펴면서 정치국의 그립을 느슨하게 한 후과가 어떤 결과를 가져왔는지를 염두에 두고 있다.

푸틴은 스파이기관들의 활약?을 등에 업고, 2024년 3월 다섯 번째 임기를 연장하며, 종신 집권의 길로 들어섰으나, 러시아 정치를 보면 하루아침에 테이블이 뒤집힐 수 있다. 겉으로 보면, 약간의 틈새는 있지만, 푸틴의 권력기반을 무너뜨릴 정도는 아니다. 과거 소비에트처럼 취약점을 일시적으로 가릴 수는 있다. 하지만 갑자기 붕괴되어 자갈처럼 될 여지도 배제할 수 없다.

푸틴은 Tsar Paul Ⅰ(1796년 암살), Tsar Alexander Ⅱ(1881 암살), Tsar Nicholas Ⅱ(1918년 암살) 사례를 기억하고 있을 것이다.

러시아에는 불길한 속담이 있다.

"어느 누구도 그 밤에 무엇을 준비하고 있는지 모른다
(No one knows what the night prepares)"

새롭게 탄생한
스파이 수법

    2023년 4월, 러시아 정보기관과 연계된 것으로 의심되는 러시아 저명인사가 이탈리아 당국으로부터 인상적으로 도피하는 모습을 선보였다(pull off). 러시아 사업가이자 전 러시아 지사의 아들인 아르템 우스(Artem Uss)는 민감한 미국의 최신 군사 기술을 러시아로 몰래 **빼돌린** 혐의로 밀라노에 몇 달간 구금되었다. 뉴욕 브루클린 연방법원이 2022년 10월에 발부한 기소장에 의하면, Uss는 탄도미사일 및 여타 무기 생산에 필요한 반도체를 불법적으로 밀매해왔으며, 일부는 우크라이나 전쟁에서 활용되었다. 하지만 Uss가 미국으로 추방되기 위해 기다리는 동안, 세르비아 갱들의 도움을 받아 러시아로 도피하는, 귀가 막히고 코가 막히는 일이 벌어졌다.

그 도피는 그간 벌어진 일련의 사건 중 하나로서, 러시아의 스파이기관들이 우크라이나 전쟁 이후 어떻게 새롭게 조직화되고 있는지를 시사한다. 푸틴이 침공을 시작한 2022년 봄을 회고해보면, 러시아 스파이기관들은 방향성도 상실하고 혼돈에 빠진 것처럼 보였다. 유럽 국가들은 러시아 외교관을 하나 둘씩 추방하여, 영국의 추계에 의하면 600여명이 추방되었는데, 이 중 400여명이 스파이였다.

러시아 국내보안 정보기관인 FSB는 우크라이나 전쟁 초기 우크라이나의 저항을 과소평가하는 등 심각한 오판을 저질렀다. 러시아가 개전 즉시 키이우를 장악할 것으로 보았으며, 이는 러시아의 전쟁 수행능력에 대한 오명에 똥물을 한 번 더 끼얹는 결과를 가져왔다.

지금 러시아 스파이기관들은 화려했던 과거의 활약상으로 되돌아가기 위해 맹렬히 노력하고 있다. 활동기법도 창의성이 높아져, Uss 도피에 도운 세르비아인처럼, 외국 국적자를 이용하여 러시아인에 대한 서방의 제재를 피하고 있다. 우크라이나 전쟁 전 만하더라도 서방정보기관을 겨냥한 러시아 공작은 러시아인이 수행했다.

이 관행은 완전히 바뀌었다. 러시아 정보활동은 다양한 외국 국적자를 끌어들이고, 서방을 상대로 한 첩보활동은 물론이고, 우크라이나로 가는 무기선적 선박을 추적하고, 전쟁 시작 후 러시아를 떠난 러시아인 망명자와 푸틴정권 반대자에 대해 압박강도를 높이고 있다. 그러한 활동의 증거는 조지아와 세르비아에서부터 불가리아/폴란드와 같은 나토 가맹국에 이르기까지 도처에서 드러나고 있다.

2023년 초, 영국 당국은 5명의 불가리아인을 러시아를 위한 스파이활동 혐의로 체포했는데, 이들이 받은 혐의 중 하나는 런던에 거주하는 러시아 망명자들에게 접근을 시도한 것도 포함되었다.

동시에 러시아 스파이기관들은 지향점을 틀고 있다. 우크라이나 전쟁 전에는 3개의 주요 정보기관이 역할을 어느 정도 분담했다. 해외파트는 SVR이 맡아, 주로 정치와 산업부문에 대한 첩보활동을, 군사부문은 GRU가, 국내보안은 FSB가 맡는 식이었다. 해외지부는 러시아의 해외공작을 뒷받침하고, 이웃 국가들은 러시아에 우호적인 정권이 장악/유지되도록 은밀히 힘을 행사하는 것이었다. 이제 이런 구분은 호랑이 담배피던 시절의 이야기가 되었다. 3개 스파이기관 모두 경쟁적으로 우크라이나 전쟁과 관련한 첩보활동에 뛰어들어, 러시아에서 해외로 망명한 자를 대상으로, 협조자를 공세적으로 포섭하고 있다.

러시아 정보기관의 이 같은 회귀는 러시아의 간섭과 공작을 저지하려는 서방국가들에게 의미심장한 함의를 던지고 있다. 그간 드러난 것이 정확하다면, 유럽에서의 러시아 정보활동은 전쟁 초기 국면보다 훨씬 위협이 커지고 있다고 봐야 한다. 동시에 이 같은 변화는 푸틴의 전쟁 체제와 그 정도를 들여다 보는 통찰을 준다.

러시아의 스파이기관 부활은 소비에트 시절의 초기 모델을 따르고 있기 때문이다. 푸틴은 20세기 말 서방과의 대결에서 패한 소련시절 KGB에 필적하는 스파이기관을 만들려고 하고 있다. 볼셰비키 혁명에서 2차 대전에 이르기까지 서방을 상대로 혁혁한 공을 세운, 스탈린 시절의 가공할만한 비밀기구 부활을 꿈꾸고 있다.

수백 년 전쟁

2022년 러시아가 우크라이나와 전면전을 벌이기 이전까지만 해도 러시아 스파이기관들은 허약하기 짝이 없었다. 정보기관끼리 권한 장악을 놓고 땅 따먹기 식 싸움을 일삼고, 고위직들의 부패와 무능 등으로 신뢰가 땅에 떨어졌으며, 바닥에서부터 고위층에 이르기까지 정보를 제대로 수집하지 못하거나, 지연되기 일쑤였다.

그러면서 러시아 스파이기관들의 공작은 서서히 내리막길을 걸었고, 2018년 전 GRU 대령 세르게이 스크리팔과 푸틴의 정적 알렉세이 나발리(2024년 시베리아 감옥에서 옥사)에 대한 독살 시도 사건이 벌어졌다. 한마디로 요약하면, 러시아 정보기관들은 과거의 화려한 광채를 잃어버리고, 문제점이 퇴적층처럼 누적되어, 우크라이나의 능력을 오판하는 처참한 실수를 저질렀다.

하지만 우크라이나 전쟁이 장기전으로 치달으면서 전열을 다시 가다듬고 새로운 활로를 찾았다. 우크라이나 전쟁 초기 실책은 일단 덮고, 자신들이 서방 전체와의 대결에 맞장 떤다는 사실에 힘을 얻고, 진군하고 있다. 유럽과 그 이웃 국가에서의 활동을 배가하고 있다. FSB는 러시아영토 내에서 벌어지는 우크라이나의 군사행동과 싸우기 위해 노력하고 있고, 푸틴도 비록 전쟁초기 스파이기관들의 오판이란 재앙에도 불구, 스파이기관들에 대한 급진적인 개혁은 하지 않고 있다. 격동의 시기였던 1990년대 이래, 정보기관을 파헤치려는 시도는 결과적으로 러시아의 능력을 약화시킨다는 공감대가 지휘부는 물론, 고위층까지 널리 퍼져 있다.

이런 새로운 활동의 밑바탕에는 더 원대한 목적이 도사리고 있다. 서방에 대한 러시아의 총체적인 정보전쟁 능력을 활성화하는 것이다. 이 전쟁은, 주요 러시아 스파이기관들이 소비에트 시대 초기로 회귀함을 의미한다. 러시아 정보요원들은, 우크라이나 전쟁을 1917년 볼셰비키 혁명 이래 전개되어왔던 위대한 스파이 전쟁의 3라운드로 본다.

1라운드는 초기 소비에트 공작관들이 영국을 주 타깃으로 삼아 활동한 것을 말한다. 초기 전투에서, 소비에트 첩보원들은 해외에서 볼셰비키 정권에 저항하는 조짐들을 성공적으로 분쇄했다. 코드네임 **Trust**로 불리는 '거짓 깃발 작전'을 대대적으로 매우 성공적으로 수행했으며, 영국 스파이뿐 아니라 러시아로 이민 온 사람들을 포섭하여, 가짜 반소비에트 조직을 만들도록 조종하기도 했다. 이 공작으로 반소비에트 활동가들은 신원이 노출되어 살해되었다. 2차 대전 동안 정점을 이루었다. 러시아 스파이기관들은 영국의 정보기관과 미국 등에 성공적으로 침투하여, 원자탄 개발계획인 맨해튼 프로젝트와 원자탄에 관한 극비내용을 빼냈다.[2] 그래서 소련은 자신들이 1라운드 대결에서 승리했다고 자신만만해했다.

2라운드는 러시아 입장에선 그리 성공적으로 끝나지 않았다. 냉전기 KGB는 망해가는 소련체제를 구해내지 못했다. 1990년 초, KGB는 조직이 뿔뿔이 갈라지고, 요원들은 흩어졌다. 이러한 처참한 붕괴과정을 목도한 푸틴에게 쓰라린 상처로 남았다. 정보기구 엘리트 중 일부는 러시아 국가기구를 소생시켜 잃어버린 파워를 회복하고자 했다. 이 노력이 KGB를 물려받은 FSB의 화려한 부활로 나타났다.

---

2) 이와 관련한 자세한 내용은 필자의 블로그 참조

러시아 스파이기관들은 오늘날 서방과의 3라운드 대결전의 시작으로 보고, 냉전 종식 후 겪었던 후퇴를 되돌리려 하고 있다. 우크라이나 전쟁이 새로운 기회라는 감을 잡고, 수업 시작종이 울리자마자 일제 사격을 가하고 있다. 소비에트 전임자들과의 연속성을 유지해야 한다는 생각이 곳곳에서 드러나고 있다. 2023년 9월 취임한 세르게이 나르시킨(Sergei Naryshkin) SVR(대외정보국) 수장은 모스크바 본부 마당에 소비에트 비밀경찰 창설자(**제르진스키**)[3]의 초상을 세우겠다고 공언했다. 2023년 11월, FSB는 소련의 비밀기구였던 OGPU 100주년을 축하하는 메시지를 보강하면서, 동 기구가 정치적 망명자 그룹 분쇄에 앞장섰음을 강조했다.

그 연속성은 초기 소비에트 위업(exploit)을 넘어서, 잘 굴러가고 있다. 푸틴은 소비에트 붕괴라는 치욕을 되갚으려는 열정을 가진 전 KGB 장성들을 적절히 활용해왔다. 대표적인 사례가 **니콜라이 그리빈(Nikolai Gribin)**으로, 1980년대 KGB 대외정보 파트에서 허위조작 공작담당 부책임자였다.

2021년에 발족한 러시아 싱크탱크(the National Research Institute for the Development of Communication)에서 주도적인 역할을 하고 있으며, 이 기구는 러시아 이웃 국가들을 상대로 친러시아 여론 형성에 주력하고 있다. 벨라루스에 특히 많은 노력을 기울인다.

알렉산더 미하일로프(Alexander Mikhailov)도 있다. 1980년대 KGB의 악명 높은 부서인 제5총국(Fifth Directorate)에서 활동했던 인물로, 반대자/음악가/교회 지도자들을 포섭하여 이념적 전복활동을 주로 했다. 1990년대 부터는 FSB가 허위조작 공작을 이어받고 있다.

---

[3] 제르진스키에 대해서는 제3부에서 비교적 상세히 다루었다.

우크라이나를 침공하기 몇 달 전인 2021년 가을, Mikhailov는 FSB의 비공식 입이 되어 러시아 미디어에서 활동하면서, 우크라이나에서 벌어지는 사건에 대한 스파이기관들의 생각을 퍼트리고 있다.

"우크라이나 전쟁은 미국과 서방이 러시아와 맞대결하는 전쟁이며, 우크라이나는 이들 스파이대장들의 꼭두각시에 불과하다".

러시아 스파이기관들은 푸틴과 마찬가지로, 초기 소비에트의 정보전쟁에서 중요한 교훈을 얻었다. 우크라이나 전쟁은 사실상 러시아와 서방이 맞붙는 전쟁으로 비화하면서, 주요한 국가적 안보 문제에 대해 다시 생각하게 되었다. 1991년 소비에트 붕괴이후 거의 신경 쓰지 않았던 부분이다. 러시아의 국경과 이 국경 폐쇄여부 등이 대표적인 사례다.

크레믈린은 국경을 봉쇄하지 않고, 스파이기관들이 활용하는 터전으로 만들었다. 많은 러시아인들이 유럽이나 다른 이웃 국가들로 밀물처럼 넘어가는 것을 방치하되, 이를 역이용하는 것이다. 유럽 각 국에서 추방된 러시아 외교관 및 정보요원들의 빈자리를 메꾸는 것이다. 푸틴은 냉전시절 겪었던 실책을 피하고자 하는 욕망이 뚜렷하다. 그 당시 소비에트는 국경을 철저히 봉쇄하여 사람들의 이동을 막았고, 이는 소비에트 정보력에 손상을 가져왔다는 교훈이다(북한이 탈북자를 활용하는 것과 유사하다).

하지만 크레믈린을 골치 아프게 하는 또 다른 문제가 있었다. 고위 관료들에게 어떻게 규율을 적용할 것인가? 였다.

푸틴은 스탈린의 방식을 모방했다. 대규모 숙청과 억압이었다. 그러면서 그러한 조치들이 소비에트에 역풍으로 작용했음도 알았다. 공포를 심는 것을 유용한 도구로 삼고, 전격적이고 노골적인 숙청은 기관에 해가 된다는 것도 이해했다.

1930년대 이 방식으로 시행함으로써, 소비에트 정보기구들의 유능한 간부들을 상당부분 잃어버렸다. 그래서 FSB의 대외정보 총책인 **세르게이 베세다(Sergei Beseda)**는 전쟁 초기에 잠깐 연금되었다가 독방에 감금되었다. 몇 주 후 다시 얼굴을 내밀었고, 2023년 6월 바그너 그룹 수장인 프리고진의 반란이후, 여러 관측자들이 군정보기구와 FSB내에 대대적인 숙청바람이 불 것으로 예상했지만, 그런 일은 일어나지 않았다.

그리고 보면 푸틴은 스파이기구들에 대해서는 유연하고 실용적인 접근법을 구사하고 있다. 숙청공포를 심어주되, 서방과의 정보전쟁을 보다 창의적으로 수행하여 우위를 확보하도록 유도하고 있다. 그 결과가 최근 몇 년간에 걸쳐 야심찬 해외공작이 눈에 띄게 늘어난 배경이다. 사보타주 공작 뿐 아니라 이탈리아 내 러시아 공작관의 침투, 나토국가들 내에 첩보원 포섭 박차 및 독일 BND 요원이 고급 기밀을 러시아 정부에 넘겨주다가 2022년 12월 체포된 것 등이 상징적인 사례다.

우리 주변에 널린 스파이

러시아 스파이기관들은 스파이 전쟁 무대로 컴백하면서, 소비에트 시절 겪었던 또 다른 중요한 교훈을 내재화했다. 바로 이데올로기의 전략적 활용이다. 1930년대 모스크바는 마르크스 독트린을 서방에 강요하기보다, 서구 민주주의 취약점을 집중 공략하는 방식으로 소련의 논리를 펼쳐, 서방을 상대로 승리할 수 있었다. 동시에 소련 정보요원들은 공산주의 이론을 고스톱 칠 때 광을 팔듯이 할 필요가 없음을 깨달았다. 대신, 소련을 서구 제국주의의 대안으로 그리고, 서방의 이중잣대/위선을 부각시키고, 글로벌 파워 국가에 대항하는 특정 지도자(러시아)를 대비시켰다. 이 아이디어는, 러시아 스파이기관이 잠재적 동맹국을 향해 페달을 밟으면서, 서방과의 3라운드 정보전쟁에 무엇을 충원하는지를 보여준다.

우크라이나 전쟁이 3년이 넘도록 지속됨에 따라, 러시아 스파이기관들은 크레믈린이 자신들을 후원하고, 자신들이 갖고 있는 편집증/편견을 공유하고 있음을 안다. 이런 현실은, 정보기관들이 크레믈린의 보호에 매달리고 있음을 시사하지만, 그렇다고 푸틴 자신의 권력이 보다 안전해지고 있음을 의미하는 것은 아니다.

과거 20여 년 동안 푸틴은 러시아 내 뿐 아니라 전 세계에 산재해 있는, 방대한 안보 빛 정보공동체를 컨트롤하는 문제를 놓고 고심에 고심을 거듭해왔다. 2000년대 초, 보리스 옐친 전 대통령이 추구한 '정보기관끼리 경쟁'이란 개념을 포기하고, FSB를 톱 정보기관으로 자리매김했다. 2014년 크림반도 병합 후 정보 집단 중 부패한 중간급 간부들을 감옥으로 보내 군기를 잡고자 했지만, 별다른 효험을 보지 못했다. 그 때를 교훈 삼아 과거의 실책을 피하면서, 스파이기관들의 충성을 이끌어내고자 한다. 당분간은 이들의 힘을 키워줄 것이다.

다만, 이러한 푸틴의 방법이 스파이기관들에 대한 통제력을 높여주었는지는 명확하지 않다. 지금까지 푸틴은 그 문제를 개선하기 위해 딱히 한 것이 없다.

거대기업을 부수듯, 정보기관들을 숙청했던 스탈린의 과오를 답습하지 않으려 하지만, 공산당이 KGB를 통제했던 소비에트 시절과 달리, 구사할 수 있는 몽둥이가 별로 없다. 우크라이나전의 전황이 악화될 경우, 러시아 스파이기관들이 푸틴을 구하기 위해 떼거지로 달려들지는 현재로선 장담하기 어렵다.

방화범, 킬러,
사보타주 주도자,
그리고 스파이

지난 2025년 1월 트럼프 2.0이 시작된 지 불과 한 주도 되기 전에, 고위 나토관리가 EU의회에서 말했다. "날이 갈수록 격심해지는 러시아의 하이브리드전쟁이 서방에 중대한 위협으로 부상하고 있다."

이 청문회자리에서, 제임스 아파투라이(James Appathurai) 나토 이노베이션/하이브리드/사이버 담당 부총장보는 지난 20여 년 간 나토 국가를 상대로 벌인 사보타주에 대해 언급했다. 사보타주에는 기차레일 탈선/방화/인프라 공격/산업계를 이끄는 리더에 대한 암살음모 등을 포함한다. 2022년 2월 푸틴이 우크라이나를 전면 침공한 이래, 러시아 정보기관과 연계된 사보타주 공작은 15개국에서 덜미가 잡혔다.

Appathurai는 "이제 나토는 해가 갈수록 증가하는 이런 공격을 막아내기 위한 전쟁에 발을 디밀어야(war footing) 할 때"라고 설파했다.

이런 우려 섞인 발언이 있은 지 몇 주도 채 되기 전에, 트럼프의 전격적인 푸틴에 대한 태도 전환으로 사보타주 공작 문제는 수면 아래로 파묻혔다. 대신, 트럼프 행정부가 우선적인 목표로 우크라이나 전쟁 조기 휴전으로 방향을 틀면서, 워싱턴과 모스크바는 바이든 정부 시절과 전혀 다른 대화가 이루어지고 있다. 이어 트럼프 행정부는 FBI와 국토안보부가 중심이 되어 미국을 상대로 러시아 정보기관 등이 자행해 온 사이버전/허위조작정보 대처/선거 간섭 등에 대한 업무를 흔들기 시작했다. 트럼프는 이에 더해, 러시아는 어떠한 평화협상도 할 수 있을 정도로 신뢰가 있으며, "푸틴도 예전보다 훨씬 관대해지고 있다"는 두둔성 발언도 서슴지 않았다.[4]

하지만 트럼프-푸틴 거래가 크레믈린의 스파이와 전복활동을 뒤로 밀쳐낼 것으로 보는 가정은, 위험천만한 실책이다. 우선, 러시아의 정치 고수들이 이를 허용하지 않고 있다. 거의 모든 러시아 안보 및 정보기관들은, "미국 혹은 서방과는 항구적인 평화가 달성되지 못 한다"고 굳게 믿고 있다.

2025년 2월, Valdai Club에 소재한 친크레믈린 성향의 싱크탱크 소장인 표도르 루키아노프(Fyodor Lukyanov)는 "제2의 얄타를 위한 기회가 없다"고 말했다. 동명이 말하는 "제2의 얄타"는 유럽의 영향권과 국경을 다시 획정하는 글로벌 딜(global deal)을 의미한다.

---

[4] 2025년 7월, 자신이 압박하는 휴전이나 평화회담이 별다른 진척이 없자, 푸틴을 향해 실망조의 분노를 터트리기도 했다. 하지만 2025년 8월 16일 알래스카에서 젤렌스키를 빼고 정상회담을 갖고 휴전문제를 논의했다.

또 다른 유력한 러시아 당국자도 미국과 러시아 간의 해빙은 일시적이며, 기껏해야 2026년 중간선거까지 유지될 것으로 전망한다.

더불어, 러시아 정보/안보기관들의 미국의 의도에 대한 불신은 그랜드캐년 만큼 깊고도 깊다. 수세기 동안, 러시아는 서방이 러시아를 속국으로 만들거나, 심지어 파괴하려 한다는 피해의식을 갖고 있어, 서방을 철천지 원수로 간주해왔다. 트럼프의 푸틴에 대한 구애는, 모스크바 스파이들에게 유럽에서의 전복활동을 더 넓힘과 동시에 배가하는 기회를 주고 있다. 나토 및 대서양 동맹국들의 방위에 대한 불신 및 회의적 시각에 힘입어, 모스크바는 유럽 국가들을 상대로 비재래전을 더욱 가열 차게 벌일 것이다.

러시아 스파이기관들은 3년이상 질질 끄는 우크라이나 전쟁을 모멘텀으로 삼아, 독수리 날개처럼 활개를 치면서, 사보타주/하이브리드 전쟁을 포괄적인 전략으로 삼고 있다. 이런 류의 공격들은 단순히 유럽의 각국 정부를 헝클어놓는데 그치지 않는다. 각국 정부와 기업들이 우크라이나 지원에 소요되는 비용을 높여, 우크라이나에 대한 지지를 감소시키는데 주안점을 둔다. 대응하기도 쉽지 않은 교묘한 술책을 구사하고, 주민을 헷갈리게 하고, 유럽 각국의 국토방위 전선을 허물어트리려고 한다. 서방이 앞으로도 이런 공격을 당하면서도 효과적인 억지전략을 세우지 않는다면, 모스크바는 향후 종전협상을 앞두고도 별다른 어려움 없이 선전활동을 가열 차게 전개할 수 있을 것으로 본다.

모스크바의 새로운 킬러들

러시아 스파이기관들은 2014년 크림반도 병합 이후, 서방에 대한 압력을 가중하기 위해 사보타주 공작을 수시로 자행해 왔다. occasional attacks(가끔씩 하는 공격)로서, 러시아 군 정보기관인 GRU 요원이 체코의 우크라이나 지원을 중단시키기 위해 체코 탄약저장고를 폭파한 것이 대표적인 사례다. 그 당시 체코는 돈바스에서 러시아군에 맞서 분투 중이던 우크라이나에 대한 각종 지원을 하고 있었다. 러시아 정보기관의 상징적 존재인 FSB는, 우크라이나 침공 직후에는 서방 각국에 흑색으로 파견되어 있던 요원들이 추방당했지만, 2023년에 접어들어, SVR, GRU 등과 함께 유럽 각국에 재배치하기 시작하여, 새로운 방식의 하이브리드 전쟁을 펼치고 있다.

가장 뻔뻔스런 공작은 2024년 봄, 독일의 최대 무기제조업체인 Rheinmetall 회장인 **아르민 파퍼거**(Armin Papperger)를 암살하려고 획책한 것이다. 이 공작은 독일 BND 및 미국 정보기관에 의해 좌절되었으며, 나토의 하이브리드전 담당관인 Appathurai가 2025년 1월 공식 확인해주었다.

동명은 청문회에서, 유럽 군수업체 회장 등에 대한 "또 다른 음모"도 발각되었다고 증언했다. 이런 위협은 쉽게 연기처럼 사라질 것 같지 않다. 다른 유럽 방산업체와 더불어, Rheinmetall은 향후 우크라이나 종전 협상을 앞두고 우크라이나 재무장에 중대한 역할을 하는 기업인데, 트럼프 집권 이후 우크라이나에 대한 각종 무기 지원 등 투사(projections)가 급격히 늘고 있다.

러시아는 이런 공작을 수행하기 위해 교묘하면서도 약은 수법을 구사하고 있다. 자국의 정보요원을 투입하다가 발각되면 외교적/도덕적 문제가 야기될 것으로 우려하여, "갱단/뭔지도 모르고 날뛰는 젊은이/이민자" 집단에서 공작 수행자를 모집한다.

그 한 예가, 2024년 3월 두 명의 영국인 남성이 런던 동부에 소재한 창고에 불을 붙이려다가 체포된 사건이다. 이 창고는 우크라이나에 보낼 전쟁 물자를 보관하고 있었다. 이 공격은 러시아 군 정보기관의 전위역할을 하는 '바그너 그룹'이 개입한 공격이었다. 공작 수행자 포섭 수법은, 소셜미디어를 통해 한번 써먹고 해고하는 일자리 구인 형태로, 지역 범죄자를 대상으로 채용하고, 채용된 사람들이 자신이 무슨 일을 하는지 모르게 함과 동시에, 대응하기도 어렵게 만들려는 계산이다. 러시아 국적자들을 서방 각국에 투입하기 점점 어려워지고 있음을 감안한 우회 술책이다.

러시아 스파이기관들은 서방의 인프라와 병참 기지를 타깃으로 삼는 것 외에도, 사보타주 공작을 통해 타깃으로 설정한 국가들의 정치적 정경에 영향을 미치려 하고 있다. 이른바 **영향공작**이다. 2025년 2월 독일 조기 총선이 출발선에 서자, 러시아 정보요원들은 아프간이나 다른 이민자를 포섭하여 독일 시민들을 상대로 여러 건의 공격을 자행했다. 이는, 독일 극우파 지지세를 확산시켜, 독일의 우크라이나 지원을 차단하려는 의도였다.

이런 공격은 효과를 보기 위해 반드시 폭력을 동반할 필요는 없다. 일례로, 러시아 정보기관들은 소셜미디어를 통해 청소년/소련 붕괴 후 외국에 흩어져 사는 사람(dispora) 등을 포섭해서, 아파트나 빌딩 벽에 증오의 슬로건을 스프레이로 낙서하듯 뿌리고 다닌다.

이웃에 사는 이주민들을 겁먹게 하거나, 토착민들을 자극하여, 우크라이나 혹은 시리아에서 넘어 온 피난민들에게 대한 증오감을 심는다. 큰 돈도 들지 않아 기껏해야 수천 달러만 들이면 되고, 치밀하게 준비하지 않아도 된다. 야망이 있는 협조자는 돈을 받고 폭력적인 행위도 불사한다. 불을 지르거나, 몰로토프(Molotov) 칵테일을 던지는 방법이다.

유럽의 정보책임자들은, 폴란드/영국을 비롯한 독일이 모스크바의 최우선적 타깃 중 하나라고 믿는다. 과거 소련체제 하에 있던 우크라이나 혹은 러시아 출신 이민자들이 상당수 독일로 몰려들어, 이민자들 사이에 긴장감도 높아지고 있어, 이는 러시아 스파이기관들이 영향공작을 펼치기에 너무나 좋은 여건이 되고 있다. 정치적 상황이나, 공공 여론을 조작하는 것이다.

더구나 신임 독일 총리 메르츠(Merz)가 독일 국방비를 극적으로 인상하고, 서방의 안보에 나름의 역할을 키우겠다는 언명은, 크레믈린이 독일 정치 사회를 뒤흔들어야 하는 명분이자 모티브가 되고 있다.

인질 게임

러시아의 전매특허가 또 있다. 인질외교다. 북한 정권도 이를 모방하여 김정일 시대부터 수시로 써먹는 수법이다. 사소한 것을 트집 잡아 구금하거나, 구속시킨 뒤 국제정치적 상황을 보아가며, 서방에 체포되어 수감 중인 러시아 스파이 등과 교환하는 것이다. 요즘처럼 유럽이나 미국 여권을 가진 사람들이 빈번히 붙잡히는 경우를 보지 못했다.

우크라이나 침공 후, 러시아의 대표적 정보기관인 FSB(Federal Security Service)는 갖가지 트집을 잡아, 타깃으로 삼은 국가 시민들을 체포해 왔다. 지갑에 마약 성분이 든 껌을 소지하고 있다거나, 우크라이나 자선단체에 몇 백 달러 기부한 사실을 스마트폰에서 찾아내어 잡아들인다.

냉전 시절, 서방과 소련 정보기관 사이에 수감자 교환은 비즈니스처럼 행해졌으며, 대체로 지정학의 외곽에서 눈에 띄지 않게 조용히 이루어졌다. KGB는 닉슨과 브레즈네프 사이에 밀고 당기던 전략무기제한협정(SALT, the Strategic Arms Limitation Talks) 논의 석상에, 스파이 교환 문제를 끌어들이지 않았다.

하지만 우크라이나 전쟁은 이런 관행을 깨버렸다. 미국 농구선수 브리튼 그리니어(Briton Grinier)의 석방을 둘러싼 협상에 SVR 혹은 GRU가 개입했고, 인질거래가 미국 내 여론에 심대한 영향을 끼친다는 점을 알아챘다. 이에 모스크바는 미국에 국한하지 않고, 프랑스/독일국민들로 인질삼기 대상을 확대하고, 협상 시 레버리지로 활용하고 있다.

러시아 정보기관들이 인질 체포와 인질 거래에 관여하는 일은, 일회성이 아닌 제도적인 업무로 굳어졌다. 수년 전부터 미국과 러시아의 막후채널로 떠오른 FSB가 2024년 미국 월스트리트 저널 소속 언론인 **에반 게르슈코비치**(Evan Gershkovich) 석방 교섭에 개입한 것은 전혀 놀랄 일이 아니다. SVR 국장 세르게이 나리시킨(Sergei Naryshkin)은 꽤 오랜 시간동안 미국과의 협상 시 막후에서 간여해왔다. 2022년 당시 CIA국장이던 윌리엄 번즈를 튀르키예 앙카라에서 만난 것이 사례다.

그 만남 당시, 러시아에 수감 중이던 미국인 석방 뿐 아니라, 핵무기 사용 문제까지 다뤘다.

2025년 2월, 트럼프 행정부 고위관리가 사우디 리야드에서 우크라이나 임시 휴전 문제를 논의하기 위해 러시아 측과 사전 대화 자리를 가졌다. 러시아 측에서 Sergei Naryshkin이 포함되었는데, 이는 인질 문제를 다루기 위한 것이었다. 이 대화는 미국인 교사 마크 포겔(Marc Fogel) 석방에 앞서서 진행되었는데, 동명은 대마초 소지혐의로 체포된 사람이다. 트럼프는 이후 Fogel의 귀환을 치켜세우고, 백악관에 그를 초청하여 인사하는 등 과시용 세레모니를 펼쳤다.

인질 교환은 트럼프가 거래적인 방법을 선호하는 것에 대한 일종의 '보상으로 주는 것(quid-pro-quo)'이었으며, 러시아는 이에 고무되어, 서방 수감자수를 계속 늘리는데 온갖 노력을 다하고 있다. 2025년 3월 11일 Naryshkin은 CIA 신임 국장 존 래틀리프(John Ratliff)에게 처음으로 전화를 걸어 "정기적으로 만나"기로 합의했다.

깊어지는 어둠, 심해지는 기만

2022년 이후 러시아 정보기관들은 남의 나라 국경을 넘나들면서('초국가적 탄압') 오랜 기간 러시아 체제 비판자 등에 대한 위협/암살을 시도함과 동시에 사보타주를 옵션 중의 하나로 채택해왔다. 크레믈린은 자신들의 적이나, 외국으로 망명한 야당 인사 등을 상대로, 다양한 도구를 사용하여 탄압한 오랜 전통을 갖고 있다.

독일/영국/발틱 국가 등을 상대로 지금도 사보타주를 자행 중이다. 러시아 비밀경찰은 **'초국가적 탄압'**을 발명한, 그리 바람직하지 않은 명예를 안고 있다. 19세기 후반, 차르 비밀경찰은 프랑스와 스위스에 거주하는 러시아 정치 이민자 집단에 침투하여 유혹했다. 차르 왕정체제가 무너지고 소비에트 체제가 들어선 후, 이 전술은 더욱 고도화되어 정치적 암살까지 자행한다. 금세기 초, 푸틴의 스파이들도 같은 짓을 하고 있으며, 외국으로 도피한 체제비판자를 끝까지 쫓아가 암살을 시도했다. 나발리가 대표적인 희생자이다.

지금 러시아의 '초국가적 탄압'은 날이 갈수록 정교화되어, 그 책임을 다른 쪽으로 돌리는데 선수가 되었다. 2025년 2월 초, SVR은 공개적으로 우크라이나 정보기관이 해외로 피난처를 찾는 러시아 야당이나 기업인을 상대로 "공격을 준비"한다고 비난했다. 그러면서 공격 의심자를 체포하는 이벤트를 벌이면서, "우크라이나 특수부대가 이런 공격을 준비하도록 명령을 내렸다"고 억지 주장했다.

유럽 전역에 산재해 있는 러시아 망명커뮤니티는 이 성명의 의미를 재빨리 알아차렸다. SVR이 러시아 망명자를 공격할 목적으로 새롭게 판을 깔기 위해, 미리 우크라이나 탓으로 돌릴 수 있는 명분을 마련하는 것으로 보고 있다. 서방에서의 러시아 공작을 우크라이나에 전가하는 모스크바의 습성은 점점 확대일로에 있다. 지금까지 암살시도/방화/인프라 공격 등 다양한 공격들을 우크라이나 탓으로 돌려, 우크라이나에 대한 유럽인들의 여론을 악화시키려는 계략이다.

이런 노력들은 러시아 전략이 변하고 있음을 보여준다. 2026년 이후 수년 동안, 러시아 정보기관들은 정말 뻔뻔하면서도 헐렁하기 그지없었다. 노출되든, 붙잡히든 전혀 개의치 않겠다는 듯이 행동했다.

베를린 중심가에서 체첸 분리주의자를 자전거를 타고 가면서 보란 듯이 대낮에 암살한 뒤, 총과 자전거를 스프리(Spree) 강 근처에 버린 뒤, 독일 경찰에 체포되었다. 러시아 공작요원들은 아무렇지 않게 처신했다. 뻔뻔한 공작 행위를 거침없이 노출해도, 서방은 이들의 실상을 적나라하게 드러내거나, 형사적으로 제대로 죄를 묻지 못한다는 것을 알고 있다.

하지만, 지금은 양상이 바뀌고 있다. 비밀모드로 회귀하고 있다. 우크라이나 전쟁은 유럽에서 러시아인이 직접 공작하기 어려운 여건으로 바뀌었기 때문이다. 공작을 아웃소싱하는 것이다. 유럽인을 일용직으로 고용하여, 이들을 활용하여 암살 등 공작을 하는 자행하는 것이다.

KGB 기록관이자 귀순자인 **바실리 미트로킨**(Vasili Mitrokhin)은 모스크바에서 몰래 빼돌린 자신의 노트에서, 1960년대 소련이 아테네 근처 파르니타 산(Mount Parnitha)에 소재한 나토 통합 공군 기지를 겨냥하여 사보타주를 시도한, 악독한 준비계획을 털어놓았다. 방법은 KGB "F" 국 실험실이 개발한 도구를 갖고, 그 기지를 방화하는 것이었다. 이 도구들은 그리스 스타일의 담배 갑으로 위장하고, 그 속에 언제든지 점화할 수 있는 물질을 집어넣었고, 담배 갑 속의 희박한 공기를 고려해서 내장된 기계장치(Built-in mechanism)를 사용했다. 이 공작은 아무나 할 수 없어 대단히 숙련된 공작관을 필요로 했다. 이 공작을 각본대로 자행했더라면, 다른 나라 탓으로 돌리기 어려웠을 것이다.

이 방법은, 푸틴의 집권 초기 몇 년 동안 답습되었다. 러시아 스파이기관들이 해외에서 암살공작을 자행할 때, 러시아인 자행했다는 흔적이 확실히 남았다.

영국 런던에서 2006년 11월 방사능 물질 폴로늄(polonium)-210을 탄 차를 마시고 독살당한 전 KGB 요원 **알렉산더 리트비넨코**(당시 43세) 암살사건에서 polonium을 사용했고, 2018년 세르게이 스크리팔 부녀 암살시도 때는 노비촉이란 독극물을 사용했다. 지난 20여 년 동안 크레믈린이 자행한 사보타주 공작 대다수가 러시아 소행이라는 증거를 확보하기가 쉽지 않았다. 단돈 수백 달러를 주고 일용직(one-off job) 처럼 첩보원을 채용하여 이들을 지역사회에 침투시켜 치고 빠지기식으로 공작했기 때문이다.

미 정보공동체, 축구공에서 눈을 떼다

크레믈린이 매우 조직적으로 치명적인 하이브리드 전략을 발전시켜 오고 있음에도, 서방 지도자들은 이를 봉쇄할 만큼의 충분한 대응 전략을 수립하지 못했다. 2016년 러시아의 미국 대선 개입이후, 그나마 미국이나 유럽 동맹국들이 시행하는 전술이 **'이름붙이기와 망신주기'**다.

2014년 11월 런던 법정은 불가리아 국적자 6명에 대한 재판을 열었다. 러시아 정보기관을 위해 일한 협조자들이다. 우크라이나 예비 병력이 훈련받는 곳으로 알려진 독일 슈투트가르트(Stuttgart)지역에 주둔한 미국 군사기지를 촬영하거나, 런던 소재 카자크(Kazakh) 대사관 공격 음모를 꾸미거나, 크레믈린에 비판적인 탐사보도 기자 2명과 런던에 망명한 Kazakh 정치인을 공격하는 것 등이다. 2025년 3월 초, 피고인들은 모스크바와 공모한 혐의 등으로 전부 유죄를 선고받았다.

일부 유럽 국가들은 러시아 정보기관이 자행하는 사보타주 공격의 여파를 줄이려는데 급급하고 있다. 사보타주 자체를 부인하거나, 그 규모를 축소하는, 말도 안 되는 짓을 하고 있다.

하지만 안보문제에 대한 비중을 높이는 최근의 여러 조치들은 고무적이다. 여러 유럽 국가들이 발틱해 해저에 깔린 전신 케이블/파이프라인 및 여타 중요 인프라에 대한 보호조치를 취하고 있다. 2025년 1월 영국의 대응 시스템이 본격 가동되어 해저 인프라를 위협하는 것들을 추적하고 있고, 러시아의 '**그림자 함대(shadow fleet)**'를 모니터한다. 10개국이 합동으로 시행하는 부대 활동(Joint Expeditionary Force)의 일환이기도 하다.

하지만 트럼프 2기가 들어서면서 미 정보공동체는 강한 지진처럼 뒤틀리고 있다. 트럼프의 친모스크바 성향 때문으로, 유럽과 힘을 합쳐 대응하기 어렵게 만들고 있다. CIA 요원들에 대한 buyout offer(사직을 조건으로 위로금을 주는 것)는 러시아를 생일을 맞는 어린아이처럼 신나게 하고 있다. 정보 우선순위도 러시아나 우크라이나 지원이 아니라, 중국과 멕시코의 마약 카르텔에 집중하도록 유도하고 있다. 이는, 러시아 정보기관들에게 유럽에서 마음껏 활동할 수 있는 비단길을 열어주고 있다.

트럼프의 이런 조치로 인해, 러시아에 대한 감시망이 현격하게 흐트러진다 해도, 미 정보공동체 입장에서 보면, '축구공에서 눈을 떼는 것'이 처음은 아니다. 1990년대 냉전이 종식되자, 러시아에 쏠리던 눈길을 뗀 적이 있다.

이는 내놓으라하는 러시아 전문가 손실로 이어졌고, 워싱턴 정가 내에 러시아 리스크를 과소평가하게 만들었다. 결과적으로 푸틴의 오판을 유도한 셈이 되었다.

푸틴은 암암리에 차근차근 자신의 종신 집권체제를 굳히면서, 유럽과 미국을 상대로 한 대결을 준비해왔다. 트럼프 2기 행정부는 2025년 봄에 발생한 한국의 경상도 대형 산불과 같은 재앙과 실책을 반복할 것이다.

전면으로 부상한 GRU

우크라이나 전쟁이 장기화하면서 러시아 스파이기관의 신임도도 바뀌고 있다. 푸틴이 몸담았던 곳으로, KGB 해체이후 사실상 최고 정보기관 역할을 해온 FSB가 흔들리고, 우리나라의 기무사(현 방첩사령부)격인 GRU(군사정보국)이 뜨고 있다. 푸틴이 FSB를 제치고 우크라이나에 대한 정보수집 책임을 GRU에게 맡긴 것이다. 새롭게 재편된 정보기관 활동 상황에서 두 명의 장성이 주요한 역할을 했다. GRU 제1부국장과 FSB 제5국장이다.

FSB 책임자인 General 세르게이 베세다(Sergei Beseda)에 관한 일(일시 가택 연금 후 감옥에 수감 후 석방)은 결코 놀랄 만한 일은 아니다. 우크라이나 전쟁 개시 후 첫 2개월은 FSB 제5국장에게도 어려운 난제였음이 증명되었다.

제5국은 우크라이나 침공 전에 우크라이나에 대한 정보수집을 전담했었다. 개전이 되자 베세다는 가택 연금되었고, 스탈린 치하에서 악명 높았던 **레프로토보(Lefortovo)** 감옥에 수감되었다. 베세다에 대한 새로운 소식이 모스크바에 나도는 동안, 베세다와 추종자들은 군부 및 FSB내 다른 부서 등 비판자들의 호된 비판 타깃이 되었다. 제5국이 푸틴에게 잘못된 정보를 보고한데 이어, 전쟁이 발발한지 2달 보름이나 지났는데도 의미 있는 성과를 거두지 못한데 대해 엄중한 책임을 져야한다는 것이다. 그래서 관측자들은, 베세다가 Lefortovo 감옥의 독방에 감금되어 몇 년간 고생해야 할 것으로 생각했다.

그러나 2022년 4월 29일 RTVI는 로스텍(Rostec) 책임자와 절친인 세르게이 크예매조프(Sergei Chemezov)가 "베세다가 KGB 장성 니콜라이 레오노프(Nikolai Leonov) 장례식에 모습을 보였다"는 파격적인 뉴스를 전했다. RTVI 웹사이트에 따르면, 베세다는 연설도 하고, 여전히 제5국의 수장으로 행동했다는 것이다.

그 TV는 이 내용을 방송으로 내보내지는 않았지만, 이 메시지의 유일한 의미는 막강한 인물인 베세다에 대한 이야기를 더 이상하지 말라는 신호이다. FSB가 '공세적인 조치'를 취하는 것이 얼마나 큰 기회 인지를 깨달으면서, 우리의 정보출처를 상대로 베세다에 대한 정보를 체크하기 시작했다. 마침내 우리는 "베세다가 지난 루뱐카(Lubyanka)에 있는 자신의 사무실로 복귀했다"는 말을 전해 들었다.

괴이하면서도 참으로 전례 없는 일이었다. 베세다라는 장성을 감옥에 집어넣었다가 복귀시키는 일련의 장면은 멜로드라마처럼 보였다. 크레믈린의 거주자 중에 장군을 상대로 이런 쇼를 할 만한 인물은 스탈린 밖에 없었다. 여기에는 특별한 논리가 있다. 푸틴은 문제가 있든 없든 계획한대로 전쟁을 밀고가기 위해 악착같이 고집하고 있다는 점이다. 그러나 전쟁이 자신의 뜻대로 풀리지 않고 있는 것은 여러 면에서 명백해지고 있다. 최대의 난제는 크레믈린의 프로파간다에 사로잡혀 있는 러시아 민중이 아니라, 러시아 엘리트들이다. 모스크바 사람들, 지역 관료들, 군부와 스파이기관 등이 그들이다.

그들은 점차 푸틴의 우크라이나 전략에 대한 회의감이 커지고 있다. 그렇지만 그들은 "우크라이나에서 벌어진 모든 일이 계획대로 착착 진행되고 있다"며 푸틴에게 확신을 갖게 한 사람들이기도 하다. 그러나 스파이기관의 최고 책임자를 감옥에 둘 수는 없는 만큼, 우크라이나에 대한 정보실패는 없다는 주장을 편다.

푸틴이 KGB의 책략을 사용한 것이 그의 정치이력 중에서 이번이 처음은 아니며, 베세다에 대해서는 아무 일도 없었던 것처럼 처신한다. 이 뉴스는, 주요 매체들이 거의 보도하지 않았지만, 러시아 엘리트들이 주로 읽는 채널을 통해 삽시간에 퍼져나갔다.

베세다가 복귀했다고 해서, 푸틴이 FSB나 우크라이나 문제를 전담하는 제5국을 재신임하는 것으로 받아들이면 안 된다. 친크레믈린 TV 차르그라드(Tsargrad)는 "Victory Generals: Who Commands the Russian Special Operation 러시아 특수작전을 누가 지휘하는가)"제하의 기사를 보도했다.

특수작전을 전담해서 지휘하는 알렉산더 드보르니코프(Alexander Dvornikov)와 같은 많은 군사지도자들 가운데 한 사람의 이름이 호명되었다. FSB의 라이벌인 GRU 제1부국장이자 중장인 블라디미르 알렉세예프(Vladimir Alekseev)가 우크라이나에 대한 정보책임을 맡는 책임자로 호명된 것이다. "푸틴의 가이드라인에 따라 동일한 Caliber(총구)와 전략적 항공(지상과 공중 작전)을 지금까지 해왔던 방식대로 지속 한다"는 의미라고 Tsargrad는 덧붙였다.

Alekseev는 특별한 형태를 가진 러시아 군정보기관의 대표격 인물이다. 특수부대에서 군 경력을 시작하여, 일부 장성의 아들처럼 유럽 주재 대사관의 무관도 하지 않았다. GRU the Central Office 산하 제14과를 담당했는데, 이 부서는 특수부대를 전담했으며, 2011년에 참모장이 되고, GRU 제1부국장으로 승진했다.

Alekseev같은 사람이 GRU의 뉴 페이스가 되었다. 쇼이구(Shoigu)가 2012년 국방장관으로 발탁되었을 당시 세르듀코프(Serdyukov) 장관 시절 축소되었던 GRU를 키우기로 결심한다. 이를 위해서는 GRU에게 새로운 피가 필요했지만, 어디에서 수혈해야 할지 막막했다. 이 때 특수부대를 새로운 피 수혈의 대상으로 삼았다. 동명이 이 부대 소속 인물들을 훤하게 꿰뚫고 있었기 때문이다. 이들은 거칠지만 충성스러운 장교들이었고, 자신들의 활동 방법에 대해서 위축되는 법이 없었다.

Alekseev는 시리아에서 GRU 군사작전을 감독했으며, 돈바스 분쟁에도 참여했다. 2016년 미국 대선 당시, 해커 공격에도 드러난 사람이다. 이 때문에 미국 제재대상에 올랐다.

2018년 영국 솔즈베리에서 자행된 GRU 요원의 **세르게이 스크리팔** 독살 시도(노비촉 이란 독극물 이용) 사건의 배후 인물로 지목되어, 유럽 국가들의 제재대상으로 포함되기도 했다. Alekseev는 거칠고 자신감이 넘치는 장군이며, 러시아 안보기관 서열에서 GRU의 제1부국장이란 자리는 FSB 수장보다 더 상위에 있다.

비밀성을 포기한
스파이 기관들

오늘날 스파이기관들의 세계에도 '대이동(grand shift)'이 있는 것처럼 보인다. 러시아 스파이기관은 더 이상 비밀기관이 아니다. 비밀공작을 수행하지만, 그간 해오던 방식 즉 루틴한 방식으로 공작을 하고, 대외적으로 노출되어도 크게 개의치 않는다. 스파이기관 고위간부들이 연루되고, 관련부서가 노출되며, 수법과 본질이 국내·외에서 드러나는데도 뻔뻔스럽게 자기 방식을 고수한다.

이는 크레믈린이 관련된 수많은 민감하고 비밀스러운 공작을 수행하는 그 기저에 공통적인 관행으로 자리 잡았다. 사이버공격에서부터 첩보수집 활동에 이르기까지, 모든 분야에 배태되어 있다. 크레믈린과 스파이기관들은 이런 새로운 현실에 10점 과녁을 맞히듯 정확하게 맞추고 있다.

푸틴의 정적 나발리(Navalny)에 대한 FSB의 독극물 암살공작시도를 파헤친 **〈벨링캣(Bellingcat, 고양이 목에 방울달기)〉**5) 의 활약은 이를 극명하게 밝혀준다. 나발리 암살시도 공작에 FSB 연구시설의 핵심부서인 **NII-2**가 간여한 사실이 백일하에 드러났다.

이 정보는 2021년 8월 나발리에 대한 독극물 암살 공작을 이해하는데 크게 기여했다. 몇 가지 공작의 핵심 요소, 특히 누가 지시했는지 등 공작 상부선이 뚜렷하게 밝혀지진 않았지만, NII-2는 공작부서가 아니고, 연구시설로 되어 있다. 루뱐카(Lubyanka) FSB 본부 내에는, 여러 FSB 지부의 활동을 조율하는 여러 개의 부서가 있으며, 나발리의 경우, 지방 감시팀이 나발리 공작팀의 움직임을 시시각각으로 체크했으며, 본부 부서는 이를 토대로 공작팀들의 활동을 업데이트해왔다.

벨링캣이 작성한 러시아 군 정보기관 GRU에 대한 예전의 보고서와 2018년 솔즈베리에서 벌어진 세르게이 스크리팔 GRU 대령 부녀에 대한 독극물 암살사건 관련자의 진술 등을 종합하여, 러시아 비밀기관들의 '독극물 공작 프로그램'에 대한 무시무시한 그림을 그릴 수 있다.

지난 몇 년간 분명해진 것은, "크레믈린과 비밀기관들이 당혹해할 것이란 예상이 대단한 오판이었다"는 점이다. 2015년, 미국의 정보 및 사법기관은 중국이나 러시아 해커들을 상대로 'naming and shaming(이름 붙이기와 망신주기)' 방법을 구사해왔다. 미국 기관 등을 대상으로 해킹하거나, 연루자들의 이름을 노출시켜, 국제적으로 망신을 주어, 더 이상 이런 짓을 하지 못하도록 하는 비군사적 방식이었다.

---

5) 〈벨링캣〉에 대해서는 필자의 저서 『그레이 인텔리전스- 정보생태계의 명과 암(인트루스 출판)』에 상세히 정리해놓았다.

이는, 외교적 채널이나, 메시지를 통해 우회적으로 항의하는 전통적 방식과 비교해보면, 혁명적 방식이라 할 수 있으며, 2016년 미국 민주당 전국위원회 시스템을 해킹한 러시아 해커들에게 적용했다.

이 전략은 약간의 효험을 보았다. 2015년 9월 중국 시진핑 주석은 오바마 행정부와 산업시설에 대한 사이버 첩보활동을 중단하기로 합의(2년 동안 그 합의는 지켜졌다)한 것과 러시아 FSB 사이버 부서 내 2명의 부국장과 다수의 요원들이 숙청된 것은, 이러한 방식의 처방이 일정 정도 효과가 있었음을 보여준 사례이다.

그러나 안타깝게도 2년 후 공격자들은 이런 환경에 적응하는 방법을 알아챘다. 병원균처럼 일종의 내성이 생긴 것이다. 스크리팔 전 GRU 대령 부녀가 영국 솔즈베리에서 독극물 테러를 당하고 공격자(GRU 요원 3명)의 신원이 드러났을 때, 중국 해커들에게 통용되었던 **'억지 효과**'는 눈 녹듯 사라져 별다른 영향을 주지 못했다. 러시아 GRU는 관련자를 숙청하거나, 그러한 활동을 늦춘다는 조짐을 전혀 보이지 않을 정도로, 눈도 깜짝하지 않았다.

투명해지고 있는 세상에 맞추는 방법은 두 가지가 있다. 당신이 비밀정보요원이라면 전문성을 제고하는 길인데, 이는 비용도 많이 들고 오랜 기간 노력이 필요하다. 두 번째는 과감하고 의문을 제기할 수 없을 정도의 충성심과, 모험적 성향을 가진 협조자를 포섭하는 것이다.

러시아 군정보기관은 2010년대 중반, 두 번째 형태의 공작요원이 다수 있었다. 러시아 국방부는 드미트리 메드베데프(Dmitry Medvedev) 장관의 지휘아래 개혁하면서, GRU 지부 요원을 감축하는 등 조직을 축소했다.

GRU는 모욕감을 느낄 정도 였고, GRU라는 글자 중 한 글자를 상실하여 GU(Glavnoye Upravlenie, 영어로는 Main Directorate, 총국) 전락했다(4년 후 푸틴이 다시 살렸다).

2012년 푸틴이 권좌에 복귀한 뒤 임명된 세르게이 쇼이구(Sergei Shoigu) 국방장관은 GRU를 예전의 위상으로 돌려놓겠다는 야심찬 포부를 내보였다. 이를 위해, GRU는 인원을 충원할 필요가 있었지만, 신규요원을 충원해도 이들이 갈만한 곳이 마땅치 않았다. 신참요원이 갈 수 있는 유일한 곳이 특수부대였다. 이들은 거칠고 용감한 자들로서, 누구든 살인할 준비가 되어있는 인간들이었으며, 신사 같은 정보요원은 아니었다. 하지만, 이들은 러시아 정보기관의 행동양태를 변화시켰다.

현행범으로 잡혀도 두려워하지 않았다. 그리고 크레믈린에게 투명한 새로운 세계에 대한 일종의 보호막을 제공했다. 전통적 스파이와 달리, 노출되거나 특정 국가들로부터 추방당하는 것도 걱정할 필요가 없었다. 러시아 대사관내에서 지위를 상실해도, 실망할 만한 위치에 있지도 않았다.

그들은 공작내용을 묻지 않았다. 이유는, 전쟁과 평화의 틈바구니에서 살았기 때문에, 이로 인한 데미지에 전혀 개의치 않았다. 이런 공작관을 훈련시키는 비용은 저렴한데다, 충원하는데 걱정이 없을 정도로 잠재적 자원이 풍부했다.

정보요원 경험이 있는 푸틴은 이를 너무나 잘 이해했다. 만약 민간비행기를 강제로 착륙(벨라루스에서 나발리를 체포하기 위해 자행)시키거나, 이웃 우크라이나를 침공했다고 비난받는 사안을 다루게 되더라도, 그 어떤 비난도 상황을 변화시키지 못하며 '해방효과(liberating effect)'만 줄 것이다.

『동포들(The Compatriots)- 런던에 추방된 러시아 신흥재벌 올리가르히로부터 모스크바와 밀접히 연계된 성직자까지』이라는 책을 저술하기 위해 만났던 사람들은 예외 없이 독극물 **노비촉**을 언급했다.

룰(rule)은 변했다. 크레믈린은 많은 사람들의 예측과는 달리, 솔즈베리 독살사건처럼 실패해도 격분하지 않는다. GRU는 새롭게 변화된 현실을 포착한 첫 기관이다. 그리고 FSB가 뒤를 따랐다. FSB는 이런 일을 할 수 있는 완벽한 체제를 갖추고 있다. 언제든지 가동할 인원도 충분하고, 본부 명령에 대해 의문을 제기하는 '질 나쁜 지부 요원'도 없다. FSB는 세대교체가 이루어져 30,40대로 채워졌고, 이들은 소련의 붕괴를 목격하지 않았다. 푸틴이라는 전대미문의 대통령이 뒤흔드는 국가체제하에서 훈련을 받고, 의미심장한 경력을 쌓고 있다.

서방의 고민은 이것이다.

"노출되어도 개념치 않는 자들을 어떻게 드러내서 (응징할) 것인가?
(So how can one expose somebody who is not afraid of exposure?)"

⇒ GRU의 스크리팔 부녀 암살시도 사건 전말

"소비에트 신경가스(nerve agent)가 신냉전을 촉발시키다" 독일의 시사주간지 슈피겔지의 세르게이 스크리팔 독살 시도 사건에 대한 기사의 첫머리다. 러시아어로 '신참자(newcomer)'라는 뜻을 지닌, 노비촉(Novivhok)'을 이용한 독살시도는, 2차 대전이래 서구 유럽에 처음으로 저질러진 일이다.

이 독가스는 지금까지 인류가 제조한 물질 중에서, 가장 맹독성이 강하다. 잠시 손에 묻기만 해도, 즉시 치사에 이를 정도다. 노비촉은 신경세포와 근육 사이의 소통을 차단하여, 호흡 마비를 유발한다. 해독제도 무용지물이다. 이 맹독성 물질을 개발한 사람은 미국 프리스턴 지역에 살고 있는 러시아 출신 화학자로, 올해 87세인 **빌 미르자야노프**(Vil Mirzayanov)이다.

그는 1960년대 중반부터 GosNIIOkhT에서 화학자로 근무했으며, 나중에 화학무기를 생산하는 군 실험실 책임자로 일했다. 코드네임 **Foliant**라는 이름으로.

러시아의 잔혹성은 이 독성물질을 인간에게 처음 실행했다는 점이다. 이 공격은 러시아와 영국, 그리고 서방권과의 심각한 외교적 위기를 촉발시키고, 2014년 러시아의 크림반도 합병 이래 진행되어 온, 양측 간의 관계를 더 악화시켰다. 당시 데레사 메이 영국 총리는 "영국에 대한 러시아의 불법적인 힘의 공격"으로 못 박으며, 영국 주재 러시아 외교관 다수를 추방방식으로 응징했다.

스크리팔 독살 시도는 스파이 영화의 전형적인 장면을 연상케한다. 비밀공작 요원, 부유한 특권계층, 배신과 복수, 그리고 신경가스. 사건이 발생한 솔즈베리는 범죄무대가 되었고, 수백 명의 대테러 요원들이 이 신경가스의 출처와 운송 방법 등 경위를 파헤치고자 분주히 움직였다. 전문가들은 외교행랑을 통해 이 물질을 나눠서 운반하여, 특별한 용기 속에 섞였을 것으로 추론한다.

가장 큰 의문점은 "왜 스크리팔이 독살 대상으로 꼽혔는가?"이다. 첩보의 세계에서 보면, 그는 주변부 인물에 불과하다. 러시아 군 정보기관인 GRU 소속 대령으로서, 구소련 붕괴 후 잠시 스페인에서 근무했으며, 1995년 영국의 대외정보부 MI6에 포섭되어 **"Forthwith"**라는 코드네임으로 활동했다.

GRU 요원 수 백 명의 전화번호와 신상에 관한 정보를 제공할 정도로, MI6에게는 비중 있는 협조자로 꼽혔다. 정보 제공 대가로, 만날 때 마다 5-6천 달러를 보수로 받았다. 2006년 체포되어 13년 노동교화형 선고를 받고, 복역 중 스파이 맞교환으로 영국으로 돌아온 스크리팔은 러시아가 자신을 처형대상으로 삼으리라고는 꿈에도 상상하지 않았다. 그래서 솔즈베리에 딸과 함께 거주하는 동안, 신분도 감추지 않고, 여러 사교클럽에 가입하고 활동했다.

스파이 기관들의
꿍꿍이속은?

소련에서 정치 엘리트들은 스탈린시대의 숙청의 공포가 다시 살아날 것을 염려하여 KGB를 엄격한 당통제하에 두고자 전력을 다했다. 그래서 KGB 요원들은 주도권을 빼앗기고, 정보활동의 실책이나, 도덕적으로 잘못된 행동을 하면, 당으로부터 처벌받을 것을 두려워하게 되었다. 그러나 두 번의 체첸전쟁은 모든 것을 바꾸었다. 체첸 반군에 대한 잔혹한 처형을 왜곡하고, 외부통제가 없는 틈을 타, 잔혹한 방법을 구사하며 준군사적인 감시기구를 설치하려는 시도는 실패했지만, 모험주의를 촉발했다.

푸틴은 FSB의 캐릭터에 새로운 요소를 추가했다. 푸틴이 처음 권력을 잡은 이후, 러시아 비밀기관들에게 스스로 자신의 정치적 아젠다를 정의하는 권한을 부여한 것이다.

러시아는 원유가격이 고공행진하자, 90년대 소련 몰락이라는 '치욕의 시대'를 신속히 극복하고, FSB는 크레믈린에 의해 새로운 권력과 영화의 정점으로 올라가는 움직임의 선봉에 서게 되었다. 2000년대 말, FSB는 전통적인 비밀기관이 해왔던 업무영역을 탈피하여 활동반경을 확장해왔으며, '고상한 러시아'라는 주장을 뒷받침할 이데올로기를 허겁지겁 개발했다.

이는 만만한 일이 아니었다. FSB 요원들은 다시 과거 소비에트 체제로 돌아가길 꺼렸으며, 유리 안드로포프(Yuri Andropov)가 FSB 영웅들의 pantheon(신전)에 합류했다. 동시에 공산주의 이데올로기는 소련 몰락 직전부터 서서히 무너지고 있었다. 80년대 말, KGB 대령들은 서구제국주의를 무너뜨리기에 바쁜 코민테른 에이전트로 인식하기보다, 이데올로기를 초월하여 국가를 지키는 사람 또는 진정한 애국자로 간주했다. 이 관점은 국가프로파간다가 뒷받침했다. 1980년부터 1988년 사이 KGB는 KGB 산하의 국경경비대의 헌신과 희생을 그린 "State Boarder"라는 제목으로 여러 편의 영화를 제작했다. 그 시리즈는, 1917년에 시작하여 러시아 제국의 국경수비대 요원들이 오직 국가에 대한 충성심만으로, 소비에트 러시아를 위해 몸을 던져 헌신하고 있는지를 보여주었다.

2000년대 장군으로 승진한 FSB 요원들은 사적으로 자신의 주 임무는, 정치체제가 무엇이든 간에, 이를 보호하는 것이라고 공공연히 말했다. 이유는, 안정과 질서를 최고 우선순위라고 여겼기 때문이다. 그 결과, 지금 FSB 요원들은 스스로 KGB의 적자일 뿐 아니라, 러시아 차르가 정치테러를 차단하기 위해 배치했던 비밀경찰이라고 여긴다. 그러면서 이렇게 분리된 미션 상호간에는 모순이 없다고 본다. 즉 자신들의 주요 목표는 정보지원과 보호라는 것이다.

그러나 "service"라는 idea가 이데올로기로 되기에는 몇 가지 중대한 결함이 있다. "new nobility(새로운 고상함)"라는 위상은 군대로 확대되는 것이 아니었다. 이는 오랜 소비에트 전통이었다. KGB 요원은 의식적으로 소련군대와 자신들을 구분했다. 감독자와 피감독기관이 섞일 수 없다는 논리였다. 이는 외적인 문제를 야기했다.

군대가 조국을 수호한다면, FSB가 보호할 것은 무엇인가?

2006년 군과 비밀기관들과의 갭은 더 깊은 웅덩이가 파졌다. 그해 8월, 대통령 훈령을 통해 러시아 비밀기관들의 유니폼을 변경했다. FSB, Federal Protective Service FSO, the Service of Special Facilitues, SVR 등인데, 녹색군복 색깔을 흑색으로 바꾼 것이다. 흑색은 음험한 색깔 이미지로 인해 러시아 특수 기관들에게 인기가 없었다. 검정색 유니폼은 러시아 제국 당시 감옥을 지키는 부서와 1920년대 경찰관들이 잠시 입었기 때문이다. 이렇게 한다고 해서 러시아 전통으로 회귀하는 것도 아니었다.

일부 비판자들은 새로운 패션을 검정색 컬러를 입었던 나치의 SS 특수부대의 망령과 성급하게 비교하기도 했다. 사실 조국의 수호자들이 검정색을 사용한 역사가 있다. 러시아 내전 (백군과 레닌이 이끈 적군)동안 연이은 패배로 고통을 겪었던 the White Guard는 마르코프(Markov), 드로즈도프(Drozdov), 코르닐로프(Kornilov)의 이름을 딴 장교부대(연대급)를 만들었다.

세르게이 마르코프(Sergey Markov) 중장이 이끄는 부대는 스스로를 "brotherhood of monastic knights who sacrificed their liberty, their blood, and their lives for Russia."라고 불렀다.

그들은 善을 철저히 경멸하는 상징으로 검정색 튜닉스(tunics)을 입고 종교적으로 생활했다. 이는 FSB 장군들이, 새로운 러시아에서 자신들이 무엇을 선호하는 지를 보여준다. FSB는 러시아 정교회와의 유대를 돈독히 했다. 2002년 소피아 성당의 하나님의 지혜(God's Wisdom)를 복구하고, FSB 본부에서 한 블록정도 떨어진 루뱐카 광장(Lubyanka Square)에 재오픈했다. 교구장 알렉세이(Aleksey) 2세는 당시 FSB 국장이었던 니콜라이 파트루스예프(Nikolai Patrushev)가 참석한 가운데 성당 오프닝 행사를 진행했다.

소비에트 시절 러시아 정교회에 대해 부정적이었던 FSB 전임자들의 탄압에도 불구하고, 정교회의 FSB에 대한 지지는 겉보기엔 별로 놀랄만한 일이 아니다. 정교회는 그저 러시아 전통을 따랐을 뿐이다. 정교회는 늘 국가와 한편이었다. 러시아 차르는 정교회 수장이었고, 정교회 브랜드는 러시아인의 독특함과 "모스크바는 세 번째 로마(after Ancient Rome and Constantinople)"라는 개념에 기반을 두고 있다.

러시아는 "unique"하다 보니 이를 질시하는 적들로 둘러싸이게 되었고, FSB와 다른 비밀기관들은 이들과 맞서 싸워야 한다고 생각하게 되었다. 2000년대 중반, 비잔틴 제국이 크레믈린 주요 인물들 사이에 큰 인기를 끌었다는 것은 전혀 놀랄만한 일이 아니다. 역사물 특집다큐 "The Fall of an Empire": The Lesson of Byzantium(제국의 몰락 : 비잔틴의 교훈)"은 2008년 러시아 관영 TV를 통해 방영되었다.

콘스탄티노플의 몰락은 지역 올리가르히와 서방 십자군들의 모략 때문이라는 것이다. 러시아는 십자군을 부정적으로 보았다. 북부 십자군 중 하나는 1242년 4월 갑자기 몰락했는데, 이는 러시아 영토에서 'the Teutonic Order(튜턴의 기사단은 13세기 북방 십자군 기사들이 프로이센에서 결성했다)'의 진군을 알렉산더 넵스키(Alexander Nevsky) 왕자가 크후트(Chud) 호수 Ice에서 격퇴했기 때문이다. 넵스키 왕자는 후에 영웅으로 칭송받았다. 러시아 정교회는 가톨릭의 세력 확장을 염려했다. 2002년, 5명의 가톨릭 주교가 러시아에서 스파이 활동을 한 혐의로 추방되었다. 정교회와 FSB와의 유대는 꽤 논리적으로 보인다. FSB는 서방 진영이 정교회의 영향권에 영향을 미치려는 시도를 보호해주고, 그 대가로 정교회는 러시아의 적들과 싸우는 FSB에게 축복을 내려준다.

이런 주장들은 소비에트 시대에 러시아 교육기관이 뒷받침했다. 수학, 물리학, 화학 등 러시아 과학은 소비에트 시절 꽃을 피웠지만, 인권은 당에 의해 철저히 말살되었다. 역사와 철학은 마르크스 레닌 사상의 주요 희생자였으며, 자유로운 토론이 들어설 자리가 없었다. 마르크스 레닌 추종 교수들이 소비에트가 붕괴할 당시 이 나라에 무슨 일이 벌어지고 있는지를 설명하지 못한 것은 전혀 놀랄만한 일이 아니었다.

KGB와 밀접하게 연관된 사상의 평행체임이 드러났다. 소비에트 시절 초기부터 과학적 연구시스템은 은밀하게 시작되었고, 연구소나 리서치 센터는 그 기구 산하에 비밀리에 설치되었다. 과학 분야에서 비밀연구기업 존재는 군과의 밀착을 감안하면, 쉽게 설명이 된다. 일례로 KGB 센터만이 사회학과 사회 행동연구를 할 수 있었다. 대부분 뛰어난 젊은이들이 대학에서 채용되어, KGB 시스템 내부로 흡수되었다.

현재 러시아 최대 리서치 회사로서 마케팅과 사회조사를 전문으로 하는 ROMIR-Monitoring 총재인 안드레이 밀레크인(Andrei Milekhin)이 대표적이다. Milekhin은 레닌그라드대학에서 심리학을 전공하고, KGB 사회학 부서(sociological division)에 합류했다.

비밀연구센터의 존재는 가장 존재론적 질문을 제기하는데, 그간 감추어졌던 KGB 레파토리의 가이드역을 한다. 그리고 그들은 그 콜에 응답했다.

1990년대 초, 서방측이 러시아의 붕괴를 예측하지 못한 것에 대해 수많은 이론들이 난무했다. 이 중 가장 인기를 끈 것이 the Public Security Concept "메르트바야 보다 Mertvaya voda)"로서, 영어로 풀면 **Dead Water**이다. 러시아 신화에서는, Dead Water가 죽은 자를 살리고 상처를 치유한다고 본다. 이는 수많은 민감한 사람들의 눈에 Judeo-Christianity(유대교)의 역할을 확신시켰다. Judeo-Christianity는 인간 심성을 파괴하고, 노예근성을 기른다. 콘스탄틴 페트로프(Konstantin Petrov) 장군이 창안한 이 개념은, 모든 러시아의 적은, 기독교 중 유대인이 창종한 유대교를 믿는데서 비롯된다고 주장한다.

1990년대 이 개념은 지하에서 브로슈 형태로 제작되어 뿌려졌으며, 2000년대까지 러시아 비밀기관과 정부부처 등에서 그와 유사한 것들이 발견되었다.

"사탄과 같은 글로벌 약탈자와 비밀기관들이 급속히 확산되는 추세를 감안할 때, 미래의 Planetary Bio-Defense Union으로 가는 길은 Pan-Eurasian Defense Union 창설을 가속화는 것인데, 이는 미국과 나토의 세력 확장에 대응하는 지정학적 대안이다."

이는 Concept에서 따온 특징적인 인용 글인데, Concept의 공식 웹사이트인 www.kpe.ru는, FSB가 항상 Concept를 지지했다고 언급한다. FSB 고위관리 서명이 담긴 3개의 복사 문건이 그 증거이다. 첫 번째 문건은 1998년 10월 14일 소인이 찍힌 편지다. 당시 FSB 국장이던 푸틴이 서명하고, Concept지 운동단체의 리더 중 한명이었던 미하일 글루센코(Mikhail Glushenko)에게 지시했다. The Concept는 FSB 요원 훈련프로그램에 포함되고, 유튜브를 통해 방영했다. 2003년 FSB 지부 중 가장 중요한 St Petersburg에서 만든 것이 드러났으며, 1999년부터 러시아 정부 내 장군이나 대령들에게 시시각각으로 배송했다.

'Dead Water concept'와 다른 신화적 개념은 공식적으로 인정하지도 않고, 외국인들에게 보인적도 없지만, 러시아 정보기관에게는 지속적인 압력으로 작용했다.

오늘날 the Concepts는, 서방이 러시아를 어떻게 파괴하기로 결정했는지를 러시아의 시각에서 다양하게 설명해준다. ▲ 서구 유럽인들로 인해 러시아 정신 상실(그래서 질시의 원천으로 부상), ▲ 슬라브 민족의 캐릭터와 비잔틴 문명이 서방 십자군에 의해 파괴(하지만 러시아에서 구원받았음) 등이다. 이 모든 것은 고립주의를 선호하는 러시아 비밀기관에서 일하는 사람들에게 딱 맞아떨어졌다. FSB는 늘 서방과 협력하거나, 신뢰하기보다 꿍꿍이 음모를 꾸미고 있다고 두려워한다.

동시에, 민주주의라는 사상은 러시아 국가와 사회를 훼손하기 위한 또 다른 형태의 음모라고 생각한다.

2000년대 푸틴은 "Dead Water"를 대신할 새로운 영감의 원천을 찾아냈다. 푸틴이 유일한 사상가라고 지칭한 사람이 **이반 일리인**(Ivan Ilyin, 1883-1954)이다. 2005년, 2006년, 2007년 6월 국가위원회(the Council of State) 연설에서 동명을 인용했다. 2009년에는 그의 무덤에 헌화하기도 했다.

Ivan Ilyin은 1922년 러시아로 들어와, White Guard 기구가 재정 지원하는 신문에 논설을 집필했다. 그의 주요 주제는 기독교적 가치와 러시아 애국주의, 요원의 의무를 결합하는 문제였다. Ilyin은 군사화된 정교회의 이데올로기를 창안한 것을 두고 당시에 거센 비판을 받았다. 리뷰한 것 중 하나가 "신의 이름으로 무장한 체키스트(Chekist in the name of God)"로서, 강력한 전체주의를 지지하고, 서구식 민주주의는 러시아에는 맞지 않다고 주장했다.

이 사고는 크레믈린의 **"주권 민주주의**(sovereign democracy)"[6)]와 맞아 떨어졌다. 1990년대 미국은 러시아와 같은 국가를 지원하며, 러시아 정치인들을 언급하는 것을 좋아했다. 그러나 러시아가 체첸과의 1차 전쟁에서 처참하게 패배하고, 1998년 경제위기가 닥치자, 러시아를 제2의 미국으로 변용시키려던 희망이 급속히 붕괴되었다.

푸틴이 집권하는 동안, 희생양을 찾아야만 했다. 90년대는 "혼돈의 시대(the decade of chaos)"로 알려졌다. 서방의 신뢰도는 땅에 떨어졌다. 서방측의 경제학자들은, 잠시 러시아가 인스턴트식으로 번영하자, 러시아 정부에 대해 상당히 오만했기 때문이다. 그러나 1998년 그러한 희망은 산산조각이 났다.

---

6) 주권 민주주의는 현대 러시아 정치를 설명하는 용어로, 블라디슬라프 수르코프가 2006년 2월 22일 러시아 정당 연합 러시아(United Russia) 모임 전 연설에서 처음 사용했다.(출처 : 위키백과)

1999년 유고슬라비아 내전이 발발하고, 세르비아의 보스니아에 대한 학살이 이어지면서, 미국과 나토가 중심이 되어 연합작전을 전개하게 되는데, 이를 러시아인들은 러시아의 국제적 지위에 대한 도전이자, 냉전 후 유럽안보 거버넌스의 위협으로 여겼다. 나토의 개입은 자유민주주의 가치를 지키는 것이 아닌, 주요 서방국가들의 이익을 보호하기 위한 선택적 방어로 보았다.

2022년 8월 작고한 고르바초프의 글라스노스트(glasnost)조차 잘못된 길로 접어든 역사적 증거로 간주했다. 번영과 안정을 누리기 전까지는 결코 민주적인 길로 갈 수 없었다. '중국 특색의 사회주의'를 내세우고 국가를 운영하는 중국의 모습에다가, 하늘 높은 줄 모르고 치솟은 당시 원유가 고공행진을 보면서, 지나친 자유는 경제성장, 정치안정, 사회적 하모니를 해친다고 믿게 되었다.

2000년부터 2008년 푸틴이 확립한 "주권 민주주의(sovereign democracy)"의 환경 하에서, 러시아 비밀기관들은 각 기관 속성에 맞게 다양한 형태로 서방국가들을 상대로 정보활동과 공작을 전개한다. 이 중 FSB는 국민은 안중에도 없고 오로지 푸틴에게만 충성하며, 정보수집-분석- 배포-임무부여라는 정보 사이클을 온전히 장악하고 있다.

스파이 기관들이
두려워하는
것은?

정보기관은 위협이란 세상 속에 존재한다. 이론적으로 그렇다. 위협의 실체를 파악하고 대응하는 것은 정보기관의 일상적 업무다. 하지만 정보기관의 그럴듯한 논리에도 불구하고, 러시아 정보기관들은 위협을 부정확하게 평가함으로 인해 야기되는 두려움에 사로잡혀 있다. 미디어에서 기획기사로 보도한 내용이 있다. '국가와 세계'이다. 이 기획기사는 시민교육학교 세미나에서 발표한 내용을 토대로 작성했다. 국가나 기존 질서가 어느 순간에 붕괴될 지도 모른다는 망령은 1990년대 격동의 시기나 소련이 붕괴되는 시기 등 근래에 생긴 것이 아니다. 이 개념은 드라마와 같은 이벤트가 있기 전부터 존재했다. 지금 활동 중인 러시아 정보기관은 KGB의 후신들이다.

1981년 군정보기관인 GRU 출신으로 서방으로 귀순한 빅토르 수보로프(Viktor Suvorov)는 영국에서 『해방자(the Liberators)』라는 책을 출판했는데, 이 책은 1968년 체코슬로바키아 침공 직전과 침공한 직후 소련군의 초급 지휘관과 간부들의 숨은 얘기들을 모은 책이다. 에피소드 중 하나는, 1968년 8월 야영지에서 소련 군인들이 체코로 진군하라는 명령을 기다리고 있었다. 명령을 기다리는 동안, 이 작전이 필요한 이유에 대해 토론했다. 이를 지켜보던 정치장교가 중간에 끼어들었다.

　"체코 공산당 동지들이 찾아낸 것(come up with)은 무엇입니까, 검열을 완전히 없애지 않았나. 부르주아지들이 프로파간다를 할 수 있도록 수문을 전부 열어놓지 않았나. 당신이 아는 것은 무엇이든지 인쇄해라. 이를 통해 무엇을 유도하려고 하나?. 융합. 아니야. 자본주의다. 부르주아지들이 영향력을 발휘하려면 댐에 개미구멍을 내야 한다. 공휴일궤다. 작은 개미구멍이 시간이 지나면 댐을 무너뜨린다. 체코 공산당 덕분에 그런 구멍이 생겼다. 그러기에 지금 이 구멍을 틀어막아야 한다. 체코에서는 구멍 정도가 아니라, 분출되고 있다. 긴급히 반창고 이상의 것으로 틀어막아야 한다. 누구나 원하는 것을 말하게 하면, 그것이 융합인가?
　동지들. 사회주의는 다이아몬드 만큼 조화롭고 강한 시스템이지만, 절단기가 잘못된 조치를 하기 딱 좋은 제도다. 그러면 크리스탈처럼 단단하게 안정된 시스템을 파괴할 수 있고, 기우뚱거릴 수 있다. 체코에서는 이미 이런 현상이 진행되어, 다이아몬드가 부서지고 있다. 전 사회주의 진영은 유기적으로 구성되어 있다. 세계 사회주의라는 다이아몬드는 눈 깜짝할 사이에 흔들거릴 수 있다. 나쁜 사례는 오염이다.

부르주아지가 체코에서 승리를 구가한다면, 이웃 국가인 헝가리가 같은 길을 가지 않는다는 보장이 있나?"

소련 군인들은 다이아몬드도 균열될 수 있다는 점과 댐에서의 개미구멍이 가져오는 파장 등에 대한 논리를 들으면서, 보다 선명하게 생각을 정리할 수 있었다. 전 사회주의 진영의 안정을 위하여 1,500만 명의 인구를 가진 체코를 해방한다는 위협이 그리 균형 잡힌 논리가 아님에도 불구하고.

혁명에 대한 공포

특정 국가의 예외적인 허약성에 대한 확신에 불을 지피는 주요 소소는 그 국가가 얼마나 많은 돈과 투자를 안보기구에 하던지 간에, 혁명에 대한 공포다. 이런 공포를 갖게 된 이유는 20세기 초 일어난 사건들에 대해 대중들이 선택적으로 기억하기 때문이다. 소련의 경우, 1차 대전은 역사적인 내러티브가 부재하고, 인민들의 의식 속에 자리 잡을 여지가 별로 없었다.

1917년 볼셰비키 혁명이라는 비극적 사건과 연이은 탄압과 독일군의 침공('위대한 애국 전쟁')은 다른 모든 것을 밀어내고 대중들의 의식을 완전히 사로잡고 뒤덮어 버렸다. 그러한 기억의 부재는 영국과 프랑스에 비해 매우 두드러진 것이었다. 영국과 프랑스의 경우, 도시나 한적한 시골에서까지 기념물이 세워져 있어, 많은 사람들이 1차 대전에 참전했던 선조들의 영웅담을 기억하고 나눈다.

러시아에서는, 유럽에서 벌어진 전쟁의 의미나 결과는 과소평가되었다. 1차 대전을 계기로 4개의 제국- 러시아, 오스트리아, 게르만, 오토만 제국 -이 붕괴되었다는 사실은 소련이나 러시아 국민들에게 즉각적으로 피부에 와 닿지 않았다. 레닌 혁명으로 차르체제를 전복한 것만이 눈앞에 어른 거렸을 뿐이다.

러시아 스파이기구들의 마음속에 자리 잡은 것이 있다. 정보기관 종사자들은 볼셰비키 혁명의 핵심 이유가 된 1차 대전에 대해 망각하고, 그 혁명은 외부 특히 글로벌 무대와 이민자들에 의해 조직되었다고 믿는다. 이 같은 음모이론은 KGB 요원들 사이에 1980년대에 만들어져 암반처럼 굳어졌다.

당시로는 가장 서슬 퍼런 비밀경찰기구였던 차르 비밀경찰은 그 쿠데타를 막지 못함으로써, 체키스트의 왜곡된 신념만 강화시켰다. 아무리 강력한 비밀경찰 기구를 가동하는 거대한 국가라도, 명확한 이유도 없이, 일군의 정치적 망명자 그룹에 의해 일순간 붕괴될 수 있다는 믿음이다.

현대판 체키스트들은 자신들을 **펠릭스 에드문도비치 제르진스키**[7]와 체카의 후예로 자처하면서, 그 어떤 혁명도 국가의 안정을 위협하는 주요 위험 요소로 보고 있다. 체카가 '예외적 대혁명 투쟁 위원회'를 유지하고 외부나 내부적인 적으로부터 혁명의 단초가 될 만한 것을 제거하려 한 사실은 특별히 누구를 괴롭히려고 자행한 것은 아니었다.

---

7) 제르진스키에 대해서는 제3부에서 비교적 상세히 다루고 있으므로, 이 부분을 참고하면 좋다.

현대 안보기구 요원들은 자신들의 주요 임무를 혁명의 불씨를 지필 소지가 있는 모든 정치적 그룹들과 싸우는 것이라고 여긴다. 이 조직들이 진짜 그럴 능력과 계획이 있는지는 상관없다. 정치적 변화는 혁명으로 비화되어, 수백 만 명의 희생자를 양산하고, 국가를 파괴시킬 수 있다고 안보기구들은 굳게 믿는다. 그런 재앙적인 시나리오를 피하기 위한 모든 수단과 방법은 정당화된다.

이런 순환적인 논리에 바탕을 두고, 혁명적 운동과 맞서 싸웠던 차르 시대의 비밀 경찰파트를 대단히 존경한다. 그들의 뇌구조 속에는 모순이 없다. 특별 기구의 주요 임무는 체제를 불안하게 하는 적들과 싸우는 것이고, 기존 질서를 안정적으로 수호하는 것이다. 그 질서의 성격이 어떤 것이든 별로 중요치 않다.

이런 서클 속에서 진지하게 존경을 받은 인물이 세르게이 주바토프(Sergei Zubatov)로서, 특별경찰국 수장이었다. 정치적 조사를 담당하여 감시기구의 수준을 한 단계 격상시키고, 혁명적인 서클에 협조자 침투를 확대한 인물이다. 그의 최애 기법은 혁명분자를 포섭하여, 매우 쓸모 있는 정보출처로 만드는 것이었다. 전 FSB 공공관계센터 총책 알렉산더 미하일로프(Alexander Mikhailov)는 오늘날에 까지 언론에서 주요 논평가로 활동하는 인물이다. 자신의 저서 <Gendarmerie Fates. Notes of a General of Three Departments>에서 다음과 같이 기술했다. "불화를 심는 범죄인"과 싸우는 Sergei Zubatov의 역할에 대해 경의를 표했다.

이런 음모의식은 2000년대 초 안보기구들이 에두아르 리모노프(Eduard Limonov) 주도아래, 도시 외곽에 사는 급진 청년들의 모임인 'National 볼셰비키'와 맹렬히 싸운 이유를 설명해준다. 그들이 푸틴 체제에 심각한 위협이나 되는 것처럼. 'National 볼세비키'멤버들은 2004년 보건부 리셉션에 들이닥쳐 전단지를 뿌리고, 모든 이익을 돈으로 환산하는 사회분위기에 반대하는 목소리를 외쳤다가 5년 동안 징역살이 했다.

체제 지원?

혁명적인 상황이 되풀이 될 것을 두려워하는 스파이기구들은 수십 년 동안 정치적 체제 즉 군부와 자신들과 비슷한 안보기구들만을 비호한다고 여기는 국민들로부터 상당한 불신을 받아왔다. 제복을 착용한 안보기구들에 대한 불신은 충성심이 의심스럽고, 알지도 못하는 모험가들이 급작스럽게 적군과 비밀경찰에 합류한, 1917년 볼세비키 혁명이후 파생되었다.

차르 군대 장교, 군부 전문가들은 믿을 수 없는 존재로 각인되어, 당이 군 지휘관을 감시하기 위해 commissars라는 기구를 만들었다. 각양각색의 위험스런 모험가들은 비밀경찰에 모여들어, 새로운 체제에서 한 자리를 차지하고자, 사슴 뿔 위에서 싸우듯 다퉜다(교각살우).

소련 비밀기구 지도부는 재빨리 결론지었다. 이런 사람들에 의존해선 안 된다는 것을. 그들은 첫 번째 기회에서 매진되었다.

1922년 10월 the Presidium of the All-Russian Central Executive Committee는 국가정치총국(GPU)[8)]에게 모든 공직자들이 저지른 범죄에 대해 예외적으로 기소할 수 있는 권한을 부여했다. 6개월 후 GPU는 18명의 GPU 요원을 총살했는데, 이 중 8명은 뇌물혐의였다.

1930년대 들어서서 비밀기구 요원들의 신뢰성 문제는 사라지지 않았다. 스탈린 관리들의 눈으로 보면, 비밀기구 전체의 문제로 커져갔다. 소련 비밀기구들의 역사에서 변절자가 적지 않았기 때문이다. 극동지방에서 활동하는 요원 상당수는 일본 정보기관과 협력하면서 정기적으로 뇌물이나 선물을 받아 챙겼다. 변절자로 변신한 사람들도 있다. 서열 3위 비밀기구 커미셔너 겐리크 리우쉬코프(Genrikh Lyushkov)는 1938년 여름 하바롭스크(Khabarovsk)에서 중국 만주 지역 일본군에게 투항했다. NKVD와 적군에 대한 비밀 문건을 휴대하고.

제3의 그룹은 고질적인 모험가들로서, 전 사회주의 혁명가 그룹들과 뛰어난 체키스트였던 이아코프 블룸킨(Yakov Blumkin)이다. 이들은 후에 소련에서 추방된 트로츠키와 내밀하게 관계를 유지한 사람들이다. 비밀기구들은 늘 믿었다. 군인과 안보기관 요원들은 쿠데타를 스스로 조직할 능력이 거의 없지만, 외부의 적들의 도움 요청에는 적극적인 조력자가 될 수 있다고 보았다.

---

8) **국가정치총국**(러시아어: Государственное политическое управление, 가수다르스트벤노에 빨리띠체스코에 우쁘라블레니예, 약칭 러시아어: ГПУ 게페우, GPU)은 소련의 정보기관으로 내무인민위원회의 전신이다. 1922년 2월 6일부터 1922년 12월 29일까지 러시아 소비에트 연방 사회주의 공화국(RSFSR) 소속이었고, 1922년 12월 29일부터 1923년 11월 15일까지 소비에트 연방 소속이었던 정보기관이자 비밀경찰이었다

악명 높은 사례 중 하나가 스탈린 시절, Marshal **투크아쳅스키(Tukhachevsky)사건**이다. 군부 쿠데타와 Bonapartism[9]을 꾸몄다는 혐의로 기소되었다. 군사비밀을 독일로 넘겨 적군(Red Army)을 패퇴시킨다는 억지였다. 독일군이 소련을 공격하고 적군이 패배하면 Tukhachevsky와 같이 음모를 꾸민 사람들이 이들을 뒤따라 실권을 장악한다는 음모론이었다. 스탈린은 동명의 음모를 스페인 프랑코 장군 반란과 비유했지만, 프랑코주의자들은 스스로 반란을 조직했을 뿐이다. 스페인 내전동안 프랑코파는, 처음에는 히틀러로부터, 나중에 이탈리아 무솔리니로부터 조력을 받았다.

어마무시한 소련 군인과 장교들이 항복한 the Great Patriotic War[10]은 스탈린과 추종자들로 하여금 자신들의 숙청방법이 옳다는 확신을 주었다. 숙청작업이 충분하지 않았다는 것이다. 하지만 군인들의 항복 추세는 이어졌다. 기아로 버려지거나, 독일 측으로 넘어갔다. 소규모 부대를 조직해서 베르마치트(Wehrmacht) 편에 서서 싸우기도 했다. 소련식 내러티브로는 '**블라소비테스(Vlasovites)**'[11]이다.

---

[9] **보나파르트주의**란 프랑스 정치사에서 두 가지 의미를 지니고 있다. 좁은 정의로는, 보나파르트 왕가 치하의 프랑스 제국을 복고시키려 시도하는 것을 말한다. 넓은 의미로는, 권위주의적 중앙집권을 옹호하고, 포퓰리즘적 레토릭으로 철권통치자 또는 군사독재자를 지지하는 것을 말한다.

[10] 1941년 6월 22일 시작된 전쟁으로, 독일군의 기습작전으로 시작되어 1945년 5월 8일 독일의 항복으로 끝이 났다.

[11] **안드레이 안드레예비치 블라소프**는 제2차 세계 대전에 활약한 소련의 군인이다. 1942년 레닌그라드 공방전에서 독일의 포로가 된 후, 나치 독일에 협조하여 포로수용소에서 모집한 러시아 해방군을 이끌었다. 전후 서방연합군에 투항했으나, 소련으로 송환되어, 교수형되었다

비밀기구들은 수천 명을 탈주혐의로 처형하는 방식으로 화답하고, SMERSH라는 별도의 비밀기구를 만들어, 무소불위의 권력을 행사했다. SMERSH에게 부여한 첫 번째 임무는 블라소프(Vlasov) 장군 제거였다.

1차 대전 후 군부와 안보기구들에 대해 대대적인 숙청작업이 이어졌다. 동시에 양 기구 모두 별개의 독립적인 음모론자로 간주되지 않았지만, 언제든지 외부의 적에 협조하는 '제5열'로 취급되었다. 스탈린이 죽은 후에도 이런 편견은 변하지 않았다. 소련 정치국이 비밀기구 총책 **베리아**를 제거할 당시 뒤집어 씌운 혐의는 2차 대전 동안 히틀러와 별도로 협상한 사실과, 전후 유고 대통령 티토와 조지아 망명자들과 비밀리에 접촉한 점을 내세웠다.

변절자 문제

냉전이 시작되자 체키스트들은 망명하기 시작했다. 체제보위 임무를 맡았던 요원들이 가장 변절하기 쉬운 사람으로 변했다. 냉전 시절 최대 적국이었던 미국과 소련은 이들을 끌어들이기 위한 경쟁에 돌입했다.

CIA 창설 2년 후, 트루먼 대통령은 CIA에게 정보공작 자금을 비밀리에 조성할 수 있는 권한을 부여하는 CIA법에 서명했다. 이 법에 근거하여 조성된 자금으로 매년 100여명의 귀순자와 그 가족들을 받아들였으며, 특히 소련에서 넘어오는 사람들을 우선적으로 대우했다. 귀순자 취급 전담부서를 만들었고, 오늘날까지 유지하고 있다.

미국은, 러시아에서 공산 정권이 잘못 굴러가게 되면, 소련군이 주요 정치적 플레이어로 등장할 것으로 보았다. 1951년 조지 피셔(George Fisher)라는 소장 학자가 『러시아 망명 정치』라는 책을 저술했는데, "큰 전쟁이 발발하면 소련군이 변화의 에이전트가 될 것"이라고 주장했다. 그 근거로 2차 대전 당시 나치의 학정에도 불구, 적군 병사 상당수가 전례 없이 독일군으로 넘어간 것을 예로 들었다. CIA는 Fisher의 저서를 사랑했다.

KGB 또한 변절하는 사람들을 예의 주시했다. KGB의 대방첩국 주요 임무 중 하나는 안보기구 요원들의 망명을 막는 것이었다. 특별 부서를 설치하고, 이 부대 요원을 변절자로 가장하여, 적국의 정보기관이나 특수 부대에 침투시켰다. 1980년대 소련군이 아프간을 침공하면서, 모스크바와 워싱턴 모두 변절자가 발생할 가능성에 대해 촉각을 곤두세웠다. CIA는 아프간 전쟁을 이용하여 변절자를 유도하기 위한 공작에 심혈을 기울였고, 그 가족들은 서방에 삶의 터전을 잡도록 도와주었다. KGB도 손 놓고 있지 않았다. 일부 성공했다. 영국 런던으로부터 대어급 변절자가 소련으로 넘어갔다.[12]

문제는 그 규모가 '위대한 애국 전쟁' 당시와는 비교가 되지 않을 정도였다. 변절자들이 일한 주요 기구인 The Resistance International은 서방으로 망명한 16명의 고위급 군인의 재정착을 도왔다. 하지만 위협상황이 간헐적으로 돌출됨에 따라, KGB는 이런 위협에 개의치 않고 전 세계에 흩어져 살던 변절자를 무지막지한 수단으로 추적했다.

---

[12] 영국의 대외정보부인 MI6 수장 직위까지 올라가 30여 년 간 소련의 이중 간첩 노릇을 하다 소련으로 망명한 **킴 필비**가 대표적이다.

오늘날의 공포

러시아 안보기구의 경우, 전쟁은 새로운 혁명적 상황을 야기할 수 있는 정치적 위기이다. 2022년 초부터 예전의 공포가 새롭게 힘을 받기 시작했다. 안보기구들은 혁명의 망령은 물론이고, 수천 명의 변절자, 적진으로 넘어간 군을 지켜보았다. GRU가 스페인으로 망명한 쿠즈미노프(Kuzminov)를 죽이고자 그토록 애쓴 이유를 정치하게 보여준다. 푸틴이 수시로, 때론 감정적으로, 우크라이나 편에서 싸우는 새로운 **"블라소비테스(Vlasovites)"**를 입에 달고 사는 이유이기도 하다.

소련의 배신자 내러티브- 1930년대 스파이와 1940년대 "Vlasovites"에서부터 1970년대와 80년대 소련 영화 속에서의 미국 CIA의 공작에 이르기까지- 에는 정치적 망명자들이 그 배후에 있다는 것이다. 현대 요원들의 눈으로 보면, 나라 밖에서 벌이는 정치적 반대행위는 존재론적 위협인 만큼 합법적인 타깃으로 삼아, 수단과 방법을 가리지 않고 숙청하는 일은 착한 일로 간주된다. 현 러시아 지도부는 러시아군과 안보기구들이 스스로 체제 전복음모를 조직화할 능력이 없다고 확신한다. 이는 2023년에 발생한 프리고진 반란 당시, 안보기구들이 처신한 태도에서 명확히 드러났다. FSB와 Rostov UFSB가 확실하게 보여준 수동적인 자세이다.

제복을 착용한 사람들은 정치적 망명자, 우크라이나, 서방과 같은 외부 세력에 이용당할 수 있다. 새로운 혁명 분위기를 조성하기 위해!. 크레믈린과 FSB 본부가 있는 루뱐카(Lubyanka)는 이런 위협을 매우 심각하게 보며, 젖 먹던 힘까지 쏟아 부어 이런 위협과 싸우려 하고 있다.

프리고진 반란 후
스파이 기관들의
운명은?

2023년 6월 세상을 놀라게 한 **프리고진**의 기민한 반란은 많은 의문점을 남겼고, 가장 기묘한 것은 러시아 스파이안보기구들의 대응과 반란에 대한 푸틴의 결정 방법이었다. 푸틴 정권의 체제안정에 주구노릇을 하는 FSB는 수년 동안 체제도전 의혹이 있는 사안에 대해, 사전 예방적 차원에서 조사 해왔다.
러시아에 대한 잠재적 위협을 "예방"한다는 명분이었다. 나아가 FSB는 바그너 그룹에 요원을 심어놓은 상태였다. 하지만 반란을 예방하기 위한 아무런 조치도 취하지 않았고, 프리고진의 반란 음모에 관해 모스크바에 경고도 하지 않았다. 바그너 용병들이 "정의의 행군"을 시작했을 때, 러시아의 불안정을 획책하는 세력을 진압하는 임무를 맡은 FSB와 국경수비대는 신속한 대응군으로서의 역할을 하지 못했다.

러시아 국경수비대는 바그너 용병들과 직접적인 군사대결을 피하고자 노력했으며, 고도의 전문적인 특수팀을 보유하고 있는 FSB도 아무런 액션도 취하지 않았다. 대신, FSB는 바그너 용병들에게 프리고진 억류를 요구하는 보도자료를 내보냈을 뿐이다.

마찬가지로 놀라웠던 것은 반란군이 Rostov-on-Don에 진입했을 당시, 군 정보기관의 대응이었다. 이곳은 우크라이나 전쟁을 치르는 러시아의 중추적인 곳이었다. 러시아 전역에 입소문이 퍼진 가운데, 비디오를 보면 프리고진은 국방차관 유누스베크 옙쿠로프(Yunus-Bek Yevkurov)와 GRU 제1부국장 블라디미르 알렉세예프(Vladimir Alekseev)와 마주 앉아, 러시아 군 참모총장과 국방장관 Shoigu에게 제안할 내용을 제시했다. Yevkurov는 흠칫 놀라운 표정을 지었고, 반대편에 앉은 Alekseev는 웃으며, 프리고진의 요구사항을 건네받았다. GRU 부국장은 러시아 군의 리더십에 문제가 있다는 점을 분명히 했다. 그 장면이 담긴 비디오가 인터넷에 잠시 나돈 후, 러시아 군 특수부대 요원은 "알렉셰예프가 옳다"고 말했다.

푸틴은 프리고진의 반란사태를 가까스로 해결했지만, 딜레마에 직면한바 있다. 정권의 최대 위협이 프리고진 세력이 아니고, 이 반란사태에 대응해야 할 군부와 비밀기구들의 대응태도 때문이다. 푸틴은 비밀기구들이 새로운 문제를 일으키지 않은 상태에서, 자신의 안위를 둘러싼 갭을 줄일 필요가 있게 된 것이다.

바그너 그룹이 2023년 3월 바흐무트에서 승리를 선언한 날, 프리고진은 바흐무트에서의 승리를 오랜 전투에서 거둔 최대의 전공으로 내세우면서, 자신의 야망을 키웠다.

하지만 현실은, 바흐무트는 단지 한 지방에서의 성공으로서, 우크라이나 군의 반격이 속개되면서, 점차 기억 저편으로 밀려나고 있었다. 바그너 그룹은 우크라이나 군의 반격이란 첫 무대에서 별다른 역할을 하지 못했고, 프리고진의 용병들은 금년 봄에 비해 그리 필요하지 않은 존재로 전락했다.

프리고진의 반란은 바그너 그룹의 영향력이 쇠퇴하고 러시아군의 리더십이 푸틴의 신뢰를 얻고 있는 시점에서 일어났다. 우크라이나의 반격은 느리고, 크레믈린과 군부 내에서는 현대식 탱크와 서방이 제공한 다른 첨단무기가 자신들이 예상했던 대로 "취약하지 않은 것은 아니다"는 인식이 커가고 있었다.

그 결과, 러시아군의 사기가 올라가기 시작했고, 이런 상황에서 바그너 용병들은 더 이상 유일한 전투준비 부대가 아니게 되었다. 그러한 차이는 그리 놀랄만한 일은 아니었는지 모른다. 우크라이나 전면 침공 이래, 러시아군은 사기가 시계추처럼 왔다 갔다 했다. 침공초기의 환호는 키이우 장악 실패와 불탄 대열을 보고, 실망감으로 바뀌었다. 2022년 여름, 러시아 육군은 군부 내에서 신뢰를 되찾았지만, 우크라이나의 전면적인 반격과 커르손 상실은 다시 쇼크로 받아들여졌다.

커르손 퇴각을 통해 완전한 패배에서 벗어난 육군은 다시 사기를 끌어올리고, 겨울 공세에 대비했지만, 별 소득 없이 끝났다. 그 때 바흐무트에서 상처뿐인 승리를 거두자, 군 내 사기가 다시 오르기 시작했지만, 우크라이나 군의 대규모 반격이 이어진 몇 주 후, 그 사기는 다시 얼어붙었다.

이 같은 변덕스런 분위기는 군내에 mystical mood(신비로운 기운)를 키웠다. 보병사단에게 성자의 이름을 붙이고, 각 군은 아이콘과 기도자를 텔레그램을 통해 공유하기 시작했으며,

전쟁을 옹호하는 성직자들은 부대 내에서 인기가 점점 올라갔다. 이런 정서적 불안은 군의 리더십에 대한 신뢰를 떨어뜨렸다. 이는 러시아군의 오랜 해묵은 문제로, 1856년 크리미아 전쟁 종전, 러일 전쟁, 제1차 세계대전, 이 보다 최근에 벌어진 아프간 및 체첸과의 전쟁 마무리를 앞두고 지휘부의 권위가 급격히 떨어진 적이 있었다.

이런 배경을 염두에 두면, 프리고진의 반란은 러시아 군 리더십에 대한 공개적인 비판의 포털을 개설했다고 보는 것이 논리적이다. GRU 제1부국장 Alekseev는 이런 비판이 내부에서 유래되었음을 보여주었다. Alekseev는 가장 영향력 있는 군 정보관련 장성이며, 한때 GRU로부터 감시를 받았지만, 특수부대내에서 높은 존경을 받고 있다.

Alekseev의 위상은, 프리고진의 불만에 공감하는 군 인사들이 군 리더십의 결함에 관해 떠들고 다닐 가능성이 많음을 보여주었다. 이들은 바그너그룹의 반란을 지지할 준비가 되어 있지 않았지만, 군부 내 이런 불만그룹은 무엇이 왜 잘못되었는지를 대화할 기회를 주었다.

요약하면 Alekseev는 러시아 군 리더십의 금기를 깨고, 불가능을 가능한 것으로 만들었다. 푸틴이 공식연설을 녹화하면서 언급한 것이 바로 이 파벌이었다. 푸틴의 호소어린 메시지는 분명하게 군부에 전달되었다.

"나는 프리고진을 배신자로 규정하는 만큼 당신들은 프리고진과 그 일당들의 요구와 거리를 두어야 할 것이다."

푸틴은 자신이 원하는 바대로 성공적으로 바그너 그룹을 군 및 특수기구들과 분리시켰다. 푸틴은 자신이 그토록 광적으로 집착한 "정치적 안정"이란 과제를 부각시키는 결과를 가져옴으로써, 사실상 패배한 것이나 다름없다. 반란군을 무력화시켰지만, 러시아 군 리더십에 대한 불만은 커져갈 것이다. 바그너 용병들이 전투기 13대를 격추시키고, 프리고진이 모스크바로 진군할 당시 국방장관과 게라시모프(Gerasimov)가 종적을 감추었다는 사실은 군내 장성들의 불만을 증가시켰다.

러시아가 우크라이나 전쟁에서 새로운 차질이 생기면 무슨 일이 벌어질까?

프리고진 반란이 FSB를 비롯한 스파이기관들에게 반드시 부정적인 영향을 주지 않는다는 것이 충격적이다. 남부 군관구 본부에서 프리고진과 국방차관 이우누스베크 옙쿠로프(Yunus-Bek Yevkurov) 및 GRU 제1 부국장 Vladimir Alekseev와의 대화는, 러시아 군의 최고지도자 두 사람이 마치 인질로 잡힌 것처럼 보였다.

이 당시 FSB 요원은 바리케이드를 쳐서 건물을 통제했을 뿐이다. 용병들이 모스크바로 진군하는 동안, 안보위원회 사무총장 니콜라이 파트루쉐프(Nikolai Patrushev)와 알렉산더 보르트니코프(Alexander Bortnikov) FSB 국장 등 스파이기관들의 장들은 어디론가 사라졌고, 용병들은 진군하며 헬리콥터를 격추시키고, 민간인 집에 총을 쏴대는 데도, 용맹한 장군들은 코배기도 보이지 않았다.

국가적 위기 상황에서 러시아 특수기구들이 마비상태에 빠진 것을 보는 것이 이게 처음은 아니다. 1991년 8월 고르바초프의 개혁개방에 반대하던 군부와 KGB 일부 보수파 장성들이 쿠데타를 일으켜, 크리미아 반도에서 휴가 중이던 고르바초프를 감금하고 하야를 요구하던 그 때와도 유사하다.

수천 명의 시민들이 거리로 나와 쿠데타 세력을 반대하고, 옐친이 그 선봉에 서서 투쟁을 독려한 가운데, KGB 요원들은 스스로 철수를 선택했다. KGB 요원들은 Lubyanka 본부 건물에 바리케이드를 치고 들어앉아, 창문으로 시위대가 자신들의 우상인 제르진스키(Felix Dzerzhinsky) 기념물을 짓밟는 것을 지켜만 보았다.

2004년 테러리스트들이 체첸의 베스란(Beslan) 소재 초등학교를 장악하고 1000여명의 아이들과 교사를 인질로 삼았을 때도, 겁에 질린 장성들은 똑같은 의지의 마비 상태를 보여주었다. 당시 FSB 국장 파트루스예프는 KGB맨이기도 했던 내무장관 라스이트 누르갈리예프(Rashid Nurgaliyev)을 대동하고, 베스란 공항에 도착한 뒤 간단히 브리핑을 하고, 모스크바로 줄행랑을 쳤다.

이 두 사람은 너무 겁에 질려 FSB 지부장에게 인질 석방을 위한 작전지휘권을 넘겨주었을 정도다. FSB 지부장은 이런 막중한 테러리스트 위기를 대처할만한 역량을 갖추지 못했으며, 결과는 300명의 인질이 사망하는 참극으로 이어졌다. 푸틴은 결코 이 장성들을 처벌하지 않았고, 지금까지 이 두 사람은 안보위원회 멤버로 건재하다.

푸틴의 KGB 경험은 20여년 이상 장기집권으로 이어지면서, 이제는 부담으로 돌아오고 있다. 푸틴은 1991년 KGB 요원으로 체제보위를 맹세하고서도 이를 지키지 않았고, 억압한다는 루머가 나도는 군과 달리, FSB나 국경수비대들의 위상에 대해 동정적인 것처럼 보인다. 푸틴이 특수기구들을 징벌하려고 마음먹으면, 특수기구 시스템 내에서 숙청할 가능성은 남아 있다. 숙청할 때는 전격제로 작전식으로 한다. 2004년 체첸반군이 인구스예티아(Ingushetia)를 잠시 장악했을 때, 그 다음 날 FSB 장성 여러 명을 직위 해제시켰다.

결론적으로, 푸틴은 반란을 별 것 아닌 것으로 치부하는 일이 현 상황을 더 안정시킨다고 여길지 모르지만, 자신이 믿는 스파이기관들이 전쟁 상황에서 터져 나오는 새로운 도전과제에 대해 손을 놓을 수 있다는 사실은, 전반적인 푸틴 시스템을 취약하게 만들지도 모른다.

스파이 기관들의
전매특허
'암살'

러시아의 비밀경찰과 스파이기관 활동상에 대해서는 간헐적으로 뉴스거리로 보도되지만, 거두절미하고 가십성으로 보도되다 보니 전모가 제대로 알려지는 경우가 드물다. 그러다 보니 음모이론이 수시로 농구공처럼 튀어나오고, 밝혀지는 사실은 많지 않다. 러시아 관리들은 선거개입이나 반체제 반푸틴 인사 암살에 대해서는 습관적으로 모르쇠로 일관하기에, 스파이 기관들의 정치적 역할에 대해, 총제적인 그림을 그리기가 쉽지는 않다.

정보공작은 어디서나 기묘하고 기만적이지만, 러시아에서는 그렇지가 않다. 대중문화는 조작에 능한 스파이들과 검은 장막 뒤 암살자를 칭송한다. 하지만 러시아 스파이들과 장막 뒤 암살자들은 자신들만의 리그 안에서 활동하는 것처럼 보인다.

그래서 그들의 동기와 최종 목표물을 비추는 빛은 쌍수를 들고 환영받는다.

러시아 추방자, 망명자,그리고 첩보원들에 대한 잔혹사

최근 Irina Borogan(이리나 보로간)과 Andrei Soldatovr (안드레이 솔다토보르)가 저술한 책이 있다. 러시아 정치경찰의 기원과 어제와 오늘을 해부한 책이다. 특히 러시아 스파이기관들이 일반적으로 상상했던 것과 달리, 지하수로처럼 내면화되어 있는 특징이 있음을 밝혀주었다.

과거는 가끔 현재 이상으로 드러내는 것들이 있다. 상기 두 명의 저자들은 비밀 해제된 문건/출판된 회고록/과거 정보기관 출신들과의 인터뷰 등 수많은 소스를 활용하여 저술했다. 정보요원으로 활동했던 러시아 사업가들의 고백도 들어있다.

레닌의 정치운동의 핵심적 성격은 혁명 후 비밀경찰의 탄생에 크게 기여했다. 나중에 볼셰비키 당으로 변신한 러시아 사회민주당은 19세기말, 시작 초기부터 해외 망명자들을 조직화하여 지하활동 형태로 태동했다. 러시아 당국의 비호 아래, 정정당당한 대표자로 행세했지만, 레닌은 혁명가들의 지하 네트워크로 유지되기를 바랐다. 러시아 말기 로마노프 황제 치하의 차르 경찰은 합법정당의 세포조직에 철퇴를 내렸지만, 불법행위자들은 지휘봉을 장악할 준비를 하고 있었다.

끈끈하게 엮은 다른 지하 조직처럼, 볼셰비키는 조직 내부의 배신자들에 대해 편집증적인 히스테리를 갖고 있었다. 변절자를 드러난 적보다 더 나쁜 놈으로 간주했다.

이런 음모가들이 러시아로 돌아와 1917년 뜻하지 않게 권력을 장악하자, 늘어난 고위층들을 통제할 필요성을 더 이상 느끼지 않았다. 새로운 멤버들은 감옥가거나 추방이라는 엄혹한 현실을 견뎌낼 재간이 없었다. 당의 원초적인 핵심강령에 충실히 헌신하지도 않았다. 아웃사이더였고 기회주의자였다.

볼셰비키- 얼마 있지 않아 공산주의자로 불린 사람들-를 지배정당으로 호칭한 것은 잘못 붙인 이름이다. 초기에 그들은 정식 정부라고 할 수 없었다. 여기저기 흩어져 있던 붉은 수비대(Red Guard)를 한 곳에 모아놓기는 했지만, 중앙에서 통제하는 군사조직으로 바꾸지 못했다. 후에 레온 트로츠키가 이 부분을 마무리했다. 이런 두려움과 취약성 때문에 **체카**를 창설하게 되었다.

체카는 후에 NKVD, KGB, 현재의 FSB 등으로 분화된다. 러시아 사람들은 역사적 지속성을 의식해서 그런지, 작금의 비밀기구들을 비공식적으로 체카라고 부른다. 체카는 무지막지하면서도 지능적으로 활동했는데, 이는 공산주의자들이 강해서가 아니라, 오히려 허약했기 때문이었다. 레닌은, 이런 예외적 기구들이 폭력으로부터 위축되어선 안 된다고 고집했다. 체카는, 새롭게 들어선 정권의 통치자원이나 도구들이 부족한 점을 보전하는 역할을 했다.

새롭게 창설된 볼셰비키 정치경찰은 정권에 대해 호전적이면서 이념적으로 반대하는 사람들을 적으로 분류하고, 자신들의 머릿속에 차곡차곡 정리해두었다. 이는, 대부분의 정보기관들이 하는 방식과 궤를 나란히 하는 것이었다. 그렇지만 이전의 동료는 건드리지 않았다. 반대진영으로 돌아섰다고 해서 살해하진 않았다. 대신에 지배그룹에서 축출하고, 해외로 추방하는 형식을 밟았다.

하지만 스탈린이 집권하면서 사정은 달라졌다. 스탈린은, 러시아가 아닌 유럽에서 수시로 발생한 쿠데타와 혁명을 추방자들이 주도적 역할을 한 사실을 너무나 잘 알았다. 스탈린 자신은 해외에서 보낸 적도 거의 없었다. 반면 자신의 최대의 적으로 간주한 동료혁명가들은 자신들의 이력서에 정치적 망명자라는 도장이 찍혀있었다. 도그마에 사로잡힌 공산주의자와 달리, 그들은 외국어와 문예에 능통했지만, 스탈린은 그에 미치지 못했다.

레온 트로츠키만 하더라도 성공적인 급진 언론인이자 혁명가로서 1905년부터 1917년까지 해외에서 활동했다. 1920년대 말 트로츠키가 지배층 내부의 권력다툼에서 밀려 추방당했을 때, 스탈린은 능력을 갖춘 데다, 프로파간다에 발군의 실력을 보인 그가 반정부 조직을 꾸려, 볼셰비키 정부 전복을 꾀할지 모른다고 두려워했다. 차르 러시아에 항거했던 것처럼.
이는 트로츠키의 죽음 보증서였다.

소비에트 역사의 아이러니는, White Guard 망명자들이 반소비에트 전복활동에는 웃길 정도로 무능했다는 점이다. 미국인들이 망명자들을 규합해서 모스크바 정권을 뒤집어보려고 했지만, 실패한 이유 중 하나이다. 많은 혁명 후 망명자들은 볼셰비키 추방자들이 그러했듯이, 미래를 상상하지 못하고, 러시아의 과거에 매몰되어 있었다.

그런데도 고위층 암살의 꼬리가 오늘날까지도 잘리지 않고 있다. 민주적이고 권위주의적인 체제는 "정보에 대해 근본적으로 다른 개념"을 갖고 있다. 리챠드 알드리히(Richard

Aldrich) 영국 Warwick대 국제안보학과 교수의 진단이다. 민주국가의 경우, 정보는 첩보를 모으는 것이다. 반면 권위주의 체제는, "정보를 정권을 수호하고, 망명자에 대해 감시활동을 하는 것"으로 본다.

체카의 '암살 신조'가 오늘날까지 강고하게 심화되고 있는 이유이다. 체카는, 소비에트 국가가 완전히 틀을 잡기 전부터 예외적인 권한을 부여받았다. 소비에트 혁명 후, 러시아 통치 시스템은 위기로 치달았고, 마른 땅처럼 갈라졌지만, 체카의 감시 눈 아래 다시 재건되었다. 체카는 국가를 능가하고, 우습게 보는 지경에 이르렀다.

다른 점은 있다. 공산주의 지배 아래, 비밀경찰은 정치적 도구이자 지배이데올로기 안내자가 제시하는 방향으로 끌고 가는 역할을 한다. 오늘날 러시아에서, 이데올로기는 한물간 개념이다. KGB의 수많은 계승자들- 국내 정치경찰, 스파이, 고위 관료들의 경호원 등- 은 소위 siloviki[13]로 불리며, 자신들만의 생활을 영위하고 있고, 러시아의 지배엘리트의 '**사고리더 (thought leader)**'로 간주되고 있다.

러시아의 국내정책과 대외 정책을 이해하기 위해서는, 러시아의 비밀경찰과 안보기구를 동시에 이해해야 한다. 러시아는 러시아 스파이들의 예외성을 배제하고 순수 정보기관으로 변모시키는 개혁이 필요하나, 2024년 2월 나발리 암살 의혹에서 보듯, 푸틴 치하에서는 요원하다.

---

13) 실로비키/실로비크는 러시아의 정치 단체이다. 이전에는 "무력파" 등으로 번역되었다. "실로비키"란, 러시아어로는 힘, 무력을 나타내는 "실라"에서 파생한 용어로, 푸틴 정권의 중추를 담당하는 정보기관이나, 군부, 군산복합체 등의 힘을 가진 부처 출신의 정치가들의 파벌을 지칭한다.

영국 거주 체제
비판자 암살
등 시도

　러시아 푸틴 정권은 체제 비판자를 그냥 두고 보기 힘든가 보다. 고질병이 도지듯, 영국 등 해외로 이주한 체제 비판자 및 그 가족들을 겨냥하여 협박이나 암살을 시도한다. 그 배후에는 당연히 러시아 스파이기관이 도사리고 있다. 최근의 수법은, 암살요원을 직접 파견하기보다, 불가리아인 등 제3국적자를 포섭하여 시도한다. 출처를 은폐하기 위함이다.

　2018년 전 GRU 대령 출신인 세르게이 스크리팔에 대한 독극물(노비촉) 암살 미수 사건으로 외교적 분쟁으로 까지 비화되었음에도, 여전히 또 다른 대상자를 상대로 비슷한 공작을 자행해왔음이 최근 가디언지의 보도로 드러났다.

　개요는, 영국에 이주한 러시아 체제비판자에 대한 스파이 공작이다. 대상은 **로만 도보르호토프(**Roman Dobrokhotov)로, 6명의 불가리아인 공작원들이 동명의 가족(와이프인 Kate, 8살과 10살 먹은 아들 2명) 등을 일거수일투족 감시하면서, 암살을 시도한 내용이다. 당시 41세인 Dobrokhotov는 러시아 탐사기자 출신으로, 2021년에 러시아를 떠나, 2023년 1월 영국에 안착했다.

"나는 지난 봄 경찰로부터 경고를 받았으며, 이러한 암살/위협 시도는 지금도 진행 중이다. 우리는 비밀 출처로부터 듣고 있다. 이 스파이링(spy ring)을 FSB가 컨트롤하다가, 지금은 군 정보기관인 GRU가 맡고 있다는 사실이다. 이들이 체포되었지만, 아직도 뭔가 꾸물거리는 것이 있다고 보기에, 경찰의 경고가 별로 놀랍지 않다."

전모가 드러난 것은, 2024년 2월 영국 경찰에서 영국 영주권을 가진 6명의 불가리아 국적자들이 영국 내외에서 첩보활동을 수행하던 이들을 일망타진하면서 세상에 공개되었다.
이 교묘한 'spy ring'은 약 3년에 걸쳐 각종 비밀을 러시아 스파이 기관에 전달했으며, 구체적인 신상은 다음과 같다.
Vanya Gaberova 30세, Katrin Ivanova 33세, Tihomir Ivanchev 39세, Orlin Roussev 47세, Biser Dzhambazov 43세, Ivan Stoyanov 34세 등이다.

특히 오스트리아 국적을 가진 얀 마르살렉(Jan Marsalek, 당시 44세) 정보요원은 모스크바에서 영국을 겨냥한 공작을 전담했다. 동명은 독일 금융회사 Wirecard에 근무하면서, 1억 6천만 파운드 사기 사건에 연루되어, 수배를 받고 있는 사람이다.

이들의 타깃이 된 또 다른 인물이 언론인 크리스토 그로제프(Christo Grozev)인데, Dobrokhotov와 더불어 러시아 군정보기관인 GRU 요원들이 2018년 영국 솔즈베리에 자행한 스크리팔 암살미수 사건의 전모를 파헤치는 데 온 몸을 던진 사람들이다. 흥미로운 것 중 하나는, 불가리아인 협조자 중 한 명이 Dobrokhotov의 아이폰 pin 번호를 탐지한 수법이다. 그를 은밀하게 밀착 감시하면서, 동명이 해외에 나가기 위해 비행기에 탑승하자, 바로 옆자리를 예약하여, 몰래 이 번호를 딴 것이다.

동명에 대한 독살 음모도 꾸몄다. 한적한 런던 거리에서 리신(ricin)이란 독극물로 암살하거나, 소형 보트를 이용해서 납치할 음모까지 모의했다. Dobrokhotov는 인터넷 신문인 <Insider>의 편집장으로, 푸틴이 우크라이나를 침공한 이후, 서방이 제재한 80여개 기업과 60명에 대해 탐사취재를 해온 인물이다.

대테러 기관 대변인은, "대테러 치안업무는 경찰/파트너/지역사회 등과 긴밀히 연계하여, 영국 내에서 활동하는 외국인의 강압적 활동을 파악하여 분쇄하고자 노력한다. 이번에 체포되어 재판을 받고 있는 불가리아인 spy ring은 국가안보법(the National Security Act)에 의거한 것이다. 그리고 외국인으로 보이는 사람들이 영국 국내 상황을 간섭하려는 움직임이 보이면, 해당 지역 경찰관서에 신고해줄 것을 당부한다. 전문가들과 협의하여, 그 사람의 실정에 맞는 안전책을 제시하고, 필요한 지원을 한다."며 적극적인 신고를 촉구했다.

스파이 수법 변화:
비공식 요원
활용 확대

슬로베니아에 살고 있는 아르헨티나 커플, 아테네에서 사진관을 운영한 멕시코 출신 그리스인 사진사, 최근 영국에서 체포된 3명의 불가리아인.

2022년 전 세계 경찰과 공안기관이 러시아 정보요원과 공작관이 되기에는 표면적으론 특출 나지 않는 삶을 살고 있는 수많은 사람들을 기소했다. 여러 사람들이 러시아 스파이기관에게 정보를 넘겨준 혐의로 체포되었다. 일례로 베를린 영국 대사관 보안요원이 13년형을 선고받았고, 폴란드에서 체포된 12명은 러시아 스파이기관이 부여한 임무를 수행하던 중 잡혔다.

지난 2023년 2월 구금된 5명 중 3명의 불가리아인들에 대한 많은 것들이 안개 속이다. 기소는 되었지만, 한동안 재판이 열리지 않았다. 탄원서도 내지 않았고, 영국 당국도 아무런 설명도 내놓지 않고 있다.

하지만 분명한 한 가지가 있다. 푸틴이 우크라이나를 침공한 이후, 러시아는 보다 덜 위험하고 전통적인 스파이처럼 보이지 않는 수법을 구사하고 있다. 450여명의 러시아 외교관이 스파이활동 혐의로 유럽 각국으로부터 추방된 사실이 주요 요인이다. 러시아의 주요 정보기관인 FSB, SVR, GRU는 외교관 신분으로 공작원을 투입해왔다. 때론 기업인, 여행객, 저널리스트로 가장하기도 했다. 그런데 전쟁이 더욱 힘들어졌다. CSIS 추산에 의하면 우크라이나 전쟁 초기 석 달 만에 450여명의 러시아 외교관이 유럽 각국 대사관에서 추방되었다.

"추방과 겹친 전쟁은 러시아 정보시스템에게 운명적 시간이 되었다. 그래서 다른 수단으로 대체해야 했다."

러시아가 그간 공격적인 정보활동에서 구사했던 수법('길'이란 뜻의 avenues)은 셧다운되었다. 2018년 전 GRU 대령 세르게이 스크리팔 부녀를 노비촉이란 독극물로 살해하려 했을 때, 주모자인 GRU 요원 3명은 허위 신분으로 영국 비자를 발급받았다.

민간탐사기구인 <벨링캣>이 이를 끝까지 추적하여, 여권 번호가 러시아내 특정한 여권 사무소 것임을 밝혀냈다. 대다수 GRU 공작관들은 비슷한 연속 숫자를 가진 여권을 사용함으로써, 수많은 러시아 정보요원들의 가장신분을 날려버렸다. 우크라이나 전쟁으로 인해 러시아 시민이 영국 등으로 여행을 가기 위한 비자발급이 어려워지자, 스크리팔 암살시도자 같은 사람들은 GRU와의 연계사실이 없다고 해도, 비자 얻기에 상당한 곤욕을 치루고 있을 것이다.

　이 모든 것은 러시아로 하여금 전통적인 스파이활동 기법에서 벗어나 **sleeper cell**(보통 장기간 신분을 노출하지 않고 암약하는 협조자) 혹은 비공식적 요원 중심으로 활동방법을 변경하게 했다. 제3국 국적자나 "**illegals(흑색요원, 잠복공작원)**"를 택하는 것이다. 러시아 정보요원은 이 같은 방법 관철을 위해, 제3국에서 신분가장 경력을 만들고자 고통스런 시간을 보낸다.

　illegals는 소비에트 시대 프로그램으로, 활동적인 정보활동 임무에는 투입하지 않았고, 장기적인 미션을 위해 장기간 보통사람처럼 특정 사회에 암약토록 한다. 하지만 지난 몇 년간 7명의 illegals가 탄로 났다. 노르웨이, 브라질, 네델란드, 슬로베니아, 그리스 등이다. 일부는 도피하려 했고, 일부는 러시아로 돌아간 것으로 추론한다. 나머지는 서방에 체포되었다.

　지난 2023년 2월 영국에서 3명의 스파이 용의자들이 체포되었고 2개월 후 "마리아 메이어(Maria Meyer)"와 "루드윅 기쉬(Ludwig Gisch)"는 슬로베니아에서 체포되었다. 이들은 러시아인 부부로 아르헨티나인으로 가장했지만, SVR 요원이었다. Meyer는 슬로베니아 류블랴냐(Ljubljana)에서 미술 갤러리를 운영했으며, 위장 신분으로 빈번히 영국을 여행했다. 아직까지 영국에서 어떤 첩보활동을 했는지 알려지지 않고 있다.

⇨ 소련 시절, 잠복 공작원(illegal) 활용 사례

O 초기 소련이 활용한 Illegal들의 사례

- **야코프 블리움킨(Yakov Blyumkin)** : 우크라이나에서 도난당한 종교적 기록물들은 판매하는 페르시아 상인으로 신분가장
- **그레고리 아가베코프(Georgy Agabekov)** : 아르메니아의 카펫 판매상으로 신분가장
- **이오시프 그리굴레비치(Iosif Grigulevich)** : KGB의 전신인 NKVD를 위해 활동했으며, 트로츠키(Leon Trotsky) 암살기도 팀의 일원으로 멕시코에 파견, 주 유고 코스타리카 대사로 신분을 가장, 소련과 절연한 유고의 티토(Tito 대통령) 살해 지시를 수령
  하지만, 아무리 완벽하게 신분을 가장해도 실수는 나올 수 있는 것으로 "샤갈의 그림을 좋아하느냐'는 질문을 받고 Grigulevich는 Nyet(no)라고 반복하여 답변했으나, 자신의 실수를 깨닫고 "예술가의 고향에서는 사람들이 그렇게 답변할 것"이라고 낄낄대면서 답변, 상황을 모면한 일화가 있음.

※ 그 밖에 파리의 생선장수, 헤이그의 도서판매상 등으로 위장

O **1970년대 초 유리 리노프(Yury Linov)는 KGB의 대표적 Illegal 공작의 사례**
- KGB구내 병원에서 할례수술을 받은 뒤 유태계 오스트리아인 'Karl-Bernd Motl'의 신분으로 이스라엘에 입국했으나,

진짜 Motl은 동독에서 생존하고 있던 인물
- 냉전시기 중요한 순간마다 아일랜드, 체코슬로바키아,
  이스라엘에서 등장

0 **父傳子傳(부전자전)의 illegal, 엘리어트 홀러(Elliot Holar)**
- 1980년 미국으로 망명한 illegal 루디 허먼(Rudi Hermann)의 아들
- 십대 때 부친의 정체를 알게 된 뒤, KGB에 의해 채용됨.
- 부친의 망명 후 개명하고 사라졌으며 작가인
  샨 워커(Shaun Walker)가 그를 찾아내어 면담 시까지
  은둔

0 소련체제 붕괴 후, 서방을 제대로 아는 인력의 풀이 축소됨으로 인해 그럴듯한 미국인이나 유럽인들을 만들어내는 것이 더욱 어렵게 되었으나, KGB의 후예들은 결코 illegal 프로그램을 포기하지 않고 있음.
- 이들 illegal들은 신화적 존재가 되고 푸틴 대통령에 의해
  공개적으로 찬양되고, 미국의 인기 TV프로그램
  "The Americans"에서 미화되고 있음.

0 deep-cover 스파이들은 KGB의 시스템에 의한 압박으로 붕괴되었으며, illegal에 속한 많은 사람들은 정상적인 감정생활을 할 수 없게 만든 KGB 프로그램의 희생자였음.

비밀공작 취약점 :
자만심

 브라질 학생 빅토르 밀러 페레이라(Victor Muller Ferreira, 러시아 스파이 세르게이 크예르 카소프 Sergey Cherkasov라는 의혹)는 현대적인 스파이 수법을 여실히 보여주는 사례다. 이 사안은 러시아 비밀공작의 강점과 동시에 취약점도 드러낸다.
 크예르카소프(Cherkasov)는 거의 10여년을 밀러 페레이라(Muller Ferreira)라는 허위 페르소나를 구축하는데 보냈다. 출생증명서, 운전면허증 등과 같은 가짜서류를 사용해서, 브라질에서 신분증을 만들었는데, 기록 유지 관리가 엉망인 브라질의 취약점을 악용하는 한편 내부자의 도움도 받았다. 크예르카소프(Cherkasov)는 결국 신원이 까발려졌다.

2022년 독일 당국이 FBI의 지원을 받아, 동명을 러시아 군 정보기관인 GRU 요원임을 주지시켰기 때문이다. 동명은 브라질로 돌아가 15년형을 언도받고 감옥살이를 하고 있다. 크예르카소프(Cherkasov)는 신원이 노출되기 전까지 대단한 인물로 감쪽같이 속이는데 수년간을 허비했다. 하나의 예가 더블린 트리니티(Trinity) 칼리지와 워싱턴 존스 홉킨스대에서 외국인 학생으로 공부한 뒤, 헤이그 국제사법재판소에 무임금 주니어 분석관으로 들어갈 음모까지 꾸몄다.

동명의 노력은 러시아의 끈질긴 비밀공작과 야심을 잘 보여준다. 만약 크예르카소프(Cherkasov)가 국제사법재판소에 취직했더라면, 주변 정보를 끌어 모아 보고했을 것이다. 우크라이나 전쟁 범죄를 조사하는 ICC의 역할이나, 푸틴에 대한 체포영장 등이 주요 탐문내용이었을 것이다. 크예르카소프(Cherkasov)는 허위 브라질 족보를 사용해서 포르투갈 시민권을 얻으려 했다는 의심도 받았다. 그랬다면 EU에 진출하는 교두보가 되었을지도 모른다.

그러나 러시아가 이런 종류의 야심차고 위험도 높은 공작을 자행하는 것은 스스로를 무너뜨리는 자만심의 발로이다. 일례로, 동명이 우크라이나 침공을 앞두고 모스크바에 관련 정보와 미국의 행동방책에 관해 보고한 내용을 살펴보자. 보고 내용 중 하나는 "전쟁이 발발해도 미국은 우크라이나에 정치적 지지 외에 다른 수단을 제공하려는 기미는 없다"는 내용도 있었다. 첩보 출처는 싱크 탱크 내 영향력 있는 사람으로부터 획득한 것으로 되어있다. FBI는, 일부 첩보는 교수출신이 주도한 온라인 토론에서 수집한 것으로 결론지었다. 동명은 분명히 고리(loop)로부터 벗어나 있었다. 크예르카소프(Cherkasov)는 러시아의 광범위한 정보 실패의 한 단면일 뿐이다.

익히 알다시피 러시아는 우크라이나 전력을 우습게 봤고, 자신들의 전투역량도 과신하여 전장 곳곳에서 예상치 않은 반격과 패배를 맛보았다.

영국 왕립연구소(RUSI)가 2023년 3월 29일 공개한 우크라이나 전쟁 동안 러시아의 비정규적인(unconventional) 공작에 관한 보고서를 보면, "러시아 특수 기관들은 근본적으로 자아인식이나 자신이 맡고 있는 분야에 대해 정직하게 보고하려는 의지가 결여되어 있다"고 지적한다. "상사에게 취약점은 감추고, 성공한 내용은 부풀려서 보고하는 시스템적 문제가 내부에 도사리고 있다."고 덧붙인다.

워싱턴포스트지가 전쟁 초기에 보도한 것을 보면, 러시아 FSB(연방보안부)는 우크라이나 침공 전에 협조자들에게 키이우를 떠나라고 짤막하게 조언하면서도, 핵심협조자는 남겨두었다. 이 때문에 도시를 점령한 뒤에는 자신의 집을 손쉽게 이용할 수 있었다.

"그들은 누군가가 문을 열 것으로 기대하고, 저항이 있을 것이라고 전혀 예상하지 못했다."

우크라이나 고위 안보책임자가 2022년 여름 워싱턴포스트지 기자에게 한 말이다.

자의식이 결여된 크예르카소프(Cherkasov)는 어쩌면 스스로 실패를 자초한 것인지도 모른다. 동명은 해외에 체류하는 동안, 스파이라고 눈을 의심할 정도로 몇 가지 초보적인 실수를 저질렀다. 2023년 3월 공개된 FBI 공소장을 보면, 수감된 이후에도 연인에게 자신의 석방여부에 관해 자신만만한 메시지를 보냈다.

"내가 여기에 머물 이유가 없어. 이 형량은 형식적인 것이야. 자신들의 체면을 세우기 위해 나에게 과도한 형을 때린 것이지."

이러한 태도는 다른 러시아 스파이에게서도 가끔 보는 현상이다. 이런 모습은 2018년 영국 솔즈베리에서 전 GRU 소속 대령 세르게이 스크리팔 부녀를 노비촉이란 독극물로 살해하려던 GRU 공작원 3명의 모습에서도 여실히 드러났다. 공작은 수포로 돌아가고 그 과정도 노출되고, 스크리팔 부녀는 살아있음에도.

비정규적 공작(unconventional operation)은 외교관이란 신분을 가장하지 않고 '불법적'으로 스파이 개인 역량(lone agent)에 맡겨 활동하는 것이지만, 잘못될 확률이 잠재해있다. 성공사례를 별로 보지 못했다. 독일 정보기관 BND가 러시아 스파이로 추정되는 사람의 신원을 수시로 까발린다.

GRU와 FSB 같은 러시아 정보기관이 수행하는 고위험 공작에서 자만심은 아무데나 통하지 않을 것이다. RUSI는 보고서에서 이렇게 결론을 내린다.

"러시아 정보기관이 우크라이나에서 실패한다 해도, 앞으로 러시아가 강압적 행위의 중심체로 기능하는 것을 막지 못할 것이다. 이를 격퇴하는 것을 중요하지 않다고 하지 않을 수 없다."

언론인
활용 공작[14]

 2014년 3월 어느 날 오후, 러시아의 크림반도 병합작전에 관한 기사를 작성하는 중, 친숙한 인물을 흘깃 보았다. 남성적인 우락부락한 체구와 살짝 면도한 머리를 가진 파블로 곤잘레스(Pablo Gonzalez)는 멀리서 봐도 쉽게 눈에 띄었다. 스페인 분리주의 운동이 자주 펼쳐지는 바스크 지방(the Basque Country)에서 프리랜서 기자로 일하던 동명을 처음 만났다. 분쟁 지역을 취재하는 기자를 위한 교육 코스에서였다. 기자들은 언제든지 위협지역으로 돌변하는 장소에서 서로 조우하는 경우가 잦다.
 Gonzalez는 포위된 군 기지에서 접촉한 바 있는 우크라이나 언론인과 같이 있었다. 나는 그곳을 자세히 살피기 위해 가는 중이었다. 그는 내부로 빠져나갈 수 있도록 우리 세 사람을

---

[14] 영국의 진보일간지 Shaun Walker기자가 2024년 10월 15일 기고한 글이다.

모았는데, 그 곳에서 우크라이나 해병대원이 벼랑 끝에 몰려있었다. 바깥에서는, 성난 지역민들이 친 러시아 구호를 연신 외치고 있었지만, 사실은 위장한 러시아 군인들이었다. 러시아 장성의 방문이 임박했음을 눈치 채고, 우리는 그가 나누는 대화 내용을 녹음하기 위해 딕타폰(Dictaphone)을 은밀한 곳에 숨겨두었다.

얼마나 지났을까. 나는, 자신을 러시아 장군으로 소개한 인물이 해병대원들에게 무조건적 항복과 시민들에게는 과격한 시위를 촉구하는, 절절한 목소리를 들었다. 녹음 내용은 "푸틴이, 크림반도에서 모스크바는 개입하지 않고 있다고 부인"한 것이 넌센스임을 입증하는 단단한 증거였다. 리얼타임으로 역사의 한 편린을 듣는 듯했다. 21세기 대명천지에 유럽의 일부를 강제적으로 병합한 최초의 사례였다. 이런 획기적인 취재를 도와준 곤잘레스에게 감사를 표했지만, 그 날 이후 그를 본 적이 없다.

8년 후인 2022년 2월 28일 이른 시각에 곤잘레스는 폴란드 프세미슬(Przemysl)의 폴리스흐(Polish) 시에서 체포되었다. 푸틴의 잔혹한 우크라이나 침공을 불과 며칠 앞둔 시기였다. 폴란드 당국은 간결한 성명에서 "곤잘레스는 외국 정보기관 GRU의 활동에 간여한 의혹이 있다"며, 러시아 군정보기관인 GRU 소속 협조자라고 주장했다. 이 사건으로 10년형을 언도받고 수감되었다.

몇 개월 후, 곤잘레스에 관한 주장이 누군가의 이목을 끌었다. 영국 해외정보부 MI6 국장 리차드 무어(Richard Moore)가 오랜 만에 얼굴을 내밀고 "곤잘레스는 스페인 언론인의 탈을 썼을 뿐"이라고 발표한 것이다. 무어 국장은 외국에서 장기간 신분을 감추고 암약하는 "불법적인 스파이"라고 주장했다.

불법적 스파이들은 특정 외국인으로 변신하기 위해 몇 년에 걸쳐 훈련받는다. 폴란드 당국은 "곤잘레스는 진짜 파벨(Pavel)이며, 모스크바에서 태어났다"며, 무어 국장의 주장을 뒷받침했다.

나는 지난 몇 년 동안 러시아 불법적 스파이 실태에 대해 푹 빠져, 이들 양성 프로그램에 관한 책을 저술하기도 했다. 크림반도 그 군사기지에서, 곤잘레스는 언론 본분과는 거리가 먼 다른 임무를 수행하고 있었다. 스페인 친구와 지인들은 MI6 무어 국장의 주장을 수긍하지 못했다. 곤잘레스는 러시아 배경을 감추기는커녕, 러시아가 자신의 뿌리임을 부인하지 않았다는 것이다. 바스크 고향에서는 그를 '파벨' 또는 "러시아인"으로 알고 있었다.

체포된 지 2년 후, 폴란드는 아무런 증거를 공개적으로 내놓지 못했으며, 재판 일정도 공표하지 않았다. 문제의식 중의 하나는 이것이다.

'폴란드 사람들이 무고한 언론인을 물고 늘어지고, 그의 러시아 뿌리를 사악한 그 이상의 것으로 잘못 이해하면 어떻게 될까?'

곤잘레스의 스페인 출신 부인은, "남편은 장기 구금으로 인해 망가져왔다"고 호소한다. "증거도 없이 도덕적으로 정서적으로 망가뜨려, 당국이 남편 앞에 제시하는 그 모든 것에 사인하도록 하는 것"이라고 흥분한다. 세 아이를 둔 엄마로서 남편을 어렵게 면회한 뒤, 스페인 기자에게 털어놓은 말이다.

2024년 8월, 러시아와 서방은 냉전 이후 처음으로 튀르키예 앙카라 공항에서 역사적인 대대적인 수감자 맞교환이 있었다. 러시아는 러시아 감옥에서 수감생활을 하던 고위층과 정치범들을 방면했다. 이 리스트에는 월스트리트 기자 에반 게르시코비치(Evan Gershkovich)도 포함되어 있었다. 이 대가로 서방에 수감 중이던 러시아 스파이 등 수명을 풀어주었다. 정부에서 보낸 비행기가 앙카라에서 이들을 픽업하고, 모스크바 도착지에는 방송국 직원들이 기다리고 있었다. 푸틴도 기다렸다. 붉은 카펫 좌우 양쪽에 의장대가 러시아 땅을 오랜만에 밟는 이들을 예우하기 위해 도열해 있었다.

베를린 공원에서 체첸 반체제 인사를 살해한 혐의를 받은 바딤 크라시코프(Vadim Krasikov)가 얼굴을 내밀었다. 마누라와 불법 공작팀과 함께 슬로바니아에서 체포되었는데, 그 곳에서 10여년 이상 아르헨티나 사람처럼 행세했다. 이들 부부는 두 아이와 함께 푸틴 앞으로 걸어 내렸고, 다음으로 키가 크고 턱수염이 더부룩한 사나이가 "당신의 제국은 당신을 필요로 한다"는 엠블럼이 새겨진 스타워즈 티셔츠를 입고 내려왔다.
파블로 곤잘레스였다.

푸틴은 공항 터미널 빌딩 안으로 귀환자를 불러 모아 일장 연설을 늘어놓았다.

"당신들 모두는 국가적 보상을 받을 것이다. 앞으로 당신들의 미래를 위해 얘기할 기회가 있을 것이다. 지금은 우선 무사 귀환을 환영한다."

곤잘레스의 혐의를 열렬히 지지하는 사람들에게 이 장면은 "그가 결백하지 않다"는 확신을 심어주기에 충분했다. 한 동료 기자는 "지난 2년 동안 곤잘레스를 변호해왔어요. 자유로운 상태에서 공개재판을 받아야 한다. 하지만 우리는 러시아가 세계를 돌아다니며 언론인을 구한다는 생각을 할 정도로 순진했다. 푸틴과 악수한 것만으로도 곤잘레스는 유죄임이 증명되었다."

일부 친구들은 여전히 그의 결백을 확신한다. 곤잘레스는 러시아 스파이기관과 연루된 적이 없다고 모스크바에서 부인했다. 스페인 법률대리인은 지금도 전화로 정기적으로 그와 대화를 나누고 있다면서, "폴란드가 2년 이상 동명을 구금하면서도 재판에 회부하지 못한 것은 증거에 상당한 결함이 있음"을 입증하는 것이라고 주장한다.

"첩보활동에 관련한 사건이 명백하다면 혐의를 제시하고 재판정으로 가면 된다. 유럽에서 언제 이런 식으로 처리한 적이 있나?"

수감자 맞교환이 있은 몇 주 후, 유럽과 러시아에서 곤잘레스를 아는 지인 수십 명과 인터뷰했다. 폴란드와 우크라이나에서는 전/현직 정보기관 간부들도 만났다. 곤잘레스의 가족사도 조사했다. 의문점은 다음과 같다.
1) 결백한 언론인이었는데, 잘못 기소된 것은 아닌가?
2) 진짜 러시아 스파이라면, 채용된 날짜가 언제인지?
3) 동기는 무엇인가?
4) 그가 한 일이 얼마나 국가안보에 손상을 입혔는가?

2011년 영국 웰쉬 지방 근교에서 진행된 일주일 코스 언론인 교육코스에서 곤잘레스와 처음 조우했다. 그의 인생사를 조각조각 맞춰보면서 운명을 좌우하는 해가 있었음을 알았다.

바스크 지방에 소규모 좌파매체인 <가라(Gara)>에서 기사를 쓰기 시작했고, 구에르니카(Guernica) 마을에서 열린 축제에서 지금의 마누라를 만나 결혼했다. 그해 11월 웨일즈로 향했다. 예비역 영국군 장교가 운영하는 훈련코스는 전쟁 지역을 취재하는 언론인들에게 생존법 등을 가르쳤다. 전쟁현장에서 써 먹을 수 있는 긴급지원 과목도 있었지만, 활용도가 의심스러운 역할 게임도 있었다.

우리는 2011년으로 되돌아가 웨일즈 시골지방 이면도로가 페루 깊숙한 곳에 있다고 상상해보라는 지시를 받았다. 기사작성을 시작한 지 몇 분이 지나지 않아 지프 여러 대가 손수건을 들고 있는 두 명의 남자 옆에 멈추면서, 고성을 지르고 자동소총을 흔들어댔다. 그들은 Shining Path에서 온 혁명군으로, 우리 모두는 총 맞아 죽었을 것이라고 말했다.

우리가 숲을 지나 사격지점으로 행진하는 동안, 곤잘레스는 그들을 격렬히 비판했다. 납치범을 설득해서 우리 모두를 풀어주는 역할을 맡았다. 국제적 구호 임무를 맡은 제임스 브라운이 "어! 이 친구 영웅이네"라고 했던 말이 떠올랐다. 그러면서 영웅과 책임감 사이에는 백지장 한 장 차이라는 것을 깨달았다. 곤잘레스는 자신을 스페인 프리랜서 기자로 소개했지만, 그 누구도 그가 러시아인 뿌리에 대해 언급했는지 기억하지 못했다. 호텔 바 등에서 얘기해보면, 열정이 넘치는 이야기꾼이었다. 어느 날 저녁 폭스뉴스 기자와 주제는 잊어버렸지만, 격렬히 토론했던 상황이 기억난다.

납치 영웅과 술 취한 하이징크스 이야기는 지난 10여 년 동안 곤잘레스를 만났던 사람들의 입에서 나온, 곤잘레스에 관한 많은 이야기들과 꽃과 나비처럼 잘 어울렸다.

때론 술에 흠뻑 취한 어릿광대처럼 행동하고, 어떤 때는 멋진 신사모습으로 나타나 능숙하게 친구를 만들거나, 고위 전문직들과 커넥션을 만들 정도로 마당발이었다. 스페인 마이너지 출신임에도.

전쟁지역 기사를 자주 작성했고, 진짜 용감성을 보인 적도 간혹 있었다. 나고르노카바흐(Nagorno-Karabakh)15)가 폭탄세례를 받는 동안, 중상을 입은 프랑스 언론인 2명을 구한 사례가 대표적이다.

곤잘레스가 2011년 웨일즈 교육훈련 받을 때 혹은 2014년 크림반도에서 만났을 당시부터 스파이가 되기로 작정했는지는 모른다. 2016년 폴란드 당국의 사건파일에 따르면, "곤잘레스는 매우 적극적인 인물로, 언론인이란 직업을 크레믈린의 최대의 적에 다가가는 방편으로 이용했다"고 기록되어 있다.

Boris Nemtsova는 2015년 아버지가 살해될 당시 15세였다. 끈질긴 푸틴 비판자 중 한명인 Boris Nemtsov는 모스크바 중심가에서 집으로 가는 도중 지나가는 차에서 쏜 총을 4번이나 맞았다. 2015년 2월 저녁이었다. 살해위협을 받아온 그녀는 몇 개월 후 러시아를 떠나기로 마음먹었다. 망명한 후 부친의 이름으로 재단을 설립하여 러시아에 있는 독립매체와 활동가를 지원하려는 목적이었다. 2016년 1월, 유럽의회에서 자신의 아버지 살해를 조사하는 특별조사관으로 임명한다는 전언을 듣고 스트라스부르크(Strasbourg)에 머무르고 있었다. 이는, 그간 러시아 당국이 깔아뭉개고 있었기에 대단히 상징적이자 최소한의 조치였다.

---

15) 대부분 아르메니아인이 거주하는 분쟁 지역인 나고르노카바흐와 아제르바이잔인이 주로 거주하는 7개 주변 지역을 두고, 1990년대 아르메니아 점령 기간 동안 추방될 때까지 아르메니아와 아제르바이잔 간의 민족 및 영토 분쟁이다.

곤잘레스가 사람을 엮는 책략을 보여주는 해프닝이 있다. Nemtsova가 어느 날, 잠시 휴식하는 동안, 러시아 악센트가 조금 섞인 말을 하는 크고 건장한 남자가 그녀에게 다가섰다. 자신의 이름은 파블로 곤잘레스이며, <Gara>라는 마이너신문에서 일하고 있다고 소개한 뒤, "인터뷰에 응해줄 수 있느냐"고 물었다. Nemtsova는 정중히 거절했다. <Gara>라는 신문을 들어본 적이 없어, 스케줄이 빡빡하다는 이유를 내세웠다. 곤잘레스는 이에 굴하지 않고, Nemtsova의 친구를 통해 그녀를 설득했다. 하는 수 없이 그녀는 인터뷰에 응했다.
"무슨 질문을 했는지 기억은 나지 않지만, 그렇다고 맹탕은 아니었다." 나에게 한 토로한 말이다.

첫 미팅 후, Nemtsova는 재단의 공개적인 행사 시 보내는 메일리스트에 곤잘레스를 포함시켰다. 행사 때면 개근하여 그녀를 더 잘 알게 되었다. 그녀는 곤잘레스가 재미있었고 대하기 편했다. 어떤 면에서 애정관계로 발전했다. 곤잘레스는 그녀와 그녀의 지인들과 자주 어울리면서 러시아 반체제 인사 상당수를 만났다. 연례행사인 Boris Nemtsov Forum은 갈가리 찢어진 망명단체가 주관하는 몇 안 되는 플랫폼으로, 여러 단체 등이 한자리에 모이는 자리였다. 곤잘레스는 참새가 방앗간을 그냥 지나가지 않듯 당연히 참석했다.

취재 중 러시아 야당 쪽 인사를 만나보니, 이 중 상당수가 곤잘레스를 만났다는 사실에 소스라치게 놀랐다. 능숙하게 치근대면서도 입담이 좋고 맥주를 5-6잔 하는 따스한 인간으로 기억하고 있었다. 곤잘레스는 조심스럽게 연락을 유지하고, 스페인을 방문하는 새로운 친구들의 투어가이드처럼 행동했다. 러시아 망명그룹들에게 바스크 지방 투어를 제안하고, 자신의 집에서 얼마 떨어지지 않은 마을에 있는 분위기 좋은 식당으로 데려갔다.

Nemtsova의 절친한 지인 중 한 명인 일리야 야쉰(Ilya Yashin)은 마드리드 여행 당시 곤잘레스와 만났던 순간을 회상했다. 곤잘레스는 새로운 코트가 필요하다는 야쉰을 쇼핑센터로 데리고 가기도 했으며, 곤잘레스의 러시아 역사적 유산에 대한 언급에 대해서는 "어린 시절 이후 러시아에 있지 않았고, 러시아 야당인사 접촉도 비자 얻는 방법에 대해 조언을 구하기 위한 것이었다"는 주장을 믿고 있었다. 구글 검색을 한번이라도 해봤더라면, 크레믈린이 후원하는 <러시아 투데이>에 기사를 기고한 것을 알 수 있으며, 그 기사 중에는 우크라이나의 친서방 정부가 스페인 신문에 돈을 대주고 우호적 보도를 요청한 것을 비판한 것도 찾을 수 있다.

그럼에도 아무도 배경 체크를 하지 않았다. "곤잘레스는 야당 성향 언론인과 활동가 서클 안에 있었다. 우리는 푸틴의 정치에 대해 토론할 필요가 없었다. 우리 입장은 동일했기 때문이다." 정치 활동가이자 Nemtsova의 지인인 파블로 엘리자로프(Pavel Elizarov)의 술회다.

곤잘레스에 관해 "어! 뭔가 이상하다"고 느낀 사람들은 그가 바스크지방 출신 때문으로 본다. Nemtsova는 곤잘레스가 세상을 보는 관점이 자신과 사뭇 다르다는 것을 깨달았지만, 남부유럽 좌파주의가 떠드는 것쯤으로 보고 적어놓았을 뿐이다. 그리고 정치 토론은 더 이상 하지 않기로 했다. 곤잘레스는 모스크바가 군사적·재정적으로 막후에서 지원하는 동부 우크라이나의 소위 "인민공화국'을 소리 높여 지지했다. 하지만 사람들은 스페인에서 분리주의 운동이 펼쳐지고 있는 바스크 지방 출신이어서 그런가 보다 하고 대수롭지 않게 여겼다.

우크라이나 총리 볼로디미르 아리에우(Volodymyr Ariev)는 2015년 곤잘레스와 첫 인터뷰 자리에서 매우 놀랐다. 유명 브랜드 와인을 선물로 가져온 때문이다. "자기 고향에서 생산하는 와인이라면서!. 지금껏 미팅을 앞두고 기자가 선물을 가져온 것은 처음 접했다. 속으로 바스크 지방전통이거니 했다."고 술회했다.

인터뷰는 별 것 없었고, 짜투리 시간에 정치인 가족, 여행, 취미 등 소소한 잡담을 나누었다. 이는 보통 언론인들이 새로운 기사 출처를 개척할 때 구사하는 전형적인 수법이었다. 몇 년이 지나서야 Ariev는 체포된 곤잘레스가 자신의 신상을 파악하려는 시도가 아니었나 의심했을 정도다.

2017년 말, 곤잘레스는 민간 탐사기구인 <벨링캣>이 운영하는 5일짜리 훈련프로그램에 참여했다. <벨링캣>은 2018년 러시아 GRU 요원이 노비촉이란 독극물로 세르게이 스크리팔 전 GRU 대령 부녀를 영국 솔즈베리에서 암살시도한 전모를 파헤쳐 유명세를 탄 조직이다.

이 훈련코스를 통해 곤잘레스는 <벨링캣> 조사에 참여하는 여러 기자들을 자연스럽게 만났고, 이들 중에는 <벨링캣> 창설자 엘리엇 히긴스(Eliot Higgins)도 있었다. 다른 참여자들도 러시아 정보기관에 대해 흥미를 가졌던 것으로 보인다. 메이저 신문 언론인에서부터 미국정부와 수백만 달러 용역계약업무를 하는 테크기업 고위직도 있었다. 곤잘레스는 이들과 야간에 저녁을 먹거나, 술을 마시며, 정기적으로 여행했던 동부 우크라이나 전황에 대해 장황하게 늘어놓았다.

이러한 일을 하면서 곤잘레스는 러시아 반체제 단체와 가까이 지내고 있었다. 2018년 Strasbourg로 돌아왔는데, 이곳은 푸틴의 정적으로 시베리아 교도소에 수감 중 사망한- 푸틴의 최대 정적인 알렉세이 나발리가 사는 곳이었다. 나발리는 간만에 러시아 외부로 나가 유럽 인권법정에서 증언하고, 변호사와 몇몇 절친한 친구를 불러 집에서 술을 마셨다. 곤잘레스는 당연히 제외되었다.

이 그룹 가운데 겁이 없는 바딤 프로크오로프(Vadim Prokhorov)라는 변호사가 있었다. 러시아에 둥지를 털고, 큰 건이 있으면 유럽으로 날아갔다. 큰 덩치로 러시아를 완벽하게 구사하는 곤잘레스를 처음 대면했을 당시, 첫 association임무?는 모스크바 곳곳의 뒷길을 개략적으로 스케치하는 것이었다. "이 곳이 바스크지방이냐"고 묻자, 마리노 바스크라며, 불쾌한 현실을 그대로 보여주는 모스크바 근교이며, 나발리가 사는 곳이라고 조크했다.

그때 이후 Prokhorov는 곤잘레스를 '마리노 바스크'로 불렀지만, 곤잘레스는 트레이드 마크인 젠틀한 매력을 고수하여, 의심이 비집고 들어갈 틈을 주지 않으려 했다. 그 변호사는 "곤잘레스 같은 진중한 사람이 그 그룹 속에 들어갔으리라고 생각하지 않았다. 하지만 곤잘레스는 곧잘 술을 진탕 마셔 나가떨어지는 경우가 많았다. 농담도 곧잘 하고. 완벽하게 잘 어울렸다. 그 역할에 능숙했다는 것을 인정해야 한다."

2019년 어느 날, 곤잘레스의 러시아 친구들은 그의 인간성 변화에 대해 탐색하기 시작했다. 곤잘레스는 두 유형의 내면을 갖고 있었다. "하나는 매력덩어리이자 편안한 녀석이고, 다른 면은 무도하고 다른 사람보다 더 잘났다고 떠는 사람이었다. 분위기가 있으면서도 공격적이고, 자신을 통제하지 못하는 사람이었다.

만남과 헤어짐을 반복하면서 Nemtsova는 스스로 자문했다. "마이너신문에 간혹 칼럼을 작성하는 프리랜스 기자가 수시로 여행 갈 돈이나, 최신 도구를 살 돈이 어디서 나오지?"

러시아에서 살던 시절의 기억을 회상해보았다. 그 시절, 호화스런 맨션이나, 멋진 차를 타고 다니는 등 주제넘게 사는 사람들은 대체로 허접한 관료들이었다. 러시아 부패의 척도였다. "그런데 유럽에서 이는 무엇을 뜻하지?"

매년 여름 Nemtsova는 프라하에서 저널리즘 스쿨을 열었다. 2018년 곤잘레스도 수강했다. 전쟁지역 보도에 관한 과목이었다. 2019년에 재등록했다. 그 해 Nemtsova는 러시아 정보기관의 활동에 정통한 러시아 기자인 안드레이 솔다토프(Andrei Soldatov)로부터 곤잘레스에 대한 의심을 키우는 예기를 듣게 된다. "곤잘레스는 러시아 공작원이 아닐까, 우리를 염탐하려고 파견된 것은 아닐까?" Soldatov는 그렇지 않을 것이라고 말했지만, 의심의 꼬리가 머리를 오랫동안 맴돌았다. "바스크 프리랜서가 왜 그렇게 돈이 많지?" "러시아를 왜 그렇게 잘해"? "왜 러시아 야권에 그리 관심이 많지?"

러시아 불법스파이들은 외국인으로 위장하여 해외에 파견되기 전에 전통적으로 수년간에 걸쳐, 외국어와 에티켓을 배운다. 곤잘레스는 GRU의 눈초리 아래 고통스럽게 다듬어진 위장신분자가 아니었다. 러시아이름도 그렇고 실제 그대로였다. 두 개의 상이한 정체성은 스페인 내전에서 연유한 뒤엉킨 유전의 산물이었다. 곤잘레스의 할아버지는 분쟁이 할퀴고 있던 스페인 지역에서 피신한 3만 여명의 아이들 중 한 명이었다.

대부분 프랑스, 벨기에 등지에서 잠시 길러지던 중, 8살이 되던 해 할아버지는 소련으로 가는 배에 타게 되었다. 소련 당국은 도착하는 스페인 아동들을 상대로 특수 교육기관에서 맑시즘을 주입시킬 복안을 갖고 있었다. 내전이 종식되면 이들을 스페인으로 보내, 스페인 정치엘리트의 중추로 키울 생각이었다. 할아버지는 1939년 모스크바 외곽에 있는 오브닌스크(Obninsk)에 있는 선원이 머무는 숙소에 여장을 풀었다.

1939년 프랑코 총통이 이끄는 민족주의자당이 내전에서 승리하자, 이들을 돌려보내지 않기로 결정했다. 대다수가 소비에트 시민이 되었다.

할아버지는 기술학교를 마치고 Zil에서 일자리를 얻었다. 모스크바 근교에 있는 그곳은 거대한 자동화 공장이 연신 돌아가고 있었다. 러시아 여성 갈리나(Galina)와 결혼해서, 두 아이를 슬하에 두었다. 1980년 큰 딸 엘레나(Elena)는 소장 과학자 알렉세이 룹촌(Alexei Rubtson)과 결혼했고, 2년 후 곤잘레스가 태어났다. 그 즈음 소련은 몰락의 길로 치닫고 있었다. 1991년 Elena는 곤잘레스를 데리고 스페인으로 갔는데, 스페인 조상을 둔 덕분에 손쉽게 시민권을 얻을 수 있었다. 엘레나는 가족등록부에 엄마 성을 따라야 한다고 생각해서 이름 세 자리 중 성을 스페인어 형식을 택했다. 그러다보니 곤잘레스도 자연스럽게 Pablo Gonzalez Yague가 되었다.

곤잘레스는 바르셀로나에서 고등학교를 마친 후, 스페인에 있는 대학에서 슬라브 철학을 공부했다. 그 후 소련시절 자랐던 어린 시절을 이상화하기 시작했다. "나는 그 곳에서 생활이 너무나 행복했다. 어느 누구도 나를 다른 쪽으로 확신시키지 않았다." 신문칼럼에 종종 썼던 내용이다.

망한 소련을 번영과 풍족함의 표본으로 그렸다. 2004년 옛 이름인 파벨 룹초프(Pavel Rubtsov)로 러시아 여권을 발급받았다. 지금도 그의 아버지는 모스크바 미디어 지주기업인 RBC에서 관리직으로 일하고 있다. 곤잘레스는 간헐적으로 이 곳을 방문하여 아버지의 지도아래 주어지는 일을 하곤 했다. 곤잘레스는 러시아에 매혹되어 친러시아이자, 열렬한 푸틴 추종자로 변신했다.

일부 스페인 언론매체는 곤잘레스가 GRU와 연계된 데는, 그의 아버지가 배경에 깔려있다고 본다. 러시아에서 스파이크 기관에 대한 협조는 흔한 일이기 때문인데, 곤잘레스의 가족에 대해 아는 사람은 이 주장에 회의적이다. "곤잘레스 아버지는 애국심이 투철한 사람이다. 소련시절 과학자였고, 소련 붕괴 기간 동안 국가상실감을 크게 느꼈다. 정보기관과 연계되었음을 시사하는 말은 한마디도 내뱉지 않았다."

곤잘레스의 아버지 알렉세이의 신상배경을 복수로 체크하기 위해 <벨링캣>에서 러시아 조사를 이끄는 크리스토 그로제브(Christo Grozev)에게 전화를 걸었다. Grozev는 스파이 헌터(hunter) 경험이 풍부하고, 몇 년에 걸쳐 각고의 노력으로 상당수 러시아 공작원의 정체를 벗겨낸 사람으로, 비엔나에 살고 있지만, 러시아 암살 위협에 시달리고 있다. 곤잘레스의 아버지와 GRU와의 연계흔적을 예전에 추적한 적이 있다는 것이다. 여권번호도 의심스럽고, 신분도 가짜인 흔적이 있고, GRU와 연계된 주소에 등록되어 있었다는 것이다. 이를 명확히하기 위해 알렉세이의 마누라를 체크한 결과 이상한 점이 드러났다.

우선, 타탄야 도브렌코(Tatyana Dobrenko)라는 여성에 대해 상이한 기록이 두 개나 되었다. 하나는 1954년에, 다른 하나는 1959년에 태어난 것으로 되어있었다. 그런데 사회보장 번호는 동일했다. 더 흥미로운 것은 그녀의 공식 주소였다. 곤잘레스 아버지가 거주했던 아파트에 등재하기 앞서, 76 Khoroshevskoye Shosse에 먼저 주소를 등재한 것이다. 모스크바 북동부에 있는 그 주소는 소련시절 지은 아파트단지로, 한 가지를 빼고는 눈에 띄지 않는 곳이었다. 아쿠아리움으로 알려진 빌딩이었는데, 바로 GRU 본부가 있는 곳이었다. 이는 손자가 GRU 협조자로 의심받는 상황에서 매우 쇼킹한 우연의 일치?였다.

의심스러운 것이 또 있었다. 2023년 망명한 러시아 탐사보도 매체 아겐츠토프(Agentstov)는 유출된 러시아 비행교범 데이터베이스에 근거한 책을 출간했다. 그 책에서 2017년 6월 모스크바에서 셍페테르부르크를 오간 왕복 티켓 2장을 한 사람이 구매했다는 것이다. 하나는 곤잘레스 명의로, 다른 하나는 세르게이 터빈 명의로. 터빈이 GRU 요원이란 명백한 증거였다. GRU에서 불법스파이를 조종하는 부서인 제5국 요원이었던 것이다.

정리하자면, 곤잘레스는 Nemtsova의 지인들과 어울리면서 모스크바행 비자를 얻으려고 발버둥 치던 그 동일한 시간에 모스크바에서 셍페테르부르크로 가는 비행기에 GRU 요원과 탑승하고 있는 셈이었다.

2019년 곤잘레스는 폴란드 프리랜스 기자생활을 시작했다. 그해 말 부부는 바르샤바로 이사 가서 1층 집에 세 들어 살았다. 바르샤바에서 아이들을 보고자 고향인 바스크 지방을 뻔질나게 여행하고, 우크라이나에 대한 기사를 정기적으로 기고했다. 이 기회를 이용하여 GRU가 관심가질 만한 고위층과 여러 번 인터뷰를 했다. 아르메니아의 친서방 대통령 니콜 파시니안(Nikol Pashinyan)과 파벨 라투쉬카(Pavel Latushka)도 있었다.

2022년 2월 초, 그물망이 처지기 시작했다. 러시아가 우크라이나를 침공할 것이란 미국과 영국의 경고가 잇따르는 가운데, 곤잘레스는 2명의 스페인 프리랜서 기자를 대동하고 전선 한복판인 아브디우카(Avdiivka)를 여행했다. 그곳에서 우크라이나 경찰에 연행되어 여러 시간동안 조사받았다. 모바일 폰을 열어본 조사관은 러시아 스파이로 의심했지만, 혐의를 입증할 구체적인 증거는 찾지 못했다. 이후 즉시 방면되어 이 곳을 떠나도록 충고 받았다.

며칠 후 스페인 정보기관 요원이 곤잘레스의 친구들과 가족을 만나, 곤잘레스를 둘러싼 여러 의문점에 대해 물었다. 곤잘레스는 이를 알고 격분했다. "그들은 같은 노래를 갖고 모든 사람에게 간다. 나를 모든 사람을 위장용도로 사용하는 돼지로 여긴다. 우크라이나 사람들은 마치 비밀이라도 되는 것처럼 러시아 친척에 대해 물어본다. 그간 러시아 배경이라는 것을 감추려고 한 적이 없는데도."

어떤 점에서는 이 주장이 맞다. 곤잘레스의 러시아 뿌리에 대한 기본적인 사안은 진실이지만, 구체적인 내용은 상황에 따라 조변석개했다.

2023년 2월 24일, 러시아가 우크라이나를 침공하자, 바르샤바행 비행기를 예약했다. 우크라이나와 인접한 폴란드 남부 도시 프셰미슐(Przemysl)에 피난민들이 물밀 듯 밀려들었다. 곤잘레스는 스페인 TV와 웹사이트에서 생중계되는 내용을 기록하고, 2월 27일 저녁 늦게 숙소로 돌아왔다.

몇 분 후 야밤 중에 노크소리가 들렸다. 폴란드 국내보안기관인 ABW 요원이 들이닥쳐 그를 체포했다. 우크라이나 정보기관 SBU는 곤잘레스의 우크라이나 방문 내용 파악과 더불어, 지인들을 탐문하고 일부 그들의 가택까지 뒤진 후, 내린 판단은 이렇다.

"몇 년 동안 곤잘레스의 주요 임무는 전선 근처 여러 곳을 가서 사람이 움직이는 정보를 수집하는 일이었다. 이를 위해 지방 정치인과 군 관계 인맥을 가동했다. 언론인 신분으로 위장한 GRU 스파이는 전선에 심대한 타격을 줄 수 있다. 부대 이동이나 하드웨어의 위치를 파악하는 **spotter**로 활동하는 것이다. 전면 침공 전에 동명을 체포한 것을 신에게 감사한다."

수감자 교환은 2024년 8월 1일 튀르키예 앙카라 공항에서 이뤄졌다. 방면한 수감자를 태운 비행기가 떠난 후 푸틴은 반체제 인사 2명 Yashin과 Vladimir Kara-Murza를 풀어주었다. 공항버스를 타고 독일 비행장으로 간 후 자유의 몸이 되었다.

곤잘레스가 진짜 GRU 협조자였는지에 대한 논란은 GRU 아카이브를 보지 않고는 확실하게 단정지을 순 없다. 곤잘레스가 얼마나 쓸 만한 협조자였는지도 알기 어렵다. 하지만 이를 곧이곧대로 믿는 것은 어린애와 같다. 타깃의 프로필을 기록하는 것은 정보업무의 기본이자 핵심이다.

"인물자료를 만들어두면, 그 사람의 행동을 예측가능하고 관점도 알 수 있다. 일상의 루틴이 어떻게 되고, 약점도 마찬가지다."

모스크바 스파이 조종관들은 개인 신상에 대한 존안자료를 바탕으로 협조자 물색 전략을 짠다. 인센티브를 주던, 협박을 하던. 그래서 타깃의 일상생활을 상세히 파악하는 것은 중차대하다. 공작관으로 하여금 정확한 시간에 정확한 장소에 무언가를 던질 수 있게 해준다. 혹은 물색관 대신에 GRU는 Krasikov 존안자료에 있는 그 누군가에게 총이나 독극물을 보낼 수 도 있다.

곤잘레스에게 여전히 남은 의문은 이것이다.
 1) 곤잘레스는 어떤 종류의 스파이인가?
 2) GRU가 오랜 기간 공들여 양성한 불법스파이인가?

폴란드 보안당국은 단언한다.

"곤잘레스는 GRU 소속 요원이며, 젊은 시절 포섭되어 언론인 경력 모두를 스파이활동을 하기 위한 위장수단으로 사용했다."

Chapter 2
스파이 기관들과 우크라이나 전쟁

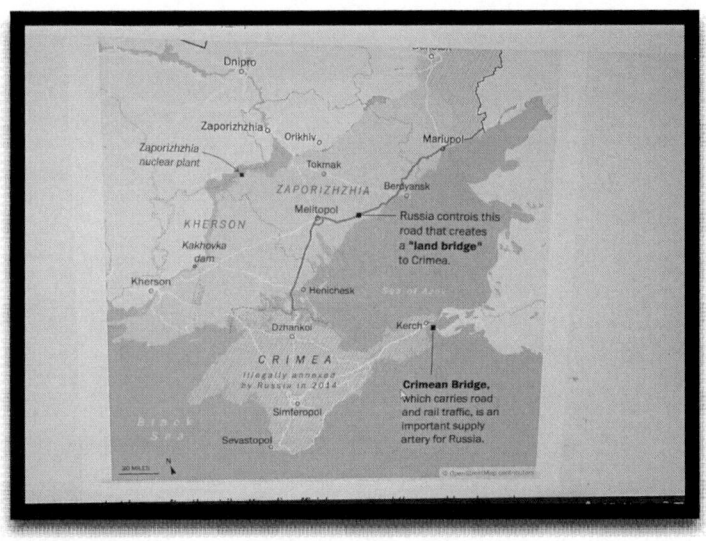

우크라이나 지도층 내
스파이망 구축
공작[16]

들어가기

    2022년 2월 러시아의 우크라이나에 대한 전면적 침공은 전 세계를 경악시켰다. 다시는 전쟁이 없을 것 같았던 유럽대륙에서 국가 대 국가끼리 격렬한 재래식 전쟁이 벌어질 수 있음을 상기시켰기 때문이다. 그런데 크게 주목하지 않은 것이 있다. 우크라이나 전쟁의 비정규적 측면 즉 예전과는 다른 측면이다. 이는 러시아의 행동과 수법을 이해하는데 긴요하다. 이번 침공은 오랜 기간 러시아가 우크라이나를 저울질하기 위해 벌여온 비정규전의 의도된 결정체로 볼 수 있다.

---

16) 이 글은 Jack Watling, Oleksandr V Danylyuk, Nick Reynolds가 2023년 2월, 영국 왕립연구소인 RUSI에 기고한 내용으로, 원제는 Preliminary Lessons from Russia's unconventional Operations during the Russo-Ukraine war이다.

비정규적 공작은 재래식 전력이 전장에서 의도한대로 목적 달성에 실패했을 지라도, 러시아의 성공적인 승리 이론에 중대하다. 그래서 이번 전쟁의 비정규적 측면을 연구하는 것이 중요하다. 러시아의 전쟁 수법을 이해하여 이를 통해 유럽 국가 스스로 방어를 위한 교훈을 얻어야하기 때문이다.

이 글에서 **비정규전**을 다음과 같이 정의한다. 비밀공작, 심리적 공작, 전복, 사보타주(비밀파괴공작), 특수 공작과 정보 및 방첩활동 등이 특정국가의 군사적 목표물을 겨냥해서 벌이는 행위를 말한다. 이런 행위들을 그려내는 일이 그리 녹녹치 않다. 이유는 러시아의 비정규전이 방법론적 전통에 딱 들어맞는다는 사실 때문이며, 그 방법론은 다른 전통에서 정교하면서도 다양한 전문용어를 끌어다가 사용한다.

일례로 미국에서 '비정규전'은 비국가 행위자들이 국가를 전복하기 위해 스폰서하는 것에 큰 비중을 둔다. 러시아가 우크라이나 젤렌스키 정부 전복을 시도하고 저항을 분쇄하는 것은 이 공작 개념에 명확하게 들어맞는다. 그러나 각종 도구(tool)를 조합할 때는 보통 비정규전으로 여기는 것들에 각기 다른 비중을 두고 짠다. 러시아가 비정규전에 사용하는 전문용어를 다른 전통과 동일하게 간주하기에는 일정한 한계가 있다. 그래서 이 보고서는 주로 영국이 사용하는 용어에 중점을 둔다.

이 글은 크게 두 파트로 정리된다.
하나는 우크라이나에서 비정규전을 펼쳐온 의도와 준비상황을 밝힌다. 수년 동안 우크라이나 내부에 깊숙이 부식한 러시아 스파이망에 대해 살펴보고, 이 스파이망이 우크라이나 일부 지역 병합과 점령 시 활용되었던 내막을 대략이나마 설명하고자 한다.

두 번째 파트는 전쟁이 실제로 벌어졌을 때 러시아가 비정규전을 어떤 방식으로 활용하는지 설명하고자 한다. 점령지역에서의 방첩 체제와 특수부대 배치, 비정규군의 활동상 등도 포함한다.

궁극적인 목적은 러시아가 어떤 형태와 수법으로 균열작전을 펼치는지를 상세히 살펴보고, 그 지표와 경고 및 대응조치를 놓고 공개적으로 토론하는 기초를 제공하는데 있다.
이 보고서를 만들면서 우크라이나 정보기관, 안보기관, 사법기관 등 여러 관계자들과 광범위한 인터뷰를 가졌다. 우크라이나 전장에서 획득한 상당한 자료와 더불어 러시아의 특수부대와 조직 및 그들이 상호작용한 '실체'들로부터 모은 자료들이 이 보고서를 작성하는데 도움을 주었다.

시간적으로 보면 2021년 7월부터 2023년 2월까지 취합된 자료들이다. 관련자료 중 민감한 것들이 상당히 있어 일반적인 러시아의 형식과 수법에 관해 상세한 설명이 가능한 사건에서 상당부분 추론했음을 밝혀둔다. 이런 추론은 저자들로 하여금 활용 가능한 문건에다 우크라이나 기관들이 보고한 내용을 합쳐 전체적인 그림을 그릴 수 있게 해주었으며, 러시아의 양태(form)와 수법을 이미 알고 있는 非우크라이나 기관들이 결론을 체크 해준 케이스도 많았다.

러시아의 특수기관에 관한 정보를 수집하는 일은 해당 기관들의 내부 보안조치로 인해 단편적이다. 여기에다 이런 주제로 작성하는 것 자체가 논거를 뒷받침하는 증거의 민감성으로 인해 복잡하게 만든다. 이유는 통상적이지 않은 수집과 획득 방법으로 모으는데다, 종종 외부에 드러나지 않도록 하기 때문이다.

일례로 공작 전위기구가 특정 조치를 위해 자금을 지원한 금융기록 등이 그 것이다. 이는 러시아 특수기관이 자금을 지원했다는 추론에 대한 논박할 수 없는 증거가 된다. 하지만 이러한 문건이 세상에 공개되면 자금지원 방식을 다르게 하여 미래에 관련 정보 수집을 어렵게 하고, 러시아 특수기관들은 그 자료가 어떻게 새나갔는지를 집중 조사할 위험이 커진다.

이외 방법론적 과제도 있다. 특정 분쟁에서 도출한 교훈을 구체화하는 방법이다. 예를 들어 러시아 공작에서 부각된 취약점은 러시아에 우호적인 정보기관에게 접근방식을 바꾸라는 신호로 읽히게 되고, 나아가 그 기관요원들을 위험에 빠트릴 수 있음을 암시한다.

그래서 이 글은 이 같은 위험성을 감안, 특정 공작을 상세히 묘사하기보다 일반적인 패턴을 그리는데 중점을 두고자 한다. 아울러 러시아의 비정규전 수행의 취약점과 행위를 분석하는데 초점을 둔다.

무대 설치하기

우크라이나 침공과 일부 지역 병합에 대한 러시아의 계산은 전제조건에 대한 평가 없이 이해할 수 없다. 러시아는 우크라이나를 상대로 장기간에 걸친 비정규전을 통해 그 전제조건이 확립되었다고 믿었기 때문이다. 그 전략은 현장에 수십 년간 부식한 스파이 요원들이 마치 오케스트라를 연주하듯 일사분란하게 움직이는 것을 전제로 하고 있지만, 모스크바의 대부분의 자산들이 모집한 것과는 근본적으로 다른 정책이 적용되었다. 러시아가 기도한 우크라이나 패망 메커니즘은 우크라이나 내부를 뒤흔들어 조직을 무너뜨리는 것이었고, 이를 통해 정부와 군이 본연의 기능을 하지 못하도록 하는 것이었다. 정부에 대한 국민들의 신뢰도 떨어뜨리고, 국가 안정도 불안하게 하여 다른 나라들이 우크라이나에 대한 원조도 줄이는 것이었다.

러시아 군은 이런 조건이 갖추어졌다고 보고, 조직화된 저항도 별로 없고 오래가지 못할 것으로 전망했다. 러시아가 우크라이나와의 전쟁에서 보여준 병참 부족, 연료와 탄약 부족, 장거리 수송 취약점, 항공 기습 공격에 대한 허술한 방어 등 이 모든 것은 우크라이나 전쟁 장기화에 전혀 대비하지 않은 때문이다. 극히 일부만이 참여한 기획자들은 2014년 성공적인 크림반도 점령의 데자뷔 정도로 생각했다. 그 당시 우크라이나의 군사적 저항이 거의 없다는 전제하에 계획을 수립하여 군사적 관점이 반영될 여지가 없었다.

생생한 사례가 Mi-24 전투용 헬리콥터 11대와 8대의 Il-76 군수송기가 우크라이나 영공을 침범하여 크림반도로 수송했음에도 우크라이나 공군은 하늘만 쳐다보았다. 당시 우크라이나 합참의장이 명령을 내리길 거부한 때문이다.
러시아 공정부대(VOV)가 2022년 키이우 근처 공항에 착륙을 시도한 것이 이 논리를 적확히 반영한 사례다.

러시아의 스파이망

우크라이나 침공에 핵심적인 역할을 한 FSB는 2021년 7월 경 우크라이나를 점령하기 위한 계획을 준비하도록 지시를 받았다. 이를 전담하는 부서로 FSB 제5총국은 공작 정보처에 제9섹션을 설치했다가 Directorate(특정활동을 책임지는 부서)로 변경한다. Major General 이고르 추마코프(Igor Chumakov)에게 정보보고 하는 요원도 20명 수준에서 200여명으로 대폭 증원되었다.

제9국(Directorate)은 소련 시절 주정부에 맞추어(oblast-facing) 편제를 짜되, 우크라이나 의회를 주목표로 한 thematic sections(공작 내용별로 팀을 구성, 예: 기관팀)과 호흡을 맞추도록 했다.

공작정보처의 역할은 기획, 목표 설정, 정보관리가 주된 임무였다. 핸들러(첩보원 조종관)가 첩보요원에게 우선적으로 할당해야할 임무 등. 그 요원은 FSB 제5총국(Fifth Service)로부터 반드시 직접 지시를 받지는 않았다. 우크라이나 점령계획의 경우, 제9국(Directorate)은 스파이망을 구축하거나 가동하는 임무는 맡지 않았지만, 우크라이나 전역에 러시아 특수부대가 접근할 수 있도록 상세한 밑그림을 그렸다.

그리고 기존 부식된 정보요원들이 침공에 이어 점령한 뒤 활동방법에 관한 계획을 수립했다. 이 공작계획에 수립되자 첩보원의 핸들러에게 첩보원이 해야 할 임무에 관한 지침을 줄 필요가 있었다. 이렇게 하려면 한번쯤 회동해야만 했다. 그래서 2021년 가을, 우크라이나에서 활동 중인 러시아 첩보원들은 터키/사이프러스/이집트 소재 리조트에서 휴일 브리핑을 하면서 핸들러들을 비밀리에 접촉했다.

러시아 특수부대가 선호하는 수법은, 러시아에서 직파하는 요원들을 최소화하고 현지에서 고참 첩보원을 포섭하여 자신만의 첩보망을 가동하는 것이었다.

하부 협조망을 구축한 시니어 요원(agent-gruppovod) 활용 수법은 구소련시절 매뉴얼과 제1총국(the First Chief Directorate, 해외정보국) 지침에 잘 나와 있으며, 지금도 SVR, FSB 제5총국(Fifth Service)과 러시아 연방군 총참모부 본부(the Main Directorate of the General Staff of the Armed Forces of the Russian Federation, GRU) 등이 이 수법을 이어가고 있다.

포섭한 인물이 정치적으로나 경제적으로나 조직 내에서 고위급이면, 러시아 요원이 아닌 러시아 이익을 앞세우는 개인적 고객을 포섭하는 형태를 띤다. 이것은 거짓 깃발 포섭 형태로서, 포섭된 협조자들은 자신의 나라 관료를 대신해서 임무를 부여받았다고 믿는다. 그 임무가 모스크바에서 고안한 것이라고 해도. 우크라이나의 경우, 여러 고관대작들과 정치인들이 수십 년에 걸쳐 러시아 특수기관과 연계하여 이 역할을 수행했다.

우크라이나 러시아 정보요원들은 우크라이나 내부 불안정을 기도했다. 우크라이나 정보기관, 사법기관 및 다른 정부부처, 정당, 공공기구 및 범죄기구 등 대상을 가리지 않았다. 우크라이나 정보기관과 해외 파트너들은 이 첩보망 일부를 까발려왔다. 러시아 요원과 공작실상이 모두 드러난 것은 아니지만, 러시아 요원들은 우크라이나와 여타 주요국에서 적극적으로 공작활동을 계속하고 있다.

안드리이 데르카츠흐(Andriy Derkach)는 우크라이나 의회의 인민대표(People's Deputy)로서 오랜 기간 러시아인들과 함께 활동하며 러시아 이익에 부합되는 정책을 선도했다. 그는 1993년 모스크바에 있는 FSB의 전신인 FSK 아카데미를 수료하고 우크라이나로 돌아왔다.

부친은 KGB 고위 간부출신으로 수 년 동안 우크라이나 정보기관 SBU 책임자였다. 데르카츠흐도 수 년 동안 우크라이나 국영 원자력기업인 에네르고아톰(Energoatom) 책임자를 맡으면서 러시아의 핵산업에 의존하게 만든 여러 건의 거래를 로자톰(Rosatom)과 했다.

이를 첩보활동의 범주에 넣을 순 없지만 SBU는 그 당시 그의 행동에 깊은 우려를 갖고 당시 대통령 빅토르 이후스흐츠헨코(Viktor Yushchenko)에게 국가안보에 상당한 위협이 될 수 있다고 보고했다. 당시 Rosatom 책임자는 **세르게이 키리엔코(Sergei Kirienko)**로서 지금 러시아 연방 대통령실 제1부책임자로 있으면서 우크라이나 점령지에서 러시아와 기존 우크라이나 관리들과의 협조체제 구축에 주력하고 있는 인물이다.

우크라이나 정보기관들은, 우크라이나 핵에너지 산업이 러시아와 Rosatom의 이익에 부합하도록 영향을 미치는 것이 데르카츠흐의 친러시아 행동의 주목표였던 것으로 보고 있다. 이는 왜 데르카츠흐가 러시아 군 정보기관인 GRU의 조종을 받는다는 의심을 사고 있는지를 설명해준다. GRU는 핵산업과 Rosatom 관리에 최우선적인 책임을 지고 있다. 우크라이나의 핵에너지 인프라는 러시아 침공계획과 우크라이나 전쟁에 관한 대중들의 내러티브에서 주요한 역할을 했다.

핵발전소를 둘러싼 포격과 IAEA의 현장 실사 및 러시아/우크라이나 간 책임공방 등을 보면 그 내막을 좀 더 이해할 수 있다. 러시아는 우크라이나 침공 명분 중 하나로 우크라이나가 자체 핵무기를 만들 복안을 갖고 있었다는 억지 주장을 폈다.

그래서 러시아의 **'특별 군사작전'**의 임무 중 하나가 우크라이나를 비핵화시키는 것으로서, 핵발전소와 핵연구 시설도 장악하겠다는 의도를 표출했다. 이 작전을 위해 러시아 정보기관들은 핵시설 근무자를 포섭했는데, 시설 보안을 담당하는 팀도 포섭대상으로 삼았다.

데르카츠흐는 우크라이나와 미국과의 관계를 무너뜨리기 위한 영향공작에 참여하면서 러시아 첩보원임이 처음 노출되었다. 2019-20년 간 당시 페트로 포로셴코(Petro Poroshenko) 대통령과 바이든 부통령, 푸틴 간의 대화 내용을 상당 부분을 조작하여 공개 했는바, 이 내용 중에는 우크라이나 내정에 미국의 조직적인 간섭과 우크라이나 주재 미국 고위관리들의 부패상이 담겨 있었다.

2020-21년 미국 재무부는 **데르카츠흐**가 러시아 영향공작에 가담하고 미국 선거에 개입하기 위해 허위조작정보 살포단체를 조직한 혐의로 제재대상에 올렸다. 당시 데르카츠흐는 10여년 이상 러시아 첩보원으로 활동했다. 이와 더불어 우크라이나 의회 올렉산드르 두빈스키(Oleksandr Dubinsky), 올렉산드르 오니스흐츠헨코(Oleksandr Onishchenko), Prosecutor 코스티 안틴쿨리크(Kostyantyn Kulik), 전 검찰총장의 Assistant인 General 안드릴 텔리즈헨코(Andril Telizhenko)와 우크라이나인 3명 등도 제재대상에 포함했다. 이 그룹은 미국 정부에 영향을 미치려고 노력한 사람들이다.

영향공작 수단 중 하나는 우크라이나 의회의 **'반부패 그룹'**을 활용하는 것이었다. '반부패 그룹'은 우크라이나에 제공한 원조가 투명하게 배분되는지를 조사하는 기관이다. 반부패그룹 조사의 최종적인 목적은 우크라이나에 대한 국제원조를 줄이거나 중단시키는 것이었다. 우크라이나가 군사·기술적으로 미국과 같은 서방으로부터 지원받으면, 특히 미국과의 관계를 악화시키려는 러시아 특별영향 공작은 러시아 특수기관들의 꾸준한 최우선 공작목표가 될 수밖에 없다.

2022년 6월, SBU는 확보한 다량의 문건과 함께 데르카츠흐의 네트워크를 공개하면서, 그가 부여받은 대략적인 임무를 밝혔다. 2016년에 이미 GRU의 지시를 받고 있었는데, GRU 제1부국장인 General 블라디미르 알렉세에프(Vladmir Alekseev)와 GRU 총책인 Admiral 이고르 코슈투코프(Igor Kostyukov)의 조종을 받았다.

데르카츠흐는 민간보안회사에도 협조망을 구축하여 러시아군의 길 찾기와 점령한 마을 통제 및 도착하는 러시아 군을 지원하려는 의도였다. 이를 위해 GRU로부터 매월 3-4백만 달러를 수수했다. 우크라이나 방첩기관은 조사 비밀 유지를 위해 데르카츠흐가 수행한 다른 공작활동에 관한 정보는 공개하지 않았다.

동시에 가장 중요한 러시아 정보요원 몇 명이 데르카츠흐와 친밀한 관계를 유지하며 우크라이나 고위급 관리(우크라이나 특수기관과 의회)를 포섭했다는 것도 밝혀냈다.

일례로 데르카츠흐가 에네르고아톰(Energoatom) 사장 시절 부사장이었던 SBU Major General **올레그 쿨리니츠흐(Oleg Kulinich)**는 2022년 방첩당국에 적발되어 구금되었다.

우크라이나 보안기관 책임자였던 쿨리니츠흐(Kulinich)는 국가 기밀 데이터를 러시아 정보기관에 넘겨주는 한편 우크라이나 고위층을 상대로 영향을 행사하면서 특수기관 요원을 포섭한데 이어, 남부 우크라이나가 러시아에 점령당하는데 일조했다. 특히 우크라이나 정보기관들의 크림반도에 대한 러시아의 침공 준비에 관한 정보 수집활동에 딴지를 걸었다.

쿨리니츠흐(Kulinich)그룹의 주 임무는 국가안보체제 특히 러시아 첩보요원을 찾아내는 방첩능력 약화에 주안점을 두고, 우크라이나 군 및 정치지도자들이 우크라이나가 내외부적으로 직면한 위협실상을 오판하도록 하는 한편 러시아 정보기관에게 우크라이나 남부 방어시스템에 관한 정보를 수집·전달하는 것이었다.

세부적으로 부대 위치, 우크라이나 특수기관 근무자들의 개인 데이터, 가족, 러시아 점령지에서 활동하는 우크라이나 특수기관들의 협조자 등이었다.

쿨리니츠흐(Kulinich)는 러시아를 대신해서 영향공작 임무까지 일부 수행했다. 우크라이나 정부기관이나 SBU 조직 내 사람을 심어 각종 결정을 관리하려는 계산이었다. 그의 영향 덕분에 반역자로 의심받는 Brigadier General 안드리이 나우모우(Andrii Naumov)가 SBU의 대내안보 핵심부서의 책임자로 임명되었다. 이 부서는 모든 SBU 요원들을 감청하고 감시하면서 조사를 명분으로 SBU 요원에 대해 특별 조치도 할 수 있는, 진빵 속의 단팥 같은 부서이다.

우크라이나 사법당국은 체르노빌(Chornobyl) NPP의 보안시스템에 관한 정보를 나우모우(Naumov)가 러시아 특수기관에 전달한 혐의로 기소했다.

체르노빌 NPP는 **나우모우(Naumov)**가 오랜 기간 운영관리를 맡았던 곳이다. 이 정보는 러시아 군이 체르노빌 NPP를 점령하는데 유용하게 써먹었다. 쿨리니츠흐(Kulinich)는 자신의 영향력을 활용해서 나우모우(Naumov)를 SBU의 제1 부국장(First Deputy Head)로 가게 하려고 애를 썼다. SBU의 방첩 활동 부서를 통제하려는 심산이었다.

나우모우(Naumov)는 러시아의 침공이 임박하자 우크라이나를 탈출했다가 세르비아에서 2022년 6월 체포되었다. 세르비아 국경을 넘으면서 출처가 의심스러운 현금을 엄청나게 갖고 있었다.

쿨리니츠흐(Kulinich)는 존엄의 혁명(the Revolution of Dignity) 17)이 발발하자, 우크라이나 국가안보 및 방위위원회 전 사무총장, 우크라이나 전 부총리 블로디미르 시후코비츠흐(Volodymyr Sivkovich)와 접촉한 뒤 우크라이나를 떠나 러시아에 영구 망명했다.

쿨리니츠흐(Kulinich)가 **시후코비츠흐(Sivkovich)**를 통해 FSB로부터 하달 받은 또 다른 임무는 우크라이나 고위 지도층에게 영향력을 행사해서 나토가입 추진을 포기하고 중립적 지위를 유지시키는 것이었다. 나토가입이 거부되면 2014년 '존엄의 혁명' 같은 대규모 반정부시위가 일어나 당시 대통령 **이아누코비츠흐(Yanukovych)**가 EU 가입을 거부한 것처럼, 이와 유사한 결과를 얻을 것으로 러시아 정보기관은 예측했다.

---

17) 존엄의 혁명 혹은 2014년 우크라이나 혁명은 2014년 2월 18일 키이우에 2만 명의 시민이 우크라이나 헌법을 2004년 헌법으로 되돌릴 것을 요구하면서 촉발된 유로마이단 시위에서 시작되었다. 75명이 죽고 1100명이 다쳤다.(출처 : 구글)

러시아 정보기관들은 대규모 시위를 촉발시켜 우크라이나 내정을 불안하게 하고 정부와 군 행정을 마비시켜 러시아의 군사적 침공에 대비하려는 속셈이었다.

2022년 1월 폭력 시위촉발 조건을 셋팅하는 임무는 2022년 1월 내무부가 전 SBU 알파부대 멤버이자 우크라이나 국가경찰 이우루리 골루반(Yuriy Goluban)대령을 체포함으로써 만천하에 드러났다.

골루반(Goluban)은 2014년 도네츠크 SBU 알파부대 지부에 근무하면서, 도네츠크 인민공화국 전투부대 '보스토크(Vostok)'에 대한 지휘의 일환으로 친러시아 민병대에 가담했다. 하지만 이런 짓을 철저히 감춘 뒤 우크라이나로 돌아와서는 국가경찰에 복무했다. 침공을 앞두고 우크라이나 사법당국은 키이우와 다른 oblast(옛 소련시절 주정부) 3곳의 시위촉발 자금 수수 혐의로 기소했다.

만약 이 계획을 내버려두었다면 극우 상징물들이 널리 퍼지고, 시위대들은 러시아 위협에 제대로 대처하지 못한 정부를 비난하는 시위를 벌였을 것이다. 음모는 시위대 속에 돈 먹은 범죄자들과 에이전트를 침투시켜 경찰과 폭력적으로 대결하여 시위를 가열시키려는 것도 있었다. 시위대를 극우쿠데타로 포장하여 침공을 정당화하는 한편 늘 하던 수법대로 우크라이나 저항전선 내부에 불안요소를 부식하고자 했다.

동시에 러시아인들은 친러시아 깃발을 휘날리며 우크라이나 내부를 불안하게 하고 거리시위를 확산시킬 수 있는 여건을 만들어나갔다. 늘 하던 대로 중앙정부에 반대하는 극단주의자들에 접근하여 극단화를 꾸준히 부추기는 것이다.

이 모든 것들은 OPPZZH 당의 리더인 빅토로 메드베츠흐츠후크(Viktor Medvechchuk)를 둘러싼 그룹과 오케스트라 연주하듯 짜 맞춘 것으로 빅토르 츠흐르니이(Viktor Chornyi)와 리아 키바(llya Kiva)와 같은 의원 수명이 가세했다.

키바(Kiva)는 2019년 친러시아 그룹에 가담하기 전에 급진적인 우크라이나 민족주의자로 자처하며 공격적인 러시아 포비아인 것처럼 행세했다.

'존엄의 혁명'이 터진 직후 키바(Kiva)는 준군사 조직인 Right Setor의 지도부에 합류했으며, 국가경찰에 들어간 지 얼마 되지 않아 반마약밀매 부서 및 내무부 노동조합장을 맡았다. 2020년 메드베츠흐츠후크(Medvechchuk) 그룹의 일원으로 '생명을 건 애국자들(Patriots for Life)'이란 조직을 창설, 회장을 맡았다.

그 조직은 무술 클럽, 마약밀매자 등 범죄자, 경찰특공대 출신들로 구성되었다. 근간은 우크라이나의 Combat Sambo Federation 대표들로서, 소비에트 특별 무술 단체의 경우 **메드베츠흐츠후크(Medvechchuk)** 자신이 명예회장을 맡았다.

이 조직은 경천동지할 사건이 벌어지면 시위를 촉발하여 우크라이나의 정치 사회적 상황을 급진화시키는 것을 목적으로 하는데, 필요시 친우크라이나 조직과의 폭력적 대결도 불사한다. 2022년 2월 러시아가 침공한 이후 이 조직의 멤버들은 불법적인 지위 상태에서 러시아 침공을 지지하는 러시아 정보기관들의 다양한 임무를 조력했다. 러시아는 2014년 크림 반도 점령을 앞두고 유사한 수법을 구사했었다.

운동선수, 범죄자, 사법경찰관 등으로 구성된 Oplot 같은 조직은 이아누코비츠흐(Yanukovych) 정권 반대자를 상대로 폭력을 휘두른바 있으며, 후에 도네츠크에서 러시아 대리 세력을 형성하는데 기초가 되었다. 메드베츠흐츠후크(Medvechchuk)는 보안회사와 탐정기관을 운영했는데, 빅토르 츠흐르니이(Viktor Chornyi) 의원이 이 그룹이 나아가는 방향에 대해 책임을 지고 있었다.

나우모우(Naumov)가 세르비아 국경에서 체포될 당시 알려진 밀수업자와 여행하고 있었다는 사실은 우크라이나에서 러시아 첩보망이 광대역처럼 얼마나 널리 퍼져있는지를 웅변해 준다. 우크라이나 정부 내 고참 정보요원 아래 이를 따르는 광대한 조직체가 있었다. 이 조직체는 정찰에서부터 자금· 장비. 안전가옥 셋팅에 이르기 까지 다종다양한 기능을 수행했다. 러시아에 충성하는 우크라이나 시민들도 끼어 있는 경우도 있었지만, 대다수의 경우 미심쩍은 사람이 범죄단체에서 끌어온 에이전트에게 돈을 지불했다.

전면적 침공에 앞서 수년 동안 우크라이나 국경경비대는 러시아 요원들과 밀수업자들이 우크라이나 국경 전역에 걸쳐 결탁되어 있음을 눈치 챘다. 하지만 지원 조직체는 은밀하게 활동할 필요가 없었다.

한 예로 현금 이동은 러시아 동맹국들의 외교행랑을 수월하게 이용하면 되었고, 우크라이나 러시아 에이전트들이 소유한 기업을 통하면 간단하게 해결되었다. 그 기업의 일부 노동자들은 공작자금으로 흘러가도록 채널을 만들기도 했다. 지원 조직체들이 러시아의 침공계획에서 크게 중요하지 않다고 하지만, 우크라이나 땅에서 러시아 요원들이 지속적으로 행동하는데 중대한 '행위자' 역할을 한다는 것을 눈여겨 볼 필요가 있다.

그 대표적인 단체가 **러시아 정교회**이다. 정교회 주교들은 러시아 정보공작을 지원하는 것은 물론이고 나아가 상당수가 러시아 정보기관들에게 포섭되어 활동한다.

교회를 정보요원들의 장비를 은닉하거나, 은신하는 안전가옥으로 제공하기도 한다. 신분위장 방법으로 종교를 이용하는 것은 러시아 정보기관이 전가의 보도처럼 써먹던 수법이면서 한편으로 자신의 보호 메커니즘으로 활용한다. 종교단체를 국가적인 목표를 위해 타깃으로 삼는다는 비판을 의식한 때문이다. 이런 이유로 우크라이나 당국이 침공을 당한 후에도 한동안 이런 부류들의 활동을 제어하지 못했다.

이런 다종다양한 노력들은 2014년 러시아로 도망간 전 우크라이나 국가안보 및 방위위원회 부위원장이었던 **볼로디미르 시우코비츠흐(Volodymyr Sivkovich)**가 꾸며 놓은 것이었다. 2022년 1월 20일 미 국무장관 블링컨(당시)은 시우코비츠흐(Sivkovich)를 콕 집어 우크라이나 내 고위 첩보원들을 조종하며 FSB 계획을 실행하는 중심적 인물이라고 지목했다.

시우코비츠흐(Sivkovich)는 FSB 제9 Directorate 이고르 추마코프에게 직접 보고하는 우크라이나 고위 관료들을 조종하는 핸들러로 활동한 것으로 보인다.

러시아 첩보망의 강·약점

러시아의 일정한 노력에도 불구하고 우크라이나 정정불안 계획이 수포로 돌아갔음을 유념할 필요가 있다. 러시아 국가기관 소속의 파워풀한 요원들이 함께하고 우크라이나 내정을 흔드는 구조를 구축했음에도 우크라이나의 정치적 위기 유발에 실패했다. 전면적 시위 촉발에 필수적인 촉매를 확보하기가 쉽지 않았다는 것이 첫째 원인 이었다. 젤렌스키 대통령은 갖가지 압력과 압박에도 불구, 우크라이나의 나토 가입 카드를 버리지 않았고, 대다수 우크라이나인들이 수용할 수 없는 것을 러시아에게 양보하지 않았다.

둘째, 정보공유 측면에서, 서방 정보기관들이 러시아의 침공 준비 상태와 우크라이나 내정을 흔들려는 공작과 그에 관여한 사람 등에 관한 정보를 실시간으로 전달했다는 점이다. 그러한 음모를 만천하에 공개함으로써 러시아의 의도는 상당부분 무산되었다. 고위 정보간부들이 여건이 성숙되지 않았음을 이유로 2022년 여름까지 우크라이나 침공을 보류하도록 건의했음에도, 푸틴은 침공을 강행했다.

러시아는 우크라이나에 정주하는 전직 우크라이나 고위 관리들의 말을 신봉했다. 이들은 여전히 우크라이나 정치에 영향을 미치면서 침공강행을 밀고나갈 명확한 동기가 있었다. SBU가 입수한 정보에 의하면, 이아누코비츠흐 정권을 대표하는 자들은 러시아 특수기관들에게 정례적으로 협조했다. 전 국방장관 파울로 레베데우(Pavlo Lebedev), 전 SBU 총책 올렉산드르 이아켄멘코(Oleksandr Yakymenko), 전 내무장관 비탈리 자크하르츠헨코Vitaly Zakharchenko), 전 대통령실장 안드리이 클리우에우(Andriy Klyuev) 등이다.

이들은 정부기관에서 수년 간 일하면서 자신의 첩보원을 정부기관 곳곳에 거리낌 없이 부식하여 관심 있는 정보라면 가리지 않고 수집했다.

그럼에도 필요충분조건이 결여된 상태에서 침공을 결정한 것은 두 가지를 시사한다.

첫째, 러시아 첩보원들이 우크라이나에 대한 자신의 영향력을 과장했을 가능성이다. 둘째는 러시아 특수기관들이 실현성을 평가하기보다 시한에 맞추어 점령을 수월하게 하도록 지시해왔다는 사실이다. 다른 말로 하면 1차 국면이 계획대로 진행되지 않았다고 하더라도 다음 단계로 밀고나간다. 맨발로 밤송이를 까라면 까야하는 것이 특수기관들의 문화여서 상부에 현장 상황에 대한 정직한 보고를 하길 기피한다.

침공 마지막 순간까지 러시아 첩보원들은 우크라이나 내정 흔들기를 준비했지만, 실상은 행위주체 마저 준비되지 않았고 장기적이고 전면전쟁을 치루는 상황에서는 맞지도 않았다.

일례로 우크라이나 내부 깊숙이 잠복한 사보타지 그룹의 경우, 침공 후 무고한 시민에 대한 범죄로 러시아에 대한 태도가 바뀌었다.

일반 시민 뿐 아니라 친러시아 단체도 마찬가지로 동요했다. '생명을 위한 애국자들(the Patriots for Life)'같은 조직의 일부 멤버들은 공개적으로 러시아의 침공을 비난했다. 유사한 과정이 2014년 크림반도 침공 당시에도 있었다. GRU와 FSB가 크림반도 침공 이후 은밀히 구축한 보훈단체는 대부분 우크라이나에 충성하면서 흔쾌히 무장 세력에 합류했다.

러시아 정보요원들은 우크라이나 정부 기관 내 고위층을 포섭해서 침투했다. 이런 침투는 그 조직 내의 많은 추종자들을 움직이기 용이했고 러시아의 이익을 위해 활동한다는 인상도 주지 않았다. 그 네트워크의 중핵에는 역사를 공유하며 서로 협조하는 고위관리가 자리 잡고 있었다. 그럼에도 FSB가 실패한 이유를 이해하는 게 중요하다.

많은 사람들은 우크라이나가 내부적으로 쪼개질 것으로 기대했지만 그런 일은 일어나지 않았다. 상당수의 첩보망은 붕괴되고 핵심 멤버들은 잡혀갔다.

러시아의 수법을 관찰해 보면 장·단점이 드러난다. 고위 정보요원 조차 침공계획을 자세히 알지 못한 듯하다. 극소수의 계획 입안자들이 기획 내용을 틀어쥐었기 때문이다. 그들이 홍수같이 질의한 것에서 추측한 것이며, 침공계획을 읽어보았다는 증거는 아니다. 주요 첩보원을 통제하는 요원 대다수는 별로 아는 것이 없었다. 침공에 앞서 러시아 요원들은 우크라이나 내부에 광범위하면서도 굳건한 첩보망을 유지했다고 주장할 수 있다.

러시아 특수기관을 지원하는 활동을 우크라이나 관리들의 지시를 따르는 것으로 생각했을 수도 있다. 러시아 정보요원을 대신하여 이 같은 불법적 행동을 자행한 사람들은 금전적 동기 때문에 가담하는 경우가 흔하다.

우크라이나 경찰관이 다른 부서에 정보를 전파하면서 금전을 수수하는 위험성은 무시되고 내심 환영받는 면도 있다.
러시아 요원들에게 닥친 문제는 전면 침공으로 인해 자신이 협조자로 **포섭되었는지 모르는 협조자(unwitting agent)**와 거짓 깃발 작전으로 포섭된데다 이념적 신념마저 결여된 협조자 등이 러시아의 통제를 받으며 공작하는 것의 해로움을 판단하고 있다는 점이다.

한 예로 우크라이나 경찰관이 제공한 첩보가 러시아 탱크의 우크라이나 진입에 도움 되는 데 사용되었다고 치자. 이를 알게 되면 앞으로 러시아 요원을 위한 활동을 기피하고, 금전적 대가보다 발각될 경우 자신이 처할 위험성을 더 크게 느끼게 되는 것이다. 러시아와 우크라이나 국경을 오가면서 장사 등을 하되 별로 해를 끼치지 않은 범죄자들은 공격받으면 자신의 가족만큼은 보호해야겠다는 생각을 한다.

그래서 많은 첩보망들이 침공 초기 적절한 역할을 하지 못한 것이다. 첩보망에 대한 신뢰도 약화는 러시아 군이 조기에 목표물을 장악했다면 별로 문제되지 않았을 것이다.

시나리오 상으로 되었으면, 러시아군이 우크라이나 주요 도시를 장악하고, 핵심 지휘요원(principal agent)은 직접 가동하는 첩보망에게 명확한 지령을 했을 것이다.

리스크와 보상을 비교하며 수지 타산하는 것은 협력 수준을 결정하는 요소가 된다. 그래서 러시아 군이 목표물 장악에 실패함에 따라 많은 첩보망들은 현장에서 얼음처럼 얼어붙어 뒤늦게 활동하거나 와해되었다. 협조자들은 러시아와 일해야 할 동기를 상실하여 핸들러와의 관계를 깬다. 많은 요원들이 현장에 있으며 첩보망 와해를 지켜보면서도 아무런 지령을 하지 못했다.

FSB의 계획은 물리적으로 해당 지역 통제를 전제로 하고 있어 무의식 협조자들을 통제하기 위한 명령을 거의 할 수 없었다. 러시아 계획이 틀어지기 시작했다고 해서 완전히 결함투성이인 것은 아니었다. 러시아는 점령한 지역에서 충분할 만치 협력체를 구축하여 통제력을 발휘하고 방첩기구를 왕성하게 가동했다.

활성와 모색

러시아가 자신들의 스파이망을 어떻게 사용하는지를 상술하기 전에 그 스파이망이 우크라이나 점령을 기도한 방법을 이해하는 것이 중요하다. 이유는 러시아가 우크라이나라는 국가를 잡아먹으려고 기도한 의도에 대한 이해 없이는 러시아 침공 계획에 관해 감 잡기 어렵기 때문이다. 러시아 군이 경험한 어려움은 러시아 기획자들이 기대한 것을 평가하지 않고는 이해하기 어렵다.

2022년 2월 24일 러시아 군이 우크라이나 국경을 넘었을 때 동부 군 방위군은 크로노빌 NPP를 지키려는 우크라이나 국경수비대의 반격에 직면했다. 그 부대는 핵발전소 안전 책임자인 발렌틴 비테르(Valentin Vitter)를 접촉, 조언을 들었다.

발렌틴 비테르는 우크라이나가 러시아에 비해 군사적으로 열세이므로 자신의 생명과 동 시설을 살린다는 의도로 항복을 권유했다. 그 시설은 피한방울 흘리지 않고 러시아군 수중에 들어갔다. 이 사건은 유일한 것이 아니라 전쟁 초기 우크라이나 남부 전역에서 벌어졌던 일이다.

유사한 과정이 우크라이나 전역에서도 벌어졌지만 효과는 별로였다. 침공 초기 몇 시간 동안 고위 러시아 관리가 우크라이나 카운트파트에게 전화를 걸어 유혈을 피하기 위해 굴복을 강요했다. 한 예로 러시아 대통령실 부실장인 **드미트리 코자크(Dmitry Kozak)**는 우크라이나 내부에 첩보망 구축에 간여한 인물로, 우크라이나 대통령실에 전화를 걸어 항복을 촉구했다.

2022년 2월 25일 푸틴은 공개적으로 우크라이나 군에게 저항하지 말라면서 반란을 일으키기보다 종전협상 하자고 제안했다. 2월 26일 벨라루스 국방장관도 우크라이나 국방장관에게 전화를 걸어 항복 제안을 받도록 종용했다.

이전에도 벨라루스 국방장관은 의도를 감춘 채 우크라이나 정부를 기만하려는 러시아의 광범위한 사기 작전에 가담했다.

우크라이나 국방장관 **레즈니코우(Reznikov)**에게 "자신은 러시아 군이 벨라루스 국경을 가로질러 진군하는 것을 허용하지 않겠다"고 안심시켰다. 침공 3일 동안 평소 카운트파트 이거나 친분이 있던 러시아쪽 인사들로부터 메시지나 전화를 받지 않은 우크라이나 군 장성은 거의 없었다. "피를 흘러서야 되겠느냐"는 톤으로. 우크라이나 고위관리들도 마찬가지였다.

이런 원거리 회유에 관한 기록을 보면, 러시아의 행위는 우크라이나 고위급 수준에서 항복을 끌어내려는 심산이었음을 시사한다. 이는 패배 메커니즘에 대한 명백한 오해였다. 우크라이나의 전면적 항복을 기대했을 지라도, 러시아가 우크라이나를 침공하면서 기대한 가정은 고립된 지방자치단체들이 항복하고 이어서 중앙부처의 마비를 전제로 한 것이었다. 러시아는 탑다운 식의 군대문화가 우크라이나에도 동일하게 적용될 것으로 본 것이 잘못이었다.

사실상 러시아 첩보원이었던 우크라이나 중간 간부들이 침공 초기 메시지 수신을 중단하거나 자신의 지위를 버리는 한편 중앙정부로부터 전술 부대로 이어지는 명령 체인을 단절해버린 것이다. 젤렌스키에게 우크라이나를 떠나라고 하고 관료조직을 향해 다양한 제안을 한 것은 중앙부처를 마비시키는 결정을 하게 만들려는 의도였던 것이다.

그러는 동안 러시아 첩보요원들은 지역 지휘관과 관료들이 저항하지 않도록 하는데 주력했다. 그들은 자신들이 러시아를 대신해서 말하는 방식으론 성과를 달성할 수 없었지만, 우크라이나인들의 생명을 구하고 러시아와의 군사적 열세를 거론하는 방식을 택했다.

목적은 러시아 군대가 주요 요충지를 장악할 수 있을 정도의 시간을 벌고, 우크라이나군의 반격을 늦추는 것이었다. 이런 프레임 하에서 저항한다고 해도 간헐적이며 고립된 상태에서 할 수 밖에 없다.

이런 맥락에서 보면 남부 우크라이나에서 러시아 침공모델의 전형을 볼 수 있으며 그곳에선 상당한 성공을 거두었다. 나아가 러시아 첩보원들의 임무가 우크라이나 부대를 저항하지 않도록 하고 준 마비 내지 항복하게끔 하는데 있었기에 우크라이나 정부쪽에 일하던 사람들은 러시아에 협력하기보다 그만두는 길을 택했다. 점령되기 전에 쿠데타나 직접적 행동에 간여하기보다 점령된 후에 자신들을 수면아래에서 드러내려는 의도였다.

러시아가 집중한 것은 저항을 국지화하고 파편화하려는 것으로 전쟁초기 사이버전과 사이버 공격행위에서 잘 알 수 있다. 최초의 공세는 우크라이나의 중요 국가 인프라를 타깃으로 하거나 시스템에 직접적 타격을 주기보다 커뮤니케이션 시스템을 무력화하는데 모아졌다. 대체로 성공적이지 못했다.

이유는 우크라이나 특별 커뮤니케이션 및 정보보호부서가 대응을 잘했던 탓이다. 성공적인 공격 사례도 있었다. **비아사트(Viasat)**라는 통신회사를 공격하여 침공 첫날 커뮤니케이션 시스템을 무너뜨림으로써 이 작전의 전형을 보여주었다.

러시아는 정보전에서도 일부 성공했다. 우크라이나 나머지 지역을 수호하기 위해 동원된 시민들을 겨냥, 거짓 내러티브를 내보내 우크라이나 공동체를 흔들었다. 이런 내러티브들은 사보타주 그룹과 침투자들이 광범위하게 퍼져 있음을 강조했다.

일례로 러시아는 우크라이나 소셜미디어에 메시지를 발송하여 시민들에게 의심스러운 빌딩 마킹을 보고하도록 했다.

그 결과, 우크라이나의 사법 능력을 떨어뜨리는 **가짜에 대한 긍정적 판단(false positives**: 거짓을 긍정적으로 판단하는 것)이 홍수를 이루었다. 이는 전쟁이전부터 지속한 책략이었다. 러시아 특수기관들은 우크라이나 사법당국을 겨냥하여 거짓폭탄을 끊임없이 퍼부었기 때문이다.

마지막으로 중대한 요소는, 방해·고립·조건부 항복을 받아내려던 러시아의 당초 계획이 차질을 빚게 된 곳은 우크라이나 방공시스템이었다. 하늘 길을 이용, 우크라이나에 공급하여 전력을 보강하는 것이 중요하므로 이를 억지해야만 했다.

더구나 방공산업에 대한 타격은 쇼크인데다 굴복을 강요하는 무시무시한 가치를 지니고 있었다. 러시아는 군사작전을 기획할 경우 재래식 방법을 한 수단으로 삼는데, 이는 VKS가 주도하는 우크라이나 방공산업을 파괴하는 것이었다.

크루즈 미사일과 탄도미사일을 이용하여 퍼붓는 방법이다. 남부지역에서 구식 우크라이나 방공시스템이 거의 유명무실해지는, 적지 않은 성공을 거두었다. 러시아는 몇 시간 동안 우크라이나 방공 시스템을 와해하고 활동을 둔화시켰다.

어떤 지역에선 24시간 지속된 곳도 있었다. VKS는 이런 미션에 대해 장비도 부족하고 훈련도 별로 하지 않아 효과적으로 대처하지 못했음에도 우크라이나는 이틀 후 재건했다. 러시아 지상군이 72시간 내 요충지를 점령했더라면 이런 일은 문제가 되지 않았을 것이다.

나토와 우크라이나 군의 전투궤적에 대한 군사적 평가가 정확하지 못한 큰 이유는 "러시아 군은 면밀히 계산해서 군사적 도발을 한다"는 잘못된 가정에 뿌리를 두고 있기 때문이다.

일레로 철도와 병참 인프라가 공격 목표물이 될 것으로 가정했다. 목적은 우크라이나 부대를 한 곳에 묶어두어 고립시키는 것이었지만, 전쟁 발발 3일 동안 단 한차례의 공격도 없었다. 러시아가 비정규전 승리를 전제 군 병력을 배치했기 때문이다. 러시아 지도부가 필수적 전제조건을 수립하지 않고 침공을 감행했는지 여전히 의문으로 남는다. 순전히 푸틴 개인의 전략적 실수 때문인지도 모른다.

러시아는 침공 후 할 일에 상당 부분 맞추어져 있었다. 수도 키이우 점령에는 실패했지만, 특수부대를 동원하겠다는 내용이 당초 점령 계획에 포함되어 있었다. 애초 러시아는 72시간 내 키이우를 점령할 계획이었다.

선두 부대가 키이우로 진입하는 주요 루트를 장악하고 공정부대를 호스토멜(Hostomel) 공항에 투하하여 키이우 주요 지역을 장악한다는 복안이었다. 도시 주요 섹터에 저지선을 설치하여 주민 이동을 통제하고, 정규군은 이동하여 도시를 수색하고 고립시키는 한편 도시외곽을 통제하고 우크라이나 군의 병력 보충 등을 저지한다는 것이었다.

이 부대 뒤에는 러시아 특수부대(SSO)가 따라오고, 체첸에서 활약했던 **로스그바르디아(Rosgvardia)**를 포함해서 억압 작전을 수행한다는 것이었다. 요충지를 장악하는 이 부대의 임무는 개전 국면에서 군사기지를 대상으로 사보타주나 저강도 침투를 하는 이유를 설명해준다.

이는 이전 전쟁에서도 널리 구사했던 러시아의 표준 군사교리의 일부분이다. 대신 대부분의 **스페츠나스(Spetsnaz)**는 전투 부대에 앞서 미리 파견되어 정찰임무를 맡았고, 특수부대가 배후에서 싹쓸이할 의도를 갖고 있었다.

러시아는 몇 시간 내 승리한다는 자신감이 충만하여, 지원기구들은 요충지 주변에 아파트를 빌려 특수부대가 키이우에서 작전하는 것을 뒷받침할 복안이었다.

키이우를 점령했다면 서로 연관된 3가지 방향으로 작전을 전개할 계획이었다. 지역 협조자를 이용해서 러시아 SSO들이 행정기관과 의회 지도자를 체포하도록 안내하는 것이었다. 체포가 되었으면 재판 쇼를 벌일 가능성이 있었다. 카디로우치(Kadyrovtsy)는 애국적 저항단체를 조직하거나 2014년 '**존엄의 혁명**'과 연관된 우크라이나인들을 사냥하는 일에 간여했을 것이다. 이렇게 되면 정말 더러운 전쟁이 될 것이고 2000년 가을 그로즈니(Grozny) 몰락에 따른 체첸반군과의 전투와 비견되었을 것이다.

그 노력의 제3전선은 주민 해방이다. 이는 커뮤니티를 어떻게 고립시키느냐에 좌우된다. 들어오고 나가는 것이나, 민간 인프라 내에서 자연적인 choke points(사슴의 목을 장악한 곳)을 통해 커뮤니티를 고립시키는 것이다. 고립된 지역 내에서 로스그바르디아(Rosgvardia)는 시민들의 저항이나 시위를 관리할 것이다.

시위를 반드시 폭력적으로 다스릴 필요는 없지만, 카디로우치(Kadyrovtsy)는 시위 조직자들을 파악하여 타깃으로 삼을 것이다.

나아가 SSO와 VDV는 우크라이나 중앙은행, 수도 시설, 의회 등을 장악하는 임무를 맡았다. 의도는 **빅토르 메드베드초후크**(Viktor Medvedchuk)와 러시아가 구축한 의회 내 파벌이 평화운동을 펼쳐 우크라이나인들의 생명을 살린다는 명분으로 항복하도록 하려는 것이었다. 이를 거쳐 국회와 지방의회 및 지방행정기관을 완전 장악한다는 계획이었다.

문제로 보이는 지역에서 권력층과 시설 및 금융의 이탈은 고립 지역을 지속적으로 불안정하게 하거나 흔들게 될 것이다. 이런 맥락에서 평화 주창자들과 지방정부에서 일하려는 사람들은 첩보망의 일부일 가능성이 많다.

이 계획의 문제점을 SVR(해외정보부서)의 레셰트니코프(Reshetnikov) 중장이 잘 요약해준다.

"계산 잘못은 대부분 정치적이며 군사적인데서 비롯된다. 즉 적에 대한 과소평가, 특정 지역의 기능과 분위기에 대한 몰이해 등이 그것이다. 그러면서도 정당화하지 못하는 희망까지 선보였다. 우리는 키이우, 크하루코우(Kharkov)에 진입해서 합법적으로 우크라이나 대표권을 장악할 것이다."

우크라이나 지역에서의 비정규전

러시아의 전쟁 준비 상태, 우크라이나에서의 작전 수행 능력의 정도, 이를 개념화해서 전장에 적용 방법 등을 종합해 보면, 실제 이런 계획들이 펼쳐진 방법과 러시아 특수부대의 양태 및 수법에 관해 배운 교훈을 대략적으로나마 그려 보는 것이 가능하다.

이를 위해서는 3가지 파트를 고려해야 한다. 1) 점령지에서 방첩체제의 기능, 2) 전투 시 특수작전부대와 비정규군의 활용, 3) 전투와 관련한 정보의 수집, 분석, 배포 등이다.

점령지에서의 방첩 체제

러시아는 자신들이 장악한 지역에서 사전에 세운 점령계획 대로 움직였다. 러시아 옛 주(oblast) 점령할 목표로 FSB는 Temporary Operational Groups(TOGs, 임시작전 그룹)을 조직하여 점령지 통치기구 ·방첩기관과 협조해서 일하도록 임무를 부여했다. TOG는 FSB 제5국 산하 제9 작전정보처 담당관의 지휘를 받았다.

여러 부서에서 차출된 요원들은 행정적으로 관리해야할 오블라스트(oblast)를 맡았다. 이들은 우크라이나에서 가명으로 활동했다. 대체로 부국장급 직책을 가지면서 여러 FSB 부서를 대표하는 핵심지휘관들 바로 밑에 있는 사람들로서, 인프라 보호책임을 맡은 방첩· 군사방첩 및 FSB의 관련 부서에서 근무한 사람들이었다. 그들을 지원하는 보좌진도 있었다. 개개의 TOG는 로스그바르디아(Rosgvardia) 부대에 배속되어 공공질서와 저지선을 사수하라는 임무를 받았다. 알파부대와 기습작전을 수행하는 특수부대, 체첸 테러를 진압했던 부대 등은 지배층 타깃 제거 작전을 수행할 심산이었다. 이는 체첸과의 2차 전쟁을 통해 체득한 경험이 도움 되었다.

점령지를 상당히 체계적으로 관리했다. 우선 러시아 군은 모든 형태의 기록물을 압수했다. 공공건강, 교육, 주거, 세금, 치안, 선거 및 지방 정부 기록 등 모든 것을 망라했다. 체르노빌(Chornobyl)과 자포리자(Zaporizhia) NPPs를 장악한 뒤 이 지역의 모든 하드 드라이브부터 압수했다. 개인적인 컴퓨터 사용기록, 보험가입자, NGOs 등에 관한 자료도 포함되었다.

이 데이터는 주거지, 거주민들의 상호관계, 우크라이나 정부와의 연계여부에 대한 지도를 그리는데 이용되었다. 거주민을 5개의 범주로 나누었다.

1그룹 : 우크라이나 민족주의를 애지중지하는 사람
2그룹 : 우크라이나 사법기관과 연계하여 저항행위를
         지지하거나 저항단체를 조직하는 사람
3그룹 : 무관심자
4그룹 : 러시아 군에 적극 협조하는 사람
5그룹 : 주요 인프라를 가동하거나 통제하는데 필수불가결한
         사람

TOG는 각 시마다 수비대 중 파견대 임무를 부여한 러시아 군으로부터 수비대장을 임명했다.

이 부대는 경찰서와 소방서와 같은 공공건물을 먼저 손에 넣고 구금/처리/조사 및 고문 시설을 갖췄다. 우크라이나 점령지 전역에 이런 시설을 설치하고, 이 시설이 전기 고문도 할 수 있는 고문 방으로 사용되었다는 사실은 우발적인 새디즘(가학주의)가 아니고, 사전에 기획한 것이었음을 보여준다.

점령지내에서 방첩기관들은 각기 맡은 임무에 따라 활동했다. 공공시설/학교/공장 소유주와 같은 민간지도자들은 소환되어 TOG 대표와 만나 직무를 이행하면서 TOG에 협조하도록 강요받았으며, 교육기관의 경우 교과과정을 바꾸든가 아니면 사직을 강요받았다. 학교장이 자리를 비우면 러시아 점령군에게 협력하는 다른 교사들에게 이 자리를 넘겨주었다.

협력자가 없거나 협력자의 충성도가 의심되면 아예 러시아 사람으로 바꾸었다. 공공시설의 경우 인프라 사수를 책임지는 FSB 요원이 맡기도 했다.

점령지역 행정의 또 다른 파트는 타깃을 삼은 커뮤니티를 정보적으로 고립시키는 것이었다. 3가지 방법으로 진행했다.

첫째, 러시아군은 점령지역 주민들이 우크라이나 TV나 라디오를 듣지 못하도록 주파수를 재밍했다.

둘째, 통신 인프라를 우크라이나 인프라에서 떼 내어 러시아 인프라망에 연결하여 통신내용과 인터넷 트래픽을 모니터하는 것이었다.

셋째, 핸드폰의 각종 메타데이터를 분석하여 주민들의 커뮤니케이션을 모니터하여 다른 지역과 메시지나 전화를 주고받는 사람들을 우선적으로 추려내는 것이었다.

동시에 수비대들은 집집마다 가택 수색을 했다. 집들을 샅샅이 현장 조사해서 압수한 기록물과 실제 사람이 살고 있는지를 일일이 확인하려는 의도였다. 가택을 수색하면서 메달이나 유니폼을 보고 이전부터 우크라이나 중앙정부와 연계되었는지를 파악하고, 사진과 개인적 영향력도 조사하여 거주민들과의 상호 친밀도 등을 확인했다.

점령지 행정파트와 수비대는 전쟁 이전부터 러시아 특수기관들이 포섭해놓은 지역 사법 관리와 공무원들의 조력을 받았다. 전쟁 전부터 이런 사람들이 실질적으로 지방권력을 장악하고 이를 러시아에게 넘겨주리라고 예상했었다는 사실을 유념할 필요가 있다. 대다수의 타운에서 극소수의 포섭된 첩보원이 있었으나, 이들은 너무 신참이어서 기대한 만큼의 효과를 거두기 곤란했다.

한 예로 카르키우(Kharkiv)주 가운데 확인된 러시아 첩보원은 800여명으로, 대부분이 지방정부에서 산림관할부서와 같은 곳에 근무하는 신참 공무원이었다. 겨우 100명도 채 안 되는 사법기관 관리들만이 협력했다. 그래서 러시아는 점령지를 관할하는데 이 사람들에게 별다른 기대를 하지 않았다.

대신 정보망을 구성하여 몇 가지 중요한 역할을 부여했다. 첫째, 문서보관소가 있는 곳을 알려주고 지역 커뮤니티와 이를 둘러싼 주변 것들에 관한 정보를 제공받았다.

둘째, 피난가지 않고 잔류하면서 협력하지 않는 공무원들의 업무수행에 관한 보고를 함으로써 우크라이나 중앙정부나 저항조직에 가담한 사람들에 비해 상대적으로 냉담한 사람들로 하여금 점령당국을 위한 깃발을 들게 했다.

한 예로 수석교사는 TOG측이 제공한 모듈에 따라 가르쳤는데, 동조하지 않으면 학교 내에 포섭된 협조자들이 이를 보고했다. 도네츠크/루한스크 등 예전에 점령한 지역 내에서 협력자는 상대적으로 적었지만, 조직을 가동하는 윤활유역할을 했다. 중요한 점은 FSB가 계획의 일부로서 기대하거나 요구하지 않았다는 점이다.

체첸에서의 경험을 바탕으로, 방첩조직이 효과적으로 가동하는 데는 주민의 8% 정도만이 적극적으로 협력하면 충분하다고 가정했다. 우크라이나 정보기관들은 FSB가 지역 지지를 확보하기 위한 필수 수단들을 상당부분 바로잡았다고 평가했다.

소규모 인원을 갖고 통제하려면 폭력이 수반될 가능성이 높다. 그래서 폭력이 어떻게 사용되었는지를 이해하는 것이 중요하다. 타깃의 특성에 맞춘 **'맞춤식 폭력'**을 구사했다.

우크라이나 민족주의자 같은 가장 비중 있는 타깃의 리스트를 작성하기 위해 FSB와 체첸 부대가 선봉에 섰다. 러시아는 키이우/오데사/카리키우 등 주요 도시를 넘어서지 못했기 때문에 이 리스트에 등재된 대다수 사람들은 러시아의 손아귀에 벗어나 있었고 전투 지역 전역에 걸쳐 있으면서 눈에 띄지 않고 있었다.

적극적으로 협조하지 않는 고위직이나 주요 인프라 책임자들을 다루기 위해 러시아는 레버리지를 만들기 시작했다. 직접 대놓고 공갈 협박하는 것부터 시작했다.

한 예로 시장들은 종종 소환되어 두들겨 맞은 뒤 방면되곤 했다. 이 범주에 들어간 사람들의 가족들은 러시아의 지시를 따르지 않으면 구금되거나 고문당했다. 우크라이나가 통제하고 있는 지역에서 업무를 하고 있는 우크라이나 관리 중 러시아가 점령한 지역에 가족을 두고 온 사람들을 겨냥해서 자행되었다.

고문하는 목적은 레버리지를 만들고자 한 것으로, TOG가 타깃에게 보낸 통신문이나 희생자들이 고문 받거나 받은 뒤 아무런 질문을 받지 않았다는 점이 이를 입증한다. 그저 두들겨 패고 방면한 것이다.

우크라이나 저항조직에 가담했거나 가능성이 있는 사람에게 그 과정은 까무러칠 정도로 질질 끌어 그 결과 또한 천차만별이었다. 우크라이나 중앙정부와 연계된 사람들은 구금되고 혹독한 여과과정을 거쳐야 했다. 1차 심문에서부터 시작되었다. 조사실에 앉자마자 폭력을 휘두르고, 끌려온 사람들이 점령지 관할청을 상대로 음모를 꾸몄다는 것이 발견될 때까지 위협 강도는 높아져 갔다. 첫 심문 시 기본적이면서도 틀에 박힌 질문을 한다.

그럼에도 FSB는 백그라운드에 대한 그림을 그리기 위해 네트워크를 분석할 수 있는 틀을 깐다. 관심 가는 사람이 있으면 심문 과정은 수위가 점점 높아져 2라운드로 들어간다. 고문도 깍두기처럼 낀다. 전기고문도 불사한다. 질문도 기본적인 차원을 넘어 매우 구체적으로 한다.

이 과정을 거쳐 방면되는 사람도 있지만, 다른 조사실로 이동하여 추가적인 조사를 받는 사람도 있다. 장소를 옮기는 논리는 이렇다. 용의자가 장소를 옮긴 뒤 방면되면 친구들이나 가족과 생이별을 할 수 있다는 논리를 내세운다. 그 이후 풀려나더라도 우크라이나 저항 조직들은 이들이 이중간첩이 되었는지, 정보를 제공했는지 헷갈리게 된다.

방면 조건은 FSB에게 정기적으로 보고하는 것이다. 이들의 지원 네트워크와 접촉자도 자연스럽게 조사된다. 이들이 풀려나 절친들을 찾아가 도움을 요청하기 때문이다.

여과과정은 1994년 러시아 내무부의 지령문아래 실시한 행위들과 너무나도 유사한데, 이 지령문은 1차 체첸 전쟁을 겪으면서 내린 것으로 군부에게 여과 지점 설치를 허용한 것이 핵심이다. 필터링의 첫 관문을 통과한 사람들은 문서에 기록된 뒤 귀가한다.

우려스런 사람들은 구금되어 심층 심문을 위해 여과캠프로 이동한다. 당연히 가족 등 주변 사람들과는 생이별이다. 우크라이나 전쟁 와중에 이 같은 탄압시스템이 작동했음을 보여주는 데이터가 있다. 수비대 수준에서 대부분의 심문 기록과 데이터는 각기 다른 데이터베이스, 종이, 랩탑 등에 보관된다. 데이터셋을 한 군데로 묶지 않는다.

시간이 지나면서 심문자들이 늘어나고 추가 심문을 위해 이동하는 사례도 생기자 이 파일들이 복잡해졌다. 구금자들은 당시의 상황을 이렇게 언급한다.

1차 심문 시에는 기본적이고 형식적인 내용 위주로 심문하다가 2차 심문으로 가면 매우 구체적으로 심문하며 3차 심문 시에는 다른 케이스와 엮어서 심문했다.

이런 교차 심문은 방첩기관의 자료 존안시스템이 주민들의 네트워크 지도 그리기용으로 사용되었음을 보여주는 것으로, 심문할 때 마다 당연히 교차 체크를 했다. 이런 데이터셋이 주 정부 TOG에 가게 되면 '**스펙트럼(Spectrum)**'이라 불리는 FSB의 데이터망에 입력된다. 'Spectrum'은 FSB가 러시아 안보와 방첩 업무를 위해 만든 디지털 인프라이다.

'Spectrum'은 러시아 국세청의 세무 자료, 법원의 재판 기록, 치안활동, 국경경비대 보고서 등도 존안하는 한편 'Magistral(비행기와 선박의 적하목록을 수집)'이나 SORM(작전조사 활동 시스템, the System for Operative Investigative Activities)과 같은 FSB가 운영하는 인프라도 이 'Spectrum'에 집어넣는다.

이외에도 핸드폰 추적과 소셜미디어 모니터링에 사용하는 'PSKOV', 모든 소스(소셜미디어, 핸드폰과 금융기록 등)의 데이터베이스인 'Sherlock'과 함께 정부기관이 운영하는 것, 상업적으로 이용 가능한 것, 훔친 것 등 대상을 가리지 않고 통합해서 활용하고 있다.

'Spectrum'은 여러 데이터에 접속할 수 있는 포털과 같은 긴요한 관문 구실을 한다. 모든 FSB 요원들은 허가받으면 거리낌 없이 이용할 수 있고, 심문대상자들이 러시아 땅이나 러시아 점령지역을 오간 내용을 출력하여 활용한다.

용의자가 구금되면 그와 관련한 파일이 자동적으로 따라온다. 기록물을 디지털화했다는 것은 FSB 요원들이 언제든지 케이스 파일을 이용할 수 있도록 보장한다.

공갈협박과 탄압의 또 다른 측면은 **집단적 징벌**이다. 러시아군이 점령한 여러 도시에서 지역민들이 러시아 군을 촬영하거나 그 장면을 소셜미디어에 올리거나 러시아군 이동상황을 친구·가족·우크라이나 정부 기관에게 전송했다.

우크라이나 군은 이것들을 모아 러시아 군을 향해 포격했다. 상황이 이렇게 흘러가자 러시아 군은 모든 주민들을 검색해서 핸드폰을 조사하여 우크라이나 군과 정보공유를 하는지 뒤졌다. 이런 사실이 드러나면 당장 잡아가 취조했다.

고문도 불사했으며 처형당한 사람도 많았다.[18]

중요한 것은, 이런 일을 자행한 러시아군이 겁을 먹고 철저히 체크하지 않았다는 점이다. 증거를 찾기보다 의심자를 잡아들이는 것을 더 선호했다.

---

18) **폴커 튀르크** 유엔 인권최고대표는 7일(현지시각) 성명을 내어 "저는 영하의 기온 속에 나흘간 우크라이나에 머물며 전쟁이 이 나라 국민에게 끼친 공포와 고통, 매일 이어지는 피해를 직접 봤다. 이것은 뿌리 뽑힌 삶을 의미한다"며 자신이 목격한 피해와 파괴의 크기가 "충격적인 수준"이라고 말했다. 그는 지난 4일부터 나흘 동안 우크라이나 수도인 키이우 북쪽의 부차. 제2 도시인 동북부 하르키우 주변의 이줌 등 이번 전쟁으로 큰 피해를 입은 지역을 직접 방문했다. 이 지역은 전쟁 초기인 지난 2월 말~4월 초 러시아군의 점령 아래서 대규모 민간인 학살이 발생했던 곳이기도 하다. 그는 러시아군의 학살이 처음 확인된 부차에서 "사람들의 트라우마가 손에 만져질 듯 뚜렷하게 느껴졌다"면서 "즉결 처형, 고문, 자의적인 구금, 강제 실종, 성폭력에 대한 정보가 계속해서 나오고 있다. (출처 : 한겨레, 2022년 12월 8일자.)

그래서 숱한 무고한 시민들이 잡혀 들어가 고문당하고 죽임을 당했다. 러시아 군대의 잔인성은 우크라이나 군의 포격을 받은 지역에 국한되지 않았다. 포격을 받지 않은 지역에서조차, 저항 행동은 심문 숫자를 채우기 위해 아무나 사람들을 잡아들이는 결과를 가져왔다. 어떤 공동체의 경우, 이를 의식하여 꼭 필요한 일이 아니면 바같 출입을 하지 않았다. 여러 마을에서 이런 일이 되풀이되었다는 것을 생각해보면 조직적이고도 잔인한 논리가 수반된 것으로 보인다.

   저항 행동으로 인해 집단적 징벌을 초래한다면 저항하려는 사람들은 자신은 물론 가족이나 친구 등도 위험에 빠트릴 우려가 있다. 지역경제 및 사회적 공간과 커뮤니티의 붕괴는 부차적인 효과를 가져왔다.

   탄압은 일상생활을 부스러트리고 러시아의 점령행정청은 가게, 식품배급, 서비스 등 모든 것을 통제했다. 이런 곳에 가는 것을 철저히 통제하여 반대파를 억누르고 협력자를 키우기 위한 강압적 레버리지로 활용했다. 산산조각 난 커뮤니티는 거주민들로 하여금 자기이익을 먼저 앞세우게 만들어 항구적인 통제에 의존하거나, 통제기구에 연락하게 만든다.

   이런 과정은 점령지를 병합하려는 러시아의 변하지 않는 속셈이었다. 병합과정은 크림반도에서 써먹었던 수법의 도돌이표였다. 첫째, 지역 행정을 돌아가게 하기 위해 주민 일부를 고용하거나 협력을 강요한다. 둘째, 군사적 위협으로 그 지역을 장악하고 가혹한 조치를 구사하여 대드는 것을 억지한다. 셋째, FSB와 러시아 안보기관들은 안전조치를 명분으로 사법기관 등 여러 기관에 진입한다. 넷째, 지역 행정에 협조하는 사람들은 그 지역의 책임자 자리에 임명하거나, 여러 부서에 러시아 사람들로 대체하여 행정을 직할한다. 마지막으로 그 지역을 병합한다. 이 과정은 러시아 군의 진격이 더더 완벽하게 실행하지 못했다. 그렇지만 마리우폴과 우크라이나의 손에서 벗어난 일부 도시에서는 먹혀들었다.

비정규 부대들

침공을 앞두고 이런 기대가 있었다. 러시아 특수부대들이 전략적 정찰과 특수정찰 임무를 수행하기 위해 배치될 것이라고. 하지만 상당한 수의 부대는 후방에 위치하여 점령 행정장악을 지원했다. 목표로 삼은 지역 장악에 실패하면 이런 부대들은 그간 자신들이 해온 전통적 역할을 할 공간도 없고 침공 시나리오에 적시된 계획대로 하지 못한다. 이런 부대를 실전배치하는 것은 그래서 숙고를 요한다.

우크라이나 전면 침공을 앞두고 러시아 제대에서 스페츠나스(Spetsnaz) 부대 수는 급속히 늘어났다. 대다수 군사문제 분석가들은 이것들로 인해 러시아 부대 편성에서 정찰능력이 더 강해지고 제대와 유기적으로 활동할 것으로 보았다.

2차 체첸 전쟁과 시리아에서 러시아군은 스페츠나스(Spetsnaz)를 정찰부대로 삼아 부대의 전진 여부나 다른 특수부대의 역할을 스크린했다.

우크라이나 침공 시 몇 가지 형태로 나타났다. 한 예로 스페츠나스(Spetsnaz)는 침공을 앞두고 크하르키우 지역에 송곳처럼 뚫고 들어갔다. 늘어난 스페츠나스(Spetsnaz)부대는 러시아 군에 만연한 보병 부족현상을 메꾸어 주었다.

보병이 부족한 이유는 유능한 병력은 스페츠나스나 공정부대에 배속한 때문이다. 모스크바는 가급적 전술부대에서 징집하지 않도록 한 때문에 병력이 부족하여 부대들이 전투 임무를 수행할 정도의 충분한 병력을 확충할 수 없었다. 그 결과, 많은 대대급 부대들의 전투력이 저하되었다. 러시아 장갑차들은 3개 분대로 편성되었다.

지상작전 목적이 우크라이나 여러 도시를 장악하고 통제하여 사람들을 겁주고 떨게 하려는 목적이었다면 별 문제가 되지 않았을 것이다. 그런데 러시아군이 격전을 치르게 되면서 보병부족이 심각한 문제로 떠올랐다. 전투력을 갖춘 보병부대의 부족은 스페츠나스를 전투과정에서 많은 병력 손실을 입은 경보병 부대에 투입하게 만들었다. 특수임무에 투입된 스페츠나스는 얼마 되지 않았다.

우크라이나 전쟁은 시간이 가면서 비정규군이 정규군의 대체하는 양상으로 흘러갔다. 처음 러시아 침공할 때는 FSB가 후원한 체첸 부대를 선봉에 세워 점령지 방첩작전체제를 갖추려는 복안이었다.

전투가 격렬해지자, 이런 부대들은 공격 부대 역할을 하며 핵심축으로 부상했다. 적어도 마리우폴에선 그랬다.

특히 러시아 공격부대들의 사상자를 줄이기 위해 많은 노력을 기울여 돈바츠크/루한스크 등 점령지 주민들을 동원하고, 8연합군(Eight Combined Arms Army) 부대에 배속했다.

그래도 이 부대의 사상자수는 예상보다 초과했는데, 우크라이나 돈바스 지역의 참호를 공격하면서 특히 많은 사상자가 발생했다. 이유는 후방부대들의 안전한 전진을 도모하기 위해 참호를 일일이 확인하고 파괴해야 했기 때문이다.

또 다른 비정규군은 **바그너그룹(Wagner)**[19]으로, 최초 침공 계획 상에는 주변적인 역할을 하도록 되어 있었다. 시리아와 아프리카 내 러시아 파트너 가운데 자원자 중심으로 뽑아 정보 작전을 할 때 오케스트라의 한 파트처럼 활동하는 단체인데, 이는 러시아가 폭넓은 국제적 지지를 받고 있음을 시사한다.

전쟁 초기 침공이 빠르게 진척된다고 여겨졌기 때문에 아프리카에서 수행 중이던 임무를 중단하고 철수하지 않았다.

개전 몇 주 후 러시아 재래식 부대들이 우크라이나의 예상치 못한 공격을 받아 흐트러지면서 전쟁 전문가와 공격부대 부족이 적나라하게 드러났다. 이는 바그너 그룹을 우크라이나 전선에 배치토록 함으로써, 바그너 그룹은 러시아 감옥에 수감된 죄수를 비롯 대상을 가리지 않고 대대적인 충원을 시작했다. 또한 선봉에 서서 상당한 급료를 받고 파일럿과 같은 숙련된 러시아 요원을 뽑아 전투에 투입하는 역할도 하고 있다.

---

[19] 2014년에 설립되어 2015~2016년에 활동이 활발해진 이 용병 조직은 우크라이나 동부에서 러시아의 지원을 받는 분리주의자들을 돕기 위해 만들어졌다. 바그너 그룹은 동유럽을 넘어 빠르게 확산해 나갔고 소속 용병들이 수단, 시리아, 리비아 및 아프리카 대륙 전역에서 발견됐다. 잠재적 신입 용병들에게 어필한 주요한 포인트는 높은 급여와 모험의 약속이었다. 한 전직 전투원은 BBC에 "로맨틱한 사람들이 국경 너머 러시아의 이익을 수호하기 위해 이 조직에 합류했다"고 말했다. 우크라이나 전쟁 전에 바그너 용병단에 합류한 대부분의 남성은 보수가 좋은 직업을 찾을 가능성이 제한적인 작은 마을 출신이었다. 와그너에서 일하면 한 달에 약 1,500달러 (약 180,000원), 전투에 배치되는 경우 최대 $2,000를 지불 받는다. 대부분은 전투에 배치됐다.

바그너 용병들은 시리아에서 **아사드** 대통령의 군대 편에서 싸웠고, 리비아에서는 유엔이 지원하는 정부에 맞서 싸우며 하프타르 장군을 지원했다. 2014년부터 2021년까지 와그너 그룹과 계약을 맺은 남성은 최대 1만5000명으로 추산됐지만 여전히 제한된 수였다. 러시아 본토에서는 이 조직에 대해 아는 사람이 많지 않았다. 그러다 러시아의 우크라이나 침공이 본격화되면서 그 영향력과 위상이 급격히 높아졌다. (출처 : 2023. 1. 28. BBC뉴스)

러시아 부대에 소속된 뛰어난 바그너 그룹과 여타 민간분야 비정규군은 엄밀히 살펴봐야 한다. 이유는 이들 대부분이 러시아 특수부대에 뿌리를 두고 있기 때문이다.

　바그너 그룹은 2014년 돈바스에서 GRU[20)]가 막후에서 후원한 대대에서 그 모습을 드러냈다. 아프리카와 시리아에서 작전을 펼치면서 GRU 요원들은 바그너 그룹 속에 파고들어 러시아의 재래식 전력이 바그너 그룹과 연계하거나 위장 하는 수단으로 활용했다. 그렇다고 바그너그룹이 GRU의 부속기관으로 치부하는 것은 정확하지 않다.

　GRU는 공식 지휘채널 보다 **프리고진(Prigozhyn)**을 통해 푸틴에게 정치적 권고사항을 제언한다. 그래서 GRU와 바그너 그룹은 양모처럼 서로 얽히고 얽힌 관계로 보는 것이 보다 정확하다. 바그너 그룹에 대한 무기와 군사장비 보급은 러시아 국방부의 제78 특수정찰센터와 GRU의 제22 특수팀이 전담하고 있다.

　바그너 그룹 외에 UAVs와 특수전을 위해 만든 조직도 있는데, **PWC Redut**가 대표적이다. 전 바그너그룹 출신이 주도하면서 정찰, 정보수집과 사보타지 임무를 수행하고 있으며 이전에 바그너그룹을 관리했던 GRU 출신 요원이 막후에서 지휘하고 있다. 러시아 정부와 특수기관들이 막후에서 후원하는 민간 방위산업체들은 시간이 갈수록 증가할 것이 자명하다.

---

20) GRU는 FSB, SVR(해외정보 수집 및 공작)과 더불어 푸틴 휘하의 3대 정보기관으로 때론 FSB를 능가하고 있다. 군사정보 탈취, 비우호적 국가들의 군 보급로 파괴, 자유진영 귀순자 암살 등과 같은 임무를 맡고 있다. 2010년 개혁한다면서 대학출신자가 아닌 특수부대 요원을 대거 충원했다. 이들을 충원한 이후 내부 문화가 바뀌었다. 임무 수행을 위해서는 목숨을 초개같이 버리는 것을 제1의 사명으로 생각한다.

러시아 군내에서 특수부대들이 운용하는 비정규군은 러시아 방위산업을 악화시키고 있다는 점에서 의미심장하다. 한 예로 the Orlan-10 UAV는 러시아 육군이 운영하는, 성능 좋은 정찰 장비 중의 하나다. 재래식 부대가 개발한 것이기는 해도, 만든 사람은 GRU로부터 상당한 자금을 지원받았다. 보다 중요한 것은, 제조에 필요한 마이크로 전자공학제품은 수출 통제품목이어서 러시아 특수기관들이 설립한 위장회사들이 불법적으로 구매해야 했다.

또 다른 예는 이란으로부터 자폭형 무인항공기(loitering munition) 구매문제다. 이란과의 전략적 제휴가 활발해서 러시아 특수기관들이 마음 놓고 이란 혁명수비대와 연계하여 원거리에서 구매활동을 할 수 있었다.

러시아 방위산업이 점점 이런 구조에 의존하게 되면 러시아 군부 내 장비구매자들은 비정규적인 조직과 커넥션하려고 할 것이다. 이는 군부에 할당된 자원 배분과도 관계된다. 자신의 전장공간을 가질 능력이 있는 사람이 자원을 독차지 하여 실제 전장에서 문제를 일으키게 된다. 국가적인 동원령은 비정규군 편성을 줄일 것이다. 이 부대에 사용 가능한 장비는 러시아가 벌이는 전쟁에서 그 중요성이 여전히 높음을 보여준다.

러시아의 재래식 스페츠나스(Spetsnaz)가 점차 공격 부대로 운용되고 있지만, 특수기관이 스페츠나스를 직접 통제하는 관행은 구소련의 접근방식으로 회귀하고, 러시아가 수십 년 간 공들여 온 서방의 특수부대 모델에서 한참 멀어지고 있다는 논란을 불러일으킨다. 이 때문에 스페츠나스를 배치할 경우 휴민트와 적극적인 협력 체제를 갖추고 있다.

휴민트와 정찰

러시아 군이 타깃으로 삼은 땅 점령에 실패함으로써 그곳에 상당한 특수기관들을 남겨놓게 된다. 우크라이나 입장에서 보면, 러시아 군이 우크라이나 땅에 너무 깊숙이 진입함으로써 러시아 통제 하에 있는 우크라이나 주민들을 오도 가도 못하게 만들었다. 이는 저항할 수 있는 틈을 주었다. 우크라이나 내에서 위협에 대응하는 메커니즘이 다르긴 해도, 러시아인과 우크라이나인 네트워크에 대한 압력은 임무 수행과 적응의 우선순위를 비슷하게 정하게 해준다. 침략자에 저항하려고 하는 우크라이나인 비율은 상당히 높다.

저항의지가 필수적이긴 하지만 그것만으로 효과적인 저항을 하기 어렵다. 일례로 침공 초기 며칠 동안 여러 점령지 도시나 군에서 평화적 시위가 조직되었다. 효과가 별무였고 조직주도자들은 탄압의 타깃이 된 것은 당연한 수순이었다. 저항 조직이 유지되면서 저항하는 모습을 계속해서 보이는 것은 일견 가치는 있다.

사보타주나 이와 유사한 직접적 행동을 하는 단체를 조직하는 것은 가능하지만 여러 지역에서 동시다발적으로 큰 규모로 하지 않으면 효과를 거둘 수 없다. 그러한 공작은 네트워크를 붕괴시키거나 장악으로 나아가는 경향이 있다. 그러므로 직접 행동은 두 가지 목적을 갖고 해야 한다.
1) 점령당한 지역 내에 설치된 방첩체제를 흔드는 것,
2) 재래식 부대에 앞서 들어온 러시아 부대를 균열시키는 것 등이다.

대다수 케이스에서 직접 행동은 우크라이나 특수부대가 운용하는 특수팀이 수행했다. 우크라이나 특수기관은 특정 지역에서 임무를 수행하거나 변신할 때 그 지역에 있는 저항단체들의 조력을 받았다. 요원들은 임무를 마치면 현장에서 신속히 벗어남으로써 네트워크가 드러날 위험성이 줄어든다.

조직적 저항이 보다 유용하고 지속적으로 가치가 있는 것은 정찰과 정보 수집에 있다. 적절한 기량을 구사하면 방첩기관에게 네트워크가 들통 나지 않고 임무를 완수할 수 있다.
침공 초기 인간정보원들의 보고덕분에 러시아 부대를 향해 포사격이 가능했다. 시간이 지나면서 인간정보 네트워크는 저항조직과 엮어지게 되어 러시아 지휘 통제와 병참 인프라를 정밀하게 때리는데 필수적인 요소가 되어갔다.

우크라이나는 인간 정보를 토대로 서방으로부터 지원받은 정밀 무기로 장거리에서 정교하게 목표물을 공격했다. 상세한 저항 운동 방법은 민감한 사안이어서 자세히 밝히기 곤란하다. 강조하고 싶은 것은 그러한 네트워크를 가동하는 기량은 비밀통신과 인간정보를 컨트롤하는 기술이 갖추어 져야 한다는 점이다. 역시 이런 행위에 적합한 사람은 당연히 군이 아니라 정보계통에서 일한 요원이 된다.

러시아 군도 우크라이나 내에 부식한 유사한 네트워크를 이용해서 자신들의 임무를 수행했다. 이런 사람들에게 직접적인 행동은 1차적인 위협이 되지 않는다. 이 네트워크의 가치는 우크라이나 군과 에너지와 같은 중대한 국가 인프라를 타깃으로 삼는데 도움을 주는데 있다.

정보기관의 기존 요원들은 그런 공작을 할 수 있는 강력한 기반을 제공하고, 타깃으로 삼은 정보는 러시아로 유입되기 전에 암호화된 메신저를 통해 유럽에 있는 러시아 조종관 등에게 보내진다. 그럼에도 이런 행위를 유지하는 것은 인간정보, 비밀 통신과 첩보기술 등에 보다 비중을 두기 때문이다. 이런 우선순위를 염두에 두고 GRU내에 한 기구를 다시 만든 케이스가 있다.

최근 여러 번 노출된 적이 있는 **29155부대**는 사보타주와 암살을 전문으로 하는데, 비밀 공간에 있던 것을 은밀히 옮겨왔다. 동시에 29155부대를 지휘했던 안드레이 아베리아노프(Averianov)는 자기 휘하에 3팀을 두고 활동을 독려해왔다.

아베리아노프와 그의 새로운 팀은 GRU의 5th Department(5과) 산하에 배속되어 인간정보를 담당했다. 여러 측면에서 서방식의 정보모델을 구축하려는 수 년 간의 노력을 포기하고 과거로 회귀했다는 점에 주목할 필요가 있다.

GRU의 업무 메뉴얼에 따르면, 특수공작은 불법적 정보자산이 가장 잘 수행하는데, 특수공작 실천가들이 휴민트가 되어 직접 행동을 하는 조직을 만드는 것이다. 역사적으로 스페츠나스와 군 정보기관과는 형제처럼 절친했으며, GRU 요원 상당수는 스페츠나스에서 경력을 쌓기 시작했다.

휴민트의 역할은 GRU에 직접 복속된 팀에게 특히 중요했다. 일부 29155 부대 요원들은 신분이 들통 나 더 이상 신분을 감추고 활동하지 못함에 따라 우크라이나 점령지에서 협조자 충원과 첩보망 관리 업무에 투입되고 있다.

러시아는 대체로 지역이나 정보목표에 대한 정보를 수집하는데 별다른 어려움을 겪고 있지 않다고 말할 수 있다.

러시아의 수집 능력은 의미심장하다. 정보를 수집하고 분석하고 배포하는 것은 또 다른 문제다. 우크라이나 정보기관들은 GRU가 우크라이나 전역을 정탐하는 조직을 구축해왔다고 보고 있다. 첩보원이 수집한 보고서는 이 센터(targeting centre)에 전달되었다.

이곳에서 분석관들은 GRU의 지역 정보와 여타 수집한 것들을 참고하여 매일 탐지동향 보고서를 생산했다. 요약본은 관련된 지역 군 지휘관에게 보내는 한편 연합군의 화력통제본부에도 내려 보내고, 타깃이 전술적 성격을 띠고 있으면 포병전술부대에도 관련 보고서를 보낸다.

이외에도 VKS, 세바스토폴(Sevastopol)에 있는 러시아 흑해 함대 본부에도 보낸다. 목표물분석 센터(targeting centre)는 24시간 가동하면서 탐지내용 등에 대해 분석한다. 한정된 맥락정보를 갖고 우선순위를 결정할 경우에는 타깃 꾸러미(pack)에 적절한 감시 장치를 제공하여 보완한다.

정보 타깃은 타깃이 지닌 가치나 성격보다는, 받은 지시에 따라 정해진다. 종종 타깃의 위치와 지침의 배포 임무를 맡은 부대가 이 임무를 수행하는데 최소 24시간 정도 걸린다. 러시아 해군이 칼리브르(Kalibr) 미사일을 발사하거나, 위치를 이용할 때는 시간이 더 소요되기도 한다.

일부 과녁 맞히기(target struck)는 여러 해 전부터 군사적으로 설정했으며, GRU가 타깃을 생성하는 촉진자였음을 시사한다. 그 결과, 러시아는 타깃에 대한 정보 수집과 타격능력을 갖추는데 지속적으로 잠재적인 문제를 야기했다.

러시아의 타깃 사이클이 결함이 있음에도 꾸준히 타깃을 찾아내고, 그 타깃을 공격하는 수단을 갖게 되었다는 사실은 인간 정탐네트워크를 파악하고 부수는 방법이 나토가 전쟁 국면에서 풀어야 할 핵심 질문임을 시사한다.

우크라이나 전쟁과 정보전 : 소셜미디어와 인공지능의 역할

러시아가 우크라이나 침공을 사전 준비와 3년을 넘긴 전쟁의 와중에서, 소셜미디어는 국가와 비국가 행위자들이 우크라이나 전쟁에 관해, 자신들에게 유리한 내러티브를 퍼트리는 '가상공간의 전장' 역할을 해왔으며, 각자 유리한 방식으로 이 전쟁에 대한 그림을 그리고 있다. 전쟁이 길어지면서, 디지털 생태계에는 그릇된 정보가 넘쳐나고 있다. 허위조작정보를 포함한 전략적 프로파간다는 전혀 새로운 것은 아니지만, 소셜미디어가 이 프로파간다 수행에 최적의 매체로 등장하면서, 정보전의 무게추를 변동시키고 있다.

사람들도 자유로이 소셜미디어 대화에 참여하여 새롭게 떠오르는(emerging) 내러티브를 형성한다. 정보와 그릇된 정보가 우크라이나 전쟁에 미치는, 숨어있는 동인을 분석하는 것은 현재의 분쟁을 이해하고 해결점을 찾아가는데도 중요하다. 다음 3가지가 심대한 구성요소다.
1) 각국 차원에서 내러티브와 허위조작정보를 퍼트리는 경우, 소셜미디어 플랫폼이 어떻게 레버리지 역할을 하는 가?
2) 허위조작정보를 퍼트리는 과정에서 인공지능은 어느 정도 역할을 하는 가?
3) 허위조작정보 규제를 놓고 테크기업의 역할은 무엇이고, 정부의 규제정책은?

소셜 미디어와 국가차원의 그릇된 정보 전파

러시아, 우크라이나 양쪽 모두 소셜미디어를 광범위하게 사용하여 시시각각으로 변하는 전황에 대한 자신들의 버전을 만들고, 상대편과 대조하면서 그 내용을 부풀리고 있다. 전쟁의 원인, 결과, 시시각각으로 변하는 전투 상황 등이다. 정부관리, 일반 시민, 국가기관들도 페이스북, 트위터, 틱톡, 유튜브, 텔레그램 등과 같은 플랫폼에 달려들어 정보를 업로드하고 있다. 이들이 올리는 콘텐츠가 정확히 얼마나 되는지 콕 집어 말하기 어려울 정도로 엄청나다. 일례로 우크라이나 전쟁 발발 후 한 주일 만에 틱톡에 #Russia,#Ukraine 태그가 붙은 비디오가 무려 37억2천만 개나 되었고, 85억 개의 리뷰가 달렸다.

러시아와 우크라이나가 내보내는 내러티브는 180도 다르다. 러시아는 우크라이나 전쟁을 푸틴이 주장하는 "특수 군사작전"으로 규정하고, 나토가 동유럽으로 그 세력을 확장한데 따른 방위적인 조치이자, 우크라이나에서 러시아어를 사용하는 사람을 집단학살하는, '반나치화'에 필요한 전쟁이라고 묘사한다. 이에 대해 우크라이나는, 이 전쟁은 침략전쟁 중 하나이며, 우크라이나는 러시아와 분명히 다른 주권국가의 역사를 강조하고, 러시아에 맞서 싸우는 시민들과 군인을 부당한 전쟁에 맞서는 영웅으로 그리고 있다.

통상, 전쟁이 터진 후, 자신들에게 유리한 용어로 전쟁 실상을 묘사하고 선전하는 것은 우크라이나와 러시아가 유일한 나라는 아니다. 중국과 벨라루스도 유사한 행태를 보이면서, 서로 협력하여 소셜미디어 플랫폼을 이용, 허위조작 선전을 하고 있다. 이 선전을 통해 우크라이나 전쟁에 대한 러시아의 책임을 면탈시키고, 반미/반나토 감정을 부추긴다.

다양한 국가행위자와 수백만 명의 유저들이 진실과 거짓을 뒤섞어 만든 내러티브는 전쟁의 동인을 조작하는데, 테크 플랫폼이 역할을 확대하고, 그 결과에 대해서도 영향을 미치고 있다. 소셜 미디어에 업로드 된 정보의 스케일과 그 확산 속도는 예상치 못할 정도의 기이한 도전과제를 만들어, 허위조작정보와 싸우게 하고 있다.

특정 선전의 뿌리나 도달범위를 특정하기 난망하여, 숲 같은 데이터 더미에서 허위콘텐츠를 제거하거나, 대중들에게 도달하기 전에 허위콘텐츠의 근거지를 파악하기가 하늘에 별따기 만큼이나 어렵다.

일례로 영리하게 활동 중인 "Ghostwriter" 허위조작 선전은 벨라루스 정부가 뒷받침하고 있는데, 정교한 프락시 서버와 가상사설망(VPNs)를 이용하여 수년 동안 탐지를 피해왔다.

2021년 7월, 그 작전이 드러나기 전까지 교묘하게 유럽 정치인들과 언론매체의 계정을 해킹하여 NATO를 비판하는 조작된 내용을 유럽 전역에 퍼트렸다. 이 프로파간다는 국가단위에서 후원함으로 인해 상당히 정교하여 조기 포착과 적절한 대응이 어렵다. 러시아는 수십 년 동안 프로파간다를 은밀하면서도 효과적으로 펼칠 수 있는 공식/대리(proxy) 채널을 만들어왔다. 이를 통해 광범위하게 허위조작 선전활동을 전개했다. 러시아가 상당히 오랜 기간 선전활동을 해온 **"Operation Secondary Infektion"** 의 경우, 300개가 넘은 소셜미디어 플랫폼에 코로나에 관한 허위조작정보를 실어 날랐다.

소셜미디어는 범위도 넓고 각국이 자신의 나라 성향에 맞는 변종까지 등장함으로써, 허위조작정보와 협력해서 싸우는 것조차 힘들게 하고 있다. 여러 지역에 걸쳐 다양한 정보생태계를 만들어 내고 있는 것이다. 소셜미디어 상에서 전쟁에 관한 내러티브의 형태는 천차만별이다.

페이스북과 트위터는 러시아내에선 사용하지 못하지만, 러시아는 이 플랫폼을 이용하여 러시아 외부 이용자들을 대상으로 프로파간다와 허위조작정보 살포 활동을 꽃이 만개하는 것처럼 하고 있다. 유튜브와 틱톡은 러시아내에서 접속이 가능하지만, 엄중한 검열이 뒤따른다. 러시아에서 인기 있는 소셜미디어 플랫폼은 VK(VKontakte)로서, 러시아 인터넷 사용자의 90%가 이용한다.

2017년까지 우크라이나에서도 널리 이용되었지만, 우크라이나 정부가 온라인상의 러시아 프로파간다에 대응하기 위한 노력의 일환으로 Yandex와 같은 러시아 소셜미디어와 VK를 봉쇄했다. 젤렌스키는 2023년에 동 미디어 사용금지조치를 연장했다.

양국 정부가 메이저 소셜미디어 플랫폼을 제재하다 보니 **텔레그램**이 양국 모두가 접속할 수 있는 주요 매체가 되었다. 텔레그램은 암호화된 메시지를 서비스하며 러시아 갑부 파벨 두로프(Pavel Durov)가 소유하고 있는데, 우크라이나 피난민에게 안전한 길을 안내하고 리얼타임으로 전선 상황을 제공해 주고 있다.

허위조작정보와의 싸움 측면에서 보면, 텔레그램은 이 같은 성격을 띤 정보를 걸러 내거나, 검열할 공식적인 정책도 없다. 일부 채널이 텔레그램 상에서 셧 다운되긴 했지만, 이유가 무엇인지 밝히지 않고 있고, 허위조작 냄새가 풍기는 콘텐츠의 유통을 막지 않고 있다.

텔레그램은 다른 플랫폼처럼 불순 콘텐츠를 걸러내지는 않지만, 그런 포스팅을 부추기는 알고리즘은 사용하지 않으며, 유저들간에 직접 메시지하는 것에 의존한다. 이런 디자인은 AI가 효과적으로 허위조작 정보를 부추기는 것을 어렵게 한다. 반면 트위터와 페이스북은 AI가 우크라이나 전쟁에 관한 허위조작정보를 총알같이 퍼지게 하고 있다.

우크라이나 침공과
정보

 러시아의 우크라이나 침공의 현저한 특징 중 하나는 바이든 정부가 러시아 침공을 확실히, 한 목소리로, 매우 드러내놓고 예측했다는 사실이다. 바이든 자신의 평가를 포함해서 공개적으로 드러낸 평가들은 너무 명백해서 '늑대소년 효과'를 염두에 두고 들은 사람들은 불편함을 느꼈는지 모른다.
 바이든 정부의 태도는 "러시아가 침공하지 않을 것이며, 푸틴은 단기적인 목적을 달성하기 위해 힘을 과시하는 쇼"라고 주장한 많은 유럽의 전문가, 정치평론가 등과 상반되었다. 그런 엉터리 예측을 한 사람들에게 내 탓이요(mea culpas)를 기대하지 마라. 바이든 행정부의 확고한 진단은 러시아의 침공 가능성을 부정한 유럽의 기존 시각을 뒤엎은 것이었다.
 기관 내부에서 수행한 내용을 외곽에서 이를 분석 평가하는 사람들은 미국 정보기관에게 이렇게 통고한다. "푸틴의 의사결정 과정을 시계열적으로 정확히 알지 못했지 않았느냐"고.

우크라이나 무력 사용에 대한 푸틴의 생각은 바이든 정부가 그렸던 내용 보다 조건적이었다는 것은 인정한다. 푸틴의 최종적인 전쟁개시 결정은 미국과 서방측의 위기 대응에 일정 정도 영향을 받았다. 바이든 정부를 맹렬히 비판하는 사람들은 반복적으로 푸틴의 전쟁 돌입 가능성을 주창함으로써, "'공격자'라는 꼬리표가 붙은 푸틴에 대처해야한다"는 대담함을 갖도록 하는 것이었다.

그러나 푸틴은 특히 전방위적으로 시행된 경제제재로 인해 침공으로 인해 많은 것을 잃었다. 러시아 군의 침공준비를 입증하는 강력한 증거와 침공을 정당화하기 위한 푸틴의 교묘한 거짓 역사담론은 상당한 시간을 두고 침공을 준비했음을 시사한다.

푸틴은 오래전부터 품어오며 종종 밝힌 생각, 즉 옛 소련 제국내의 슬라브 민족의 땅이란 개념아래 행동해왔다. 소련제국으로부터 떨어져 나간 영토들을 다시 끌어 모아, 나중에 성 블라드미르(Saint Vladimir)란 칭송을 듣고자 한다.

미 정보기관과 정책결정자들의 평가는 정확히 과녁을 맞힌 것으로 보인다. 두 가지 관측을 살펴보자. 하나는 이 에피소드가 대중들과 정치권에 정보성공과 실패에 관해 비대칭성을 보여준다는 우려이다. 전쟁, 혁명, 핵실험과 같은 눈에 보이면서도 뜻밖의 일이 외국에서 벌어지더라도, 미국 정부가 소리 높여 예측을 먼저 하지 못한다.

그러면 전문가 등은 정보실패라고 아우성을 친다. 아우성을 치는 내용 중에는, 정보기관이 본연의 임무를 제대로 했는지, 정책결정자들은 정보기관의 보고에 귀를 기울였는지 등에 대해 의문을 쏟아낸다.

사람들은 러시아의 움직임을 예측한 성공사례에 거의 귀 기울이지 않는다. 이 에피소드가 언젠가 '정보실패'로 기록되는 날이 올 것인지 지켜보는 것도 흥미로울 것이다. 아마도 그렇지는 않을 것 같다. 일반적으로 실패 혹은 실패로 간주하는 패턴은 구체적인 케이스를 지적하기보다, 근본적인 제도적 문제점 탓으로 돌린다.

또 다른 관측은 정보가 완벽하여 정책결정자들이 그 정보를 소화시켰다고 해도 뜻하지 않게 발생하는 사건은 미국 정부가 아무리 최선을 다해도 막을 수 없다. 우크라이나 침공을 전후하여 바이든 정부가 적극적으로 관련 정보를 공개한 것은 푸틴을 군사적 책동을 피하거나, 실행하지 못하게 하려는 전술이었다.

선제적으로 푸틴의 의도를 노출시키는 방법으로. 이 전술은 전쟁 돌입을 막을 수는 없었지만, 가치 있는 전술이다. 정보노출로 인해 러시아는 전술적 혼선을 야기했고, 전쟁 돌입에 관해 다시 한번 생각하는 계기가 되었을 것이다.

1967년 중동전을 회상해보자. 미 정보기관은 "전쟁 돌입 가능성과 이스라엘이 신속히 승리할 것"이라는 내용의 정보보고를 존슨 대통령에게 정확하게 보고했다. 리차드 헬름스 CIA 국장(Richard Helms)이 매주 화요일 대통령과의 점심 식사자리에서 이 내용을 보고했다. 대통령의 화요일 정례 점심은 존슨 시절 안보담당자들의 의사결정 장소였다. 존슨은 정보기관의 보고를 바탕으로 백방으로 이스라엘을 설득했으나, 전쟁을 피하지 못했다.

몇 년 전 미국과 서방동맹국들이 우크라이나와 조지아를 끌어들이는 형태의 나토확대에 실패한 점을 고려하면, 지금의 우크라이나 상황은 1967년 존슨이 직면했던 상황과 유사하다.

정보에 대한 정책결정자들의 대응은 정보 그 자체만큼이나 중요하다. 바이든이 사지로 멀리 가듯이, 러시아의 공격 가능성을 반복적으로 소리 높여 외친 것은 높이 평가해줄 만하다. 정보기관 보다 푸틴의 허황된 말을 믿었던 트럼프와 대조되는 대목이다.

2025년 8월, 트럼프는 푸틴에게 휴전 협상에 나서도록 압박한 뒤 8월 16일 알래스카에서 정상회담을 열었지만, 이에 앞서 푸틴은 보란 듯이 키이우를 비롯한 우크라이나 주요 도시를 수백기의 드론을 이용하여 기습 공습을 감행했다.

Chapter 3
스파이 기관들의 어제 :
KGB의 음습한 활동

전쟁 종료와 함께 사장된 독일의 신무기
그러나 나치의 신무기에 관심을 가진 승전국이
과학자를 빼오기 위한 작전을 펼치다

오소아비아킴 작전으로
2,000명의 과학자 유치에 성공한 소련
1957년 최초의 인공위성 스푸트니크호를 발사하다

KGB 알아보기

 푸틴의 스파이기관들을 이해하기 위해서는 악명을 떨치던 KGB에 대한 이해가 선행되어야 한다. 시대는 변하고 조직 구조는 변했어도, 푸틴의 스파이기관들 폐부 깊숙이 KGB 잔재가 남아있기 때문이다.

KGB 개관

 소련 국기의 '낫'은 농민, '망치'는 프롤레타리아트(노동자)를 나타내고, 그들은 레닌의 공산주의의 상징이었다. 국가보안위원회로 불리기도 하는 KGB는 그 낫과 망치를 배후에서 지원하는 "방패와 검"을 문장(紋章)으로 삼았다. 소련 공산당은 각급 정부 위에 서서 소련사회 전체를 억압적으로 통치했다.
 KGB는 소련 공산당의 무기로서 1991년 소련체제가 붕괴하기 전까지 반석위에 올려놓는, 중추적인 역할을 했다. 공산당이 거대한 배라면, KGB는 그 하부 구조를 고정하는 용골(竜骨, keel)이었다. 소련 러시아의 정보기관이라고 하면, 대외 첩보(external intelligence), 즉 외국에 대한 정치, 군사, 과학기술 정보 수집이나, 정치 공작에 주목하기 쉽지만, KGB와 이를 이은 푸틴의 스파이기관들은, 국가 보안의 이름하에 체제를 유지하는 방첩(counterintelligence) 활동에 전력을 다한다. 여기에는 러시아만이 가진, 고유한 역사적 배경이 자리한다.

KGB의 뿌리 : 체카

볼세비키와 레닌, 그리고 체카

KGB의 전신은, 10월 혁명 후인 1917년 12월 20일에 창설된 반혁명 사보타주(sabotage) 단속 전러시아 비상위원회, 이른바 '체카'(Cheka)'다. 원래 **베체카(vcheka)**이지만, 줄여서 불렀다. 체카는 '계급의 적'인 부유층 '부르주아지'와의 투쟁을 위해 임시적이고 초법적으로 설치된 조직으로, 혁명세력이 적을 타도하고 권력을 장악하면 해산한다고 되어 있었다. 그러나 체카의 권한과 활동 실태는 출범초기 부터 비밀의 장막에 싸여 있었다.

소련은 레닌을 정점으로 하는 직업혁명가 집단 '볼세비키'에 의해 만들어진 국가다. 볼세비키가 혁명으로 권력을 장악하기 위해서는 제정 러시아의 비밀경찰 **'오흐라나'**를 속일 필요가 있었다. 오흐라나가 혁명파의 내부에 잠입을 시도하는 한편으로, 볼세비키도 제정 러시아의 경찰, 군, 육군성, 내무성, 법무성 등에 스파이들을 침투시키고 있었다.

제정 러시아와 그 잔당과의 첩보전 과정에서 볼셰비키의 혁명과 체제를 사수하기 위해 설치된 체카는, 당초부터 제국주의·자본주의의 타도를 목표로 하는 마르크스·레닌주의에 더해, 적의 잠입을 이상할 정도로 두려워하는 음모론적인 색채를 띠고 있었다.

　이 전통은 오늘날까지 계속된다. KGB의 교본에는, 소련의 첩보원은 보도나 사실을 반복하는 것이 아니라, '자본주의국가에서 일어나고 있는 사건의 무대 뒤'와 '적의 비밀 계획과 의도'를 밝히는 것에 집중하도록 강조한다. 적의 음모를 전제로 하는 사고방식이 머리에 박힌 푸틴은, 외교 루트나 공식 정보가 아닌, 정보기관 보고를 더욱 중시했다.

　레닌은 체카의 초대 의장으로 폴란드계 출신인 **페릭스 제르진스키**를 임명했다. 무정하고 냉철한 지도자로 공포스럽기까지한 제르진스키는 어린 시절 수도사를 꿈꿨지만, 청년기에 마르크스 레닌주의에 관심을 갖게 되었다.

　체카는 러시아내 반혁명 세력의 철저한 단속을 목표로 내걸었다. 당초의 탄압 대상은 부자나 혁명에 저항하는 백군 등의 '착취자'였지만, 시장에서 물건 교환이나 거래하는 일반 시민까지 '스펙크리야츠야(투기)죄'로 처형까지 할 수 있도록 했다. 소련 정부에 대한 불경, 무허가 집회, 야간 외출 금지령 위반 등은 반혁명죄로 처벌되었다.

　볼셰비키는 1918년 8월 레닌 암살 미수와 페트로그라드 체카 지부장 **우리츠키**의 암살 후 '적색 테러'를 선언하고, 페트로그라드에서 하루에 500명을 보여주기식으로 처형했다. 체카는 부르주아지 계급 그 자체의 멸종을 목적으로 했기 때문에 단순히 "어떤 계급에 속 하는가"를 심문하고, 그 사람의 운명을 결정했다.

이 시기 레닌이 "모든 선량한 공산주의자는 체키스트이기도 하다"고 말했듯이, 체카는 공산주의의 대명사가 되었다. 공산당 기관지 프라우다는 "모든 권력을 소비에트로"라는 슬로건을 "모든 권력을 체카로" 라는 내용으로 대체해야 한다며, 프라파간다에 앞장섰다.

어느 체카 간부가 "누구라도 총살할 권한을 가지고 있다"고 호언했을 정도다. 가택수색, 체포, 처형 권한을 갖고, 각급 정부에는 형식적인 사후보고만 하면 충분했기 때문이다. 실상은 보고가 실제로 행해졌는지도 의심스럽다. 서방의 정보 보안기관과 달리, 체카는 창립 초기부터 정치 목적이 수단을 정당화하고 있었기 때문에, 그 수단은 법의 제약을 전혀 받지 않았다. 제르진스키가 "우리는 잘 조직된 테러가 되어야 한다"고 단언할 정도였다.

제정 러시아시절 비밀경찰인 **오흐라나**도 잔인한 수단을 사용하곤 했지만, 체카에 비하면 병아리 눈물정도이고, 1905년에 과격파인 테러가 정점에 이를 때까지는 정치범에게 극형을 거의 적용하지 않았다.21) 반체제파의 혁명가에게는 몇 가지 탈출

---

21) 대표적인 사례가 **도스토옙스키**이다. 1849년 4월 23일 새벽 4시, 도스토옙스키 집 대문 앞이 소란했다. 그를 체포하러 온 사람들이 만들어내는 파열음 때문이다. 1846년 출간한 『가난한 사람들』로 엄청난 성공을 거둔 28세의 젊은 작가 표도르 도스토옙스키는 사회개혁을 염원하는 혁명적 지식인 즉 인텔리겐챠 모임인 '페트라솁스키 서클'에 가입한다. 클럽에서 동지들을 대상으로 '고골에 보내는 벨린스키의 편지'를 낭독했는데, 이 짧은 유희가 문제였다. 이것이 당시 황제였던 니콜라이 1세에 대한 반역행위로 간주되었고, 결국 정치범으로 몰려 사형선고를 받게 된다. 그런데 사형집행을 앞두고 사형정지명령이 떨어져 목숨을 구한다. 대신 시베리아 옴스크 노동 감옥에서 4년, 근교 도시에 무기한 유형이란 처벌을 받는다.

길도 있었다. 러시아 국외로 도망가는 것도 가능했다.

이에 유럽 각지에 혁명가의 거점이 탄생했다. 혹여 체포되더라도 혁명가는 정치범으로 간주되어, 형무소 안에서 일반 죄수보다 편한 환경 하에서, 책이나 편지를 읽는 것이 허용되었다. 혁명가들은 이런 환경을 이용, 형무소에서 급진적 사상을 발전시켰다. 레닌이 상징적인 사례로서, 초기 대표작 『러시아에서의 자본주의 발전』을 시베리아 형무소에서 썼다.

반면, 볼셰비키는 저항하는 반혁명 세력들의 모든 탈출 길을 봉쇄했다. 제정시대의 혁명가는 사기업에서 일할 수 있었지만, 혁명 후에는 국유기업 밖에 없기 때문에, 반혁명의 활동가는 원래 직장에 들어갈 수도 없었다. 체카는 외부 정보유입을 차단하기 위해 오흐라나보다 훨씬 엄격한 검열체제를 펼쳐, 국내 모든 우체국에 체카 요원을 배치했다. 외국 여행자에게는 국내 가족 전원의 성명과 주소를 신고하도록 하여, 가족을 인질로 삼는 술책까지 부렸다.

체카는 테러의 공포를 이용하여, 혁명세력을 결속시켰다. 반혁명 세력을 처형할 때는 홀딱 벗기고, 뒤쪽에서 대구경의 콜트 총으로 머리를 쏘아, 유족조차 알아보기 어렵게 만들었다. 강제이주를 자행하고, 각지에 강제수용소를 만들어 반체제 인사를 가두었다. 후에 나치 독일이 이 방식에서 아이디어를 얻어, 한 단계 더 발전시켜 유태인 대량 학살 시 활용했다. 가스차(적재함의 가스실에 사람들을 밀어 넣어 일산화탄소 중독으로 사망), 절멸(絶滅) 수용소 등이 그것이다.

체카의 적색 테러에 의한 희생자는 최소 5만 명에 이르고, 혁명기간 중에 20만 명, 혁명 후에는 30만 명이 더 처형되었다. 레닌과 제르진스키에 의해 엄청난 규모의 학살이 이루어진 것은 확실하다.

이후 소련 학계가 스탈린이 자행한 대숙청과 대학살문제에 대해서는 지적하면서도, 레닌과 제르진스키의 비인간적 행위에 대해서는 침묵함으로써, '탈스탈린화'를 선언한 KGB가 계속 체카 숭배를 강화해 나가는 복선이 된다.

체카는 도시에서 농촌, 군에서 교회와 공장에 이르기까지 러시아 전역에 비밀 고발자의 네트워크를 만들고, 해외 협조망도 구축했다. 이 네트워크는 체제의 적 뿐 아니라, 측근인 인민위원(각료)과 볼셰비키의 지방 지도자까지도 감시 대상으로 삼았다. 또한, 반혁명 세력의 지하 조직에 에이전트를 잠입시켜 검거하거나, 반볼셰비키의 봉기를 미연에 막았다. 외국에 설치한 대사관에 체카 요원을 파견하여 주재관들의 일거수일투족을 감시했으며, 이 습성은 KGB의 후신인 FSB로 이어진다.

제르진스키는 제정 러시아 감옥에 투옥된 범죄자를 체카요원으로 포섭했다. 범죄자이면서도 내성적인 성향의 인물을 은밀히 모집했다. 체카의 하급요원은 교양이 낮아도, 명령을 충실히 실행하는 것만으로도 충분했다.

범죄자가 혼입된 체키스트는 적극적인 마르크스주의자가 아닌 경우도 많았다. 죄 없는 약자들을 상대로 공갈, 뇌물요구, 수탈 등의 치졸한 방식으로 욕심을 채우는 물질주의자인 경우가 상당수였다. 체카의 부패가 심해지자, 볼셰비키 내부에서도 비판적인 시각이 대두되었지만, **레닌**은 '프로레타리아 독재' 확립을 명분으로 불문에 붙였다.

체카의 폐지와 부활

1921년, 내전이 진정되기 시작하자 레닌은, 전시 공산주의를 끝내고, 내전으로 피폐한 국내 경제를 끌어올리기 위해 '네프(신경제 정책)'를 내세워, 시장과 사기업을 일정정도 부활시켰다. 외국투자 유치를 위해 악명 높은 체카를 어떻게 처리해야만 했다. 레닌은 체카의 불필요론을 제기하는 당내 여론도 감안하여, 1921년 2월 제9회 러시아·소비에트 대회에서 체카 개혁의 필요성을 역설했다.

  1922년 2월 체카의 폐지가 발표되고, 그 기능을 내무인민위원회(NKVD) 안에 새롭게 설치된 **'국가정치총국(GPU)'**에 이관했다. 겉으로는 권한이 대폭으로 축소된 것으로 보였다. 외국 언론을 상대로도 체카 폐지 사실을 대대적으로 홍보했다.

 악명을 떨치던 체카 수장 제르진스키를 운수인민위원(운수상)으로 좌천시킨다는 소문이 돌았다. 하지만 제르진스키는 운수상과 GPU의 장을 겸임할 정도로 건재함을 과시했다. GPU는 모스크바의 중심지 루반카 광장에 있는 체카와 같은 건물에 설치되었고, 조직과 업무도 큰 변동이 없었다. 표지판 '체카' 위에 'GPU'라고 쓴 흰색 라벨이 붙여진 것뿐이었다. 이것은 소련 말기 KGB가 '민주적 개혁'에서 다시 태어났다는 선전을 대대적으로 했음에도, 본질은 거의 변하지 않았던 것과 유사하다.

  볼셰비키는 GPU에게 유형, 투옥, 처형까지 포함한 넓은 권한을 계속 주었다. 법으로도 보장했다. 1923년 형사소송법전은, GPU에 의한 정치범죄 수사는 비밀리에 신속하게 할 수 있도록 하여, 인권침해를 허용했다. GPU에 의한 체포는 "특별 규칙에 따른다"고 되어 있었지만, 1929년 이 '특별 규칙'은, GPU가 스스로 실시하는 예비 수사에 근거해 사안의 종류를 결정하는 내용으로 개정되었다. 즉, 외부 조직에 의한 감독을 빼놓고 막강한 권한을 획득한 것이다.
스탈린, 보안기관을 독재 수호기관으로 악용

1923년 GPU에서 **합동국가정치국(OGPU)**으로 개조된 보안기관은 레닌 사후에 떠오른 독재자 스탈린의 사적 테러 조직으로 변모해 간다. 보안기관의 탄압은 당내로 향한다. 1926년 5월 OGPU는, 지방 당 조직이 지방 보안기관 간부를 OGPU의 허락 없이 경질하는 것을 금지했다. 이로 인해 당의 보안기관에 대한 체크 기능은 크게 흔들렸다.

1927년 12월, 당중앙위원회에 이어 개최된 당 대회는 레프 트로츠키, 그레고리 지노비에프, 레프 카메네프 등을 '반혁명 그룹'으로 지목하고, 제명하는 한편, 하급당 조직의 관계자도 체포하여 수용소로 이송했다. 이때 OGPU는 '반혁명 그룹'에 잠입해, 그 신뢰를 해치는 캠페인(콤프로마트)을 실시했다. **콤프로마트**는 공인을 무너뜨리기 위해 수치스러운 성적행위를 조작해, 뒤집어씌우는 수법이다.

당내 항쟁에 승리한 스탈린은 1928년 **네프**(신경제정책, 1921년부터 1928년의 5개년 계획 개시까지 시행한, 전시공산주의를 수정한 경제 정책)를 부정하고, '위로부터의 혁명' 즉 급속한 산업화와 농촌의 집단화에 착수한다. OGPU의 보안요원은 겁먹은 당원에게 몰려들어 곡물 등을 강제 징발했다. 일반 죄수와 정치범의 구별이 애매해져, 모든 죄수가 OGPU의 소관으로 옮겨졌다. 이는 1930년대로 확대되는 대규모 강제노동 수용소 네트워크(일명 '**그라그**')의 발판이 되었다.

1932년 OGPU는 NKVD의 관할에 있던 일반 경찰기능을 흡수했다. 1934년경에는, OGPU가 국가보안총국(GUGB)으로 개칭되어 내무인민위원회(NKVD)의 관할 하에 들어갔다.

그러나 이는 보안기관의 약체화가 아니었다. 체키스트는 경찰에서 국경경비, 소방, 형무소, 강제노동 수용소와 같은 징벌기관에 이르기까지 매우 광범위한 권력을 손에 넣었다.

스탈린의 독재는 이렇게 비대화된 보안기관을 능숙하게 통제함으로써 공고화되었다. 야고다 내무인민위원은 제1차 모스크바 재판(1936년)에서 스탈린의 정적인 지노브예프와 카메네프를 트로츠키와 공모한 혐의로 총살하는 등, 스탈린을 대신하여 많은 동지를 투옥하고 처형 했지만, 마지막에는 자신도 숙청 대상이 되었다. 스탈린은 차도살인 전법을 활용한다. 또 한 명의 충성분자 **에즈프**를 활용하여 피의 칼날을 휘두르고, 야고다와 야고다파들은 숙청의 칼날을 맞는다. 1937년 3월에 벌어진 일이다.

1938년 중반, 대규모 숙청에 따른 부작용이 커지자, 스탈린은 대숙청 실행자 에조프에게 책임을 뒤집어씌우고, 후임으로 **러브렌치 베리야**를 내무인민위원 필두대리로 임명한다. 이것은 전임자 야고다에 대한 숙청과 거의 같은 패턴이었다. 베리야에 의한 에조프파에 대한 숙청은 에조프의 야고다에 대한 숙청의 규모를 훨씬 능가하는 것이었다. 122명이었던 NKVD 간부 중 불과 21명만 살아남았다.

외국에서의 '배신자' 암살도 보안기관의 중요한 임무였다. 이 시기, NKVD는 실각 후 볼셰비키 비판으로 돌아간 트로츠키를 지구 반대쪽의 멕시코까지 쫓았다. 1940년, 스페인에서 태어난 NKVD 공작원 **라몬 메르카델**은 트로츠키의 여성 비서를 꼬셔 트로츠키에 접근한 뒤, 핏케르에서 트로츠키 암살에 성공한다.

메르카델은 멕시코 경찰에 체포됐지만, 20년 형기를 마친 뒤 쿠바를 경유하여 소련으로 건너가 '소련 영웅'이 되어, 장군 수준의 급여와 주거를 보장받으며, 니키타 흐루쇼프 소련 공산당 제1서기로부터 극진한 환대를 받았다. '배신자'의 말살은 푸틴의 스파이기관들의 전통적인 임무로 계승되었다.
1943년 NKVD는 국가보안인민위원부(NKGB)로 분리됐다.

탈스탈린 추진과 스파이기관들

탈스탈린화 과정에서 '사회주의법 준수'가 주장되었다. 보안기관의 수법도 세련되고, 체포나 고문보다 설득에 의한 '예방(프라필락테이카)'이 주요 수단으로 정착된다. 체포는 반체제파에 대한 위협으로서 효과적이지만, 일제 검거나 저명한 활동가 체포는 이들을 '순교자'로 만들어, 오히려 반체제파를 활기차게 하고, 국제적 평판을 떨어뜨리는 부작용 때문이었다. 이에 KGB는 수사선상에 오르면, 비공식적으로 불러, '반사회적 활동'에 대한 처벌을 경고함과 동시에 상대방에 대한 이해와 동정을 보이면서, 다양한 '지원'을 약속하는 등 강온양면전략을 구사했다.

KGB와 구치소 직원 간에 역할도 분담했다. KGB는 온건한 역할(굿캅)을, 구치소는 악역(배드캅)을 맡아, KGB 수사관은 지성과 온정이 있는 사람으로 생각하게 했다. 더불어 직장에서의 해고 위협, KGB 협조자에 의한 감시, 불법 가택수색 등을 심리적 압박수단으로 사용했다. 정신과 병원(셀프스키 병원)에의 수용도 사용했다.

'정신질환'은 국제 여론의 주목을 피하기 쉬웠기 때문이다. 정신병원 소속 의사 일부는 KGB 장교의 제복을 입고 출근하기도 했다.

잔혹함의 대명사 제르진스키 숭배 : '혁명의 파수꾼'

1926년 사후 얼마 지나지 않아 제르진스키에 대한 예찬이 시작됐다. 그의 얼굴형을 딴 데스 마스크(죽은 사람의 얼굴에서 직접 본을 떠서 만든 탈)가 체카의 후계 조직 GPU 본부에 전시되었다. 레닌과 그의 동격으로 신격화를 추진한 것이다.

제르진스키 숭배는 1950년대 후반부터 시작된 흐루쇼프의 탈스탈린화 운동으로 부활해, 1960년대 후반부터 안드로포프 KGB 의장이 취임하면서 한층 심해졌다. KGB본부 앞 광장(일명 제르진스키 광장)에는 무게 14톤의 제르진스키 동상이 설치됐다. 제르진스키 숭배는 소련 말기가 되어도 변하지 않았다. 페레스트로이카가 시작되었을 당시 KGB 의장이었던 빅토르 체브리코프가, "제르진스키는 세상의 부정의와 범죄를 없애기 위해 몸과 마음을 전부 바쳤다"며 "찬양했을 정도다.

제르진스키에 대한 긍정적 평가는 소련 국민에게도 널리 스며들었다. 1990년에 실시된 조사에서, 혁명기에 활약한 인물 중 가장 친근감을 느끼는 사람을 꼽도록 한 결과, 1위의 레닌(64%)에 이어, 제르진스키가 2위 (41%)를 차지했다.

소련 붕괴 후 레닌동상과 공산주의의 상징이 공공 공간에서 서서히 철거된 반면, 제르진스키에 대해서는 그 상징물이나 기억은 계속 유지되었다.

KGB 본부에 설치된 제르진스키의 흉상은 숭배의 대상이었고, 젊은 장교는 이에 꽃다발을 바치고 머리를 낮추도록 배웠다. 이는 소련 붕괴 이후에도 이어졌다.

공룡 KGB의 특징

'현역 예비 제도' 통해 사회 전반 침투

KGB의 사회에 대한 폭넓은 침투에 중요한 역할을 한 것이 '현역 예비제도'이다. KGB는 부처, 통신사, 신문사, 대학, 기업, 국영항공사(에어로프로트), 국영여행회사(인츠리스트)에 장교를 보내, 조직내부의 보안·기밀보전, 그 외에 첩보·방첩활동을 하게 했다.

예를 들어, 소련 말기에 동독 드레스덴에서 귀국한 푸틴은 레닌그라드대학(현 상트페테르부르크대학)에 국제교류 담당직원으로 파견되어, 외국인 유학생을 관리함과 동시에 나중에 상트페테르부르크 시장이 되는 민주파의 아나톨리 사프첵크 법학부 교수를 감시했다. 파견처의 직함을 사용하면서 활동하는 현역 예비 요원의 존재는, 현재의 러시아를 이해하기 위해서도 염두에 두어야할 개념이다. 과학연구소에 파견된 KGB 직원은 부소장 직함을 달고, 기밀 보전과 비밀 연구개발 및 제품의 보관 수송을 감독했다.

현역 예비 요원은 첩보·방첩 활동 외에 파견처의 일도

할 필요가 있었다.

소련 외무성에 파견된 체키스트에게는 직업 외교관과 비교해도 손색없는 외교에 관한 고도의 지식과 전문성이 요구되었다. 현역예비 장교는, 법률적으론 군인 취급을 받지만, 전문성이 다양하여, 소련 붕괴 직전까지 KGB는 박사 87명, 박사 후보 1,779명을 보유했을 정도다.

경제방첩 빙자 첨단기술 정보 탈취 : 오늘날 러시아 산업기반 초석 구축

소련의 스파이기관들과 경제와의 연결은 체카 창설기로 거슬러 올라간다. 1920년대 **네프(Nep**, 러시아 내전 직후에 러시아·소련 공화국에서 도입된 신경제 정책)에 의해 시장 경제적 요소가 부분적으로 허가되자, 넷프맨이라는 사업가가 나타났다. 체카의 뒤를 이은 GPU는 이들 넷프맨의 뇌물과 부패, '경제적 반혁명'을 단속의 대상으로 삼았다.

1980년대 초, 소련 경제가 악화되고 서방과의 기술 격차가 확대되기 시작하자, KGB 의장에서 공산당 서기장으로 승진한 **안드로포프**는, "소련 경제의 어려움과 성장의 둔화는 첨단기술을 은닉하고 있는 서방의 '경제 사보타주(비밀 파괴 공작)' 때문"이라고 비난했다.

이후 KGB는 방첩 일반(제2총국)에서 분리하여 운수부문(제4국) 및 경제부문(제6국)의 방첩 전문부서를 설치했다. KGB의 모든 지부에 경제를 담당하는 제6과를 설치했다. 제6국은 외국과의 경제 과학기술협력에 관여하는 거의 모든 부처 및 6000개 기업, 수만 명의 과학자들에 대한 방첩 대책을 강구했다.

제4국은 철도, 항공기 등 운송 수단의 안전뿐만 아니라, 소련의 민간 상선단(몰플로트)이나 항공사(에어로플로트), 국영 운송회사 등을 통해 소련인 및 외국인을 감시, 협조자로 채용했다. 그 공작은 캐나다의 밴쿠버, 남아프리카의 케이프타운, 칠레의 바르파라이소에 이를 정도로 광범위했다.

협조자 발굴 관리의 천재

KGB의 힘은 협조자 '에이전트'의 존재에 있다. 에이전트를 가족처럼 소중히 대하는 자세는, 제정 러시아로 거슬러 올라간다. 혁명가들 사이에 에이전트 망을 구축한 세르게이 즈바토프는, '정보 장교는 에이전트의 아버지나 어머니를 대신하는 존재가 되어야한다'고 말했을 정도다.

푸틴의 태도, 거동에는 체키스트의 에이전트 철학이 반영되어 있다. 푸틴은 오랫동안 **빅토르 메도베쵸크** 전 우크라이나 대통령부 장관을 에이전트로 포섭, 우크라이나 내정에 개입해 왔다. 2022년 2월 러시아군의 전면 침공 후에 국외도주를 시도한 메도베쵸크는 우크라이나 보안청에 체포되지만, 그 해 9월에 포로 교환방식으로 러시아 측에 인도되었다. 러시아 내부에서 메도베쵸크의 가치를 의문시하는 목소리가 있었지만, 푸틴이 얼마나 자신의 에이전트를 소중히 하는지를 보여주는 에피소드이다.

KGB 장교로 모집된 에이전트는 그들을 대신하여 다양한 임무를 비밀로 수행한다. KGB 방첩 사전에서는, 에이전트를

"소련의 이익을 위해 KGB의 비밀 지시를 실행하는 것에 자발적으로 (때로는 강제 됨) 동의하며, 그 협력의 사실과 부여된 지시의 성격을 비밀로 하는 것을 맹세한 자"이다.

소련 국민뿐만 아니라 외국인도 에이전트로 포섭했지만, 소련 공산당, 정부, 외국 공산당 관계자는 원칙적으로 모집 대상에서 제외했다. 영미권에서는, 이들 에이전트를 감독하는 정보관을 **핸들러**나 **공작관(case officer)**라고 부른다. 반체제파를 단속하는 제5과에서는, 핸들러 한 명당 평균 10~12명, 많은 경우는 40명의 에이전트를 관리하고 있었다.

에이전트는 활동 내용에 따라 대략 20종류로 분류한다. 징모(徵募) 에이전트는, KGB의 작전에 필요한 에이전트를 모집하는 데 특화된 에이전트로, 외국인을 모집할 때 활약했다. 매우 민감한 임무이기 때문에, 정세에 밝고 경험이 풍부한 사람이 채용되었다. 전투 에이전트는 무기와 폭약을 사용해 적을 살해하는 등의 특수 과제를 실행했다.

KGB 수사관이 피의자에게 보내는 **감방 에이전트**는 수감된 감방 동료의 경계심을 없애, 취조실에서 말하지 않는 것을 말하게 하려는 전술이다. 이 술책은 현재의 러시아도 사용하고 있으므로, 구치소에 들어가면 조심하는 것이 좋다. 중요한 사안은 KGB요원이 피의자로 분장해 감방에 들어가기도 한다.

에이전트도 인간인 이상, 모집에 성공하면 그것으로 끝나지 않고 핸들러에 의한 교육을 필요로 했다. KGB 교본에는 교육이 실패한 예도 나와 있다. 우크라이나 민족주의자와 같은 아파트에 사는 젊은 우크라이나인을 모집한 사례다.

KGB의 핸들러는 이 '정치적으로 미숙한' 에이전트로부터 감시 대상인 민족주의자의 동정에 대해서 보고 받았고, 민족주의의 '유해성'을 교육하지 않았다.

그러자 이 젊은 에이전트는 프라우다 잡지에 익명으로 소련을 비판하는 시를 투고한 것이다. 이 사건이후, KGB는 적대적 환경 하에서 활동하는 에이전트는 적의 영향에 대해서 취약하다는 교훈을 얻어, 에이전트에 대한 지속적인 교육의 필요성을 인식하게 되었다.

종교 신자를 모집할 때는 신앙심을 거슬리지 않도록 조심하고, 교리의 모순을 만들도록 지도했다. 종교 담당 핸들러에게는 정치·철학에 대한 상당한 지식을 요구했다.

특별한 공적이 인정된 에이전트에 대해서는 KGB와의 협력관계가 노출되지 않도록 주의를 기울이면서, 에이전트의 본래 직장에서의 승진과 복리후생, 연금을 받도록 했다. 순직한 에이전트의 가족에게는 유족연금도 지급했다.

소련 붕괴 이후 비밀 해제된 문건에 따르면, KGB는 1967년 한해에만 2만 5천명의 에이전트를 모집했고, 그 중 외국인은 218명이었다. 이를 전체적으로 추산하면, 소련 전체에서 약 17만 명 정도가 에이전트로 포섭된 것으로 보인다. 소련 당시 인구 2억 3천만 명의 0.07%에 해당한다.

소련이외, 우크라이나에는 7만 명(인구 약 5000만 명의 0.14%), 에스토니아에는 3,000명(인구 150만 명의 0.2%), 라트비아에는 4,500명(인구 270만 명의 0.17%)의 에이전트가 등록되어 있었다. 우크라이나나 발트 3국의 에이전트 비율이 높은 것은 이들 나라들이 내셔널리즘이 강해 에이전트망을 집중 구축한 때문이다.

외국인 협조자 포섭 혈안

KGB는 에이전트를 소련인과 외국인으로 나누었다. 소련인은 애국심을 기준으로 모집했고, 외국인은 징모 에이전트에 의해, "사상, 정치, 금전, 도덕·심리적 기반에 근거해, 소련의 이름 아래 또는 위장 술책으로 비밀의 협력 관계를 수립하여, 비밀리에 임무를 수행하는 외국인"으로 개념 정의했다. 여기서 '가짜 깃발'이란 소련이나 KGB 때문이라고 생각하지 않고 대상이 되는 외국인의 협력을 얻는다는 의미다.

포섭장소는 소련 국내라면 레스토랑이나 호텔, 안가를 이용했지만, 같은 나라 출신에게는 목격되지 않을 곳을 장소로 선택했다. 모스크바가 아닌 지방도시가 인기지역이 되었다.

소련 국내에서 파견되는 곳의 조직을 통해 외국인 에이전트와 자연스럽게 면회할 수 있는 경우에는 그것을 숨길 필요는 없었다. 포럼이나 컨퍼런스 등 해외에서 열리는 공식 행사를 첩보수집 기회로 삼아 에이전트를 활용할 경우, **'레겐다(전설)**'이라는 수법을 구사했다. 일종의 위장공작이었다.

스탈린이 죽은 뒤, 서방과의 과학기술 및 문화교류가 활발해지자, 소련에 우호적인 인사에 대한 포섭공작에 들어간다. 요즘 단어로 하면, 영향공작의 시초다. 소련에 친근감을 느끼는 사람이 소련을 방문하면 최대한 환대하여 환심을 산다. 이 경우, 해당자는 자신도 모르게 소련 스파이기관들의 에이전트가 된다.

다만, 가급적 중요한 문서나 인물에 접근가능한 자를 우선적으로 포섭했다. 1970년대 모스크바에서 KGB의 허니 트랩(미인계)에 걸려 포섭된 일본 외무성의 전신담당관 **'나지르'**(코드네임)는, 일본과 미국 간의 외교 전화 뿐 아니라, 암호 자료까지 KGB의 핸들러에게 넘겨주었다.

외국인의 카테고리에는 **'신뢰성 있는 인물'**이 있다. 체키스트는 이 카테고리의 협력자와 접촉할 때, 학자나 기자의 직함 혹은 현역 예비 장교로서의 소속 조직명으로 접촉해, 진짜 신분은 밝혀지지 않았다.

1970년대 일본에서 『신시대』 잡지 기자의 직함을 사용하여 에이전트 조직을 구축한 스타니슬라프 레브첸코는 미국으로 망명한 후, 일본을 '스파이 천국'이라고 하며 대부분의 협력자는 레브첸코가 KGB 장교인 것을 알지 못했다고 증언하고 있다.

'신뢰성 있는 인물'은 사상 정치적 관심, 금전 또는 '친구관계'를 토대로 조달되지만, 에이전트와 달리 핸들러의 의뢰에 자주적으로 대응하며 KGB에 대한 의무는 지지 않는다. 1970년대 말, 도쿄의 KGB 지부는 아사히, 요미우리, 산케이, 도쿄 신문과 같은 주요지에 협조자를 부식하였다. 정치첩보 수집파트는 31명의 에이전트와 24명의 '신뢰성 있는 인물'을 리스트업하고 있었다.

영향력 협조자(influence agent)

KGB의 교본에는 **'특수 긍정 감화'**라는 항목이 있다. "가짜 직함이나 에이전트를 사용하여 정부, 정당, 개별 정치인, 관료, 민간인, 경제인을 감화하는 것이며, 대부분은 대상국의 법률을 위반하지 않는 범위에서 이뤄진다" 는 의미다.

한때 소련의 '기자'(대부분은 KGB 장교)에게는 서방에 가능한 한 많은 '친구'를 만들라는 지령이 내려졌다. 함께 술을 마시고 '개인적 신뢰 관계'를 깊게 한 '친구'에게 계속 정보를 흘리면 '친구'는 '기자'를 귀중한 정보의 근원이라고 임의대로 생각하며, 자기도 모르게 소련에게 유리한 정보를 흘리기 때문이다.

요즘 활개 치는 가짜 정보는, 어떤 경로로 표적에게 전달되는지가 중요하다. 이 지점에서 **인플루언스 에이전트**가 주목받는다. 인플루언스 에이전트가 편리하고 도움 되는 것은, 표적국의 여론이나 정부에서 이 에이전트가 하는 발언을 애국적인 의견으로 간주하는 때문이다. 그 의견은 러시아의 스파이기관들이 써준 각본임에도 불구하고. 냉전기에 체코슬로바키아 등 동구의 정보기관은 영향공작원(인플루언스 에이전트)에게 '기사가 커버해야 할 목표나 테마를 2-3 페이지로 정리한 개요'를 건네주었다.

진짜 저자를 은폐하기 위해 일정한 테두리 하에서 저자에게 개성 있는 기사를 쓰도록 허용했다. 소련의 대외정책에 대한 직접적인 지지보다, 미국이나 NATO의 권위를 실추시키고, 분열시키는데 주력했다.

인플루언스 에이전트는 저명한 기자, 학자, 정부 고관이 많았지만, '유명하지 않아도 정부나 민간의 표적이 되는 중요인물에 영향력을 가진 사람(가까운 친족, 애인, 성직자)'도 있었다. 이른바 언론학계에서 말하는 오피니언 리더 그룹들이다.

영향력 협조자 보수 지급 방법

인플루언스 에이전트는 몇 가지 특징이 있다.

첫째, 외국인 본인이 소련 스파이기관에 협력하고 있다는 것을 눈치 챘는지 여부는 문제가 아니었다. KGB와 외국인의 관계는 에이전트보다 은닉성이 낮은 '신뢰가 있는 인물'로 시작되어, 그것이 인플루언스 에이전트의 관계로 발전하기도 했다. 외국인과 공식적인 에이전트 관계를 맺지 않고도 '신뢰성 있는 인물'인 외국인 기자에게 가짜 '정보 출처'를 제공하거나, 기자의 구미에 맞게 작위적인 '리크(leak)'를 연출하는 것만으로도 충분한 성과를 올리는 경우도 있었다.

둘째, 보수는 인플루언스 에이전트의 자기실현에 관계된다. 일반적인 첩보 에이전트와의 관계는 협력을 약속하는 서면(계약)의 작성, 혹은 서면이 아니더라도 입수한 기밀 정보를 핸들러에게 건네고 사례 형식으로 금전을 받는다. 반면 인플루언스 에이전트의 경우, 반드시 금전 보상을 받는 것은 아니다. KGB는 에이전트 개인의 정치, 비즈니스, 연구 등에 대한 야심을 지원함으로써 금전 보상을 대체했다. 외국 정치인의 경우, 그 사람의 평판을 높이기 위해 모든 수단을 동원했다.

1970년대에 도쿄에 주재한, KGB 장교 레프첸코에 의하면, 노동상이나 日蘇(일소)우호 의원연맹 회장을 맡은 이시다 히로에이 자민당 의원이 모스크바를 방문했을 때, 소련의 코시긴 총리는 '영해침범'의 혐의로 소련 국경경비대에 구속되어있던 일본 어부를 이시다 의원의 요청을 수락하는 형식으로, 석방했다.

그러나 레프첸코는, **이시다**는 일본에서 가장 중요한 KGB 인플루언스 에이전트였으며, 코드명은 '**후버**'였다고 폭로했다.

1977년 이시다는 KGB 핸들러의 요청에 따라, 후쿠다 사토오 총리에게 소련의 반체제파와 접촉한 주소련 일본 대사의 소환을 조언했다. 현재 일본에도 러시아 이익을 대변하고 있는 인플루언스 에이전트가 있어, 일본 경시청이 눈 여겨 보고 있다.

KGB의 전술과 수법

active measures : KGB의 '심장과 영혼'

전 KGB 장교인 오레그 카르긴은 표적국의 대외 정책에 관한 의사결정과 여론을 자국에 편리한 방향으로 유도하는 **active measures**를 KGB의 '심장과 영혼'이라고 개념 규정했다. 서방 정보기관은 정치공작을 해도, 문화, 정치, 도덕적 제약을 받는다. 반면 **active measures**는 제약이 없고(암살도 포함), 장기적 관점에서 대규모 작전을 계획하고 실행한다.

active measures의 구체적인 수법은 '가짜 정보'이외에 미국과 그 동맹국의 '음모'를 폭로하고, 반미 감정을 부추겨 소련에 유리한 외국 여론을 형성하는 폭로, 적국의 정부, 정치가, 반소련 조직에 윤리적 손상을 주는 **'콤프로마트(kompromat)'** 등을 들고 있다.

실행 단계에서는 다양한 형태가 취해진다. 표적으로 하는 인물의 감화를 목적으로 한, 회유를 위한 간담회, 센세이셔널

한 비밀문서 공개, 외국인 저자명으로의 책이나 출판, 저명한 정치가나 학자를 초청한 라디오/텔레비전 프로그램이나 기자회견, 집회나 데모의 조직, 외국 정부 의회에 진정서 보내기, 국제회의에서의 소련을 이롭게 하는 결의 등이 있다.

active measures는 자국의 매력을 발신하지 않고 적국의 정부와 지도자에 대한 신용을 저하시켜, 국민의 불안, 불만을 조장하는 것에 중점을 둔다. 즉, "자국이 옳다"는 설득이 아니라, 적국의 정책이나 가치관에 대한 의심이나 불신감을 심음으로써, 자국발 내러티브(narrative)를 상대적으로 받아들이기 쉽게 하는 것이다.

자국에 관한 정보 발신에 대해서는 '전략적 거짓 정보'를 그 근간으로 둔다. '전략적 거짓 정보'는 '국가의 임무 수행을 돕는 것으로, 소련의 국가정책, 군사·경제정세, 과학기술의 성과의 기본사항에 대해 적을 오도하는 것'으로 정의한다.

소련의 정보활동은 **'화이트'/'그레이'/'블랙'**으로 분류한다. '화이트'는 소련공산당 중앙위원회 국제정보부가 총괄하는 소련국영 미디어(타스통신, 노보스티통신, 라디오 모스크바 등)와 외교 당국을 통한 공개적인 선전활동을 말한다. '그레이'는 중앙위원회 국제부가 총괄하는 외국공산당계 조직이나 평화·청년·여성·교회 관련의 front(전위) 조직을 경유하여 실시하는 것을 말한다. '블랙'은 KGB 요원이 직접 행하는 비밀스런 활동이다.

active measures의 사례

소련이 보이콧한 1984년 LA 올림픽에서, KGB는 올림픽을 방해하기 위해, 미국의 백인 지상주의 단체 KKK단을 사칭하여 "올림픽은 백인을 위해" 하는 것이며, 참가하면 위해를 가할 것이라는 협박 문서를 아시아/아프리카 국가들의 올림픽위원회에 보냈다. 하지만 얼마가지 않아 KGB의 공작임이 판명되었다. 영어 표현에 슬라브 언어를 사용하는 사람들만의 특유의 문제가 발견된 때문이다.

2014년 우크라이나에서 유로마이단 혁명이 발생하자, 우크라이나 사람이 '러시아 사람을 매달아 올리자'라는 민족 차별적 슬로건을 들고 있는 가짜 이미지를 조작해서 퍼트렸다.

이외 전단지와 비디오 확산뿐만 아니라, 현실 세계에도 개입한다. 과격파 조직이나 중동의 테러 조직과도 은밀하게 관계를 맺고 있으며, 이들 조직에 침투하기 어려운 경우, 스스로 '네오 파시스트' 조직과 '이슬람 과격파' 그룹을 만들었다.

고전적인 사례가 **'구십자(鉤十字) ' 캠페인**이다.
1959년 12월의 크리스마스 아침, 서독의 우익 정당의 멤버 2명이, 쾰른의 시나고그(유대교회당)에 나치의 심벌인 '구십자(Hakenkreuz)'를 그려, "유대인은 나와라."라고 낙서하고, 게다가 홀로코스트의 희생이 된 유대인의 추도비를 모욕했다. 두 사람은 곧바로 체포되었지만, 그 후 며칠 동안 연쇄 반응이 일어난다.

시나고그 유대인의 묘석, 유대계 상점을 대상으로 한 낙서와 괴롭힘이 서독의 20개 이상의 마을로 확대되었다. 아데나워 서독 총리는 긴급 각료 회의를 소집하여 유대인에 대한 증오 범죄의 단속을 호소하고, 재발 방지를 약속했지만, 국제사회는 서독의 '반유대적 경향'과 '나치즘' 부활을 일제히 비난해 각국에서 서독 대사관에 대한 항의운동, 서독제 상품의 불매운동까지 이어졌다. 이를 이용하여 동독은 소련과 함께 서독 정부에 '나치'의 이름을 붙이는 선전을 대대적으로 전개했다.

한편, 경찰의 조사에서 '우익정당' 당원으로 보였던 낙서의 범인이 실제는 공산당원이었던 것, 사건 전에 동독을 여러 번 방문해 군사기지에서 소련인과 접촉을 했던 것이 밝혀졌다.

게다가 영국의 정보기관은 망명자를 통해 '구십자' 작전은 KGB의 거짓 정보를 담당하는 D부(1966년 액티브 메이저스를 담당하는 A국으로 개조)의 이반 아가얀츠 부장 스스로가 고안했다는 것이 알려졌다. 홀로코스트의 생생한 기억이 남아, 국제사회가 서독에서의 나치즘 '부활' 냄새를 풍기는 모든 징후에 매우 민감하게 반응하는 것을 이용해, NATO에 가맹한 서독에 대한 동맹국(미/영/불)의 신뢰를 낮추고, NATO를 균열시키기 위해 고안된 작전이었다.

D부는, 이 작전을 준비하면서, KGB 에이전트가 모스크바 근교의 마을에서 유대인의 묘석을 쓰러뜨리고, 마을 사람들의 잠재적인 반유대인 감정이 어떻게 자극되는지를 조사하는 실증 실험까지 하였다.

소련이나 러시아는 "파시스트"나 "나치"라는 표현을 자주 사용하지만, 이것은 적대자의 평판을 떨어뜨리기 위한 방편에 불과하다. 2022년 2월 우크라이나 침공의 이유로 "나치즘과의 전쟁"을 들고 나온 푸틴 자신은 KGB 장교로서 동독 드레스덴에서 근무할 때, 동독인 에이전트를 이용, 네오나치 활동가를 지원하는 공작을 벌였다.

콤프로마트(kompromat)의 악용

러시아 스파이기관들을 입에 올릴 때는 콤프로마트라는 용어를 잊어선 안 된다. 그만큼 전가의 보도처럼 자주 써먹고,

그 성과 또한 짭짤하기 때문이다. 콤프로마트는, 정치·비즈니스 상의 경쟁자의 평판을 떨어뜨리기 위하여 추한 소문이나 또는 그러한 정보를 이용하는 관습과 같은 것으로, 러시아에서 광범위하게 보인 현상이었다.

KGB 시절, 콤프로마트 실행 수법은 서방 정부, 정치가, 사회 활동가 및 반소 망명 조직에 윤리적 정치적 손상을 주기 위해, 미리 준비된 비방 중상 정보를 서방 기자에게 슬쩍 흘려 확산하는 것이었다. 모스크바에 불리한 정보를 발신하는 상대는 누구나 콤프로마트의 대상이 된다.

KGB 활동 전모를 상세하게 그린 존 바론의 『KGB 소련 비밀경찰의 전모』(1974년 출판)가 대표적이다. 1,500명이 넘는 KGB 장교의 이름이 드러나는 등 KGB에 370건 이상의 피해를 주었다는 평가를 받았다.

KGB가 이를 두고 볼 리가 없었다. 이 책의 신뢰성을 떨어뜨려야 했다. 저자인 바론에 관한 사생활 등을 수집했다. 바론이 유대계임에 주목했다. 그가 시오니스트(sioniste, 유대 민족주의자)의 임을 강조했다.

또 다른 사례도 있다. 투르크메니스탄 공화국에서 체키스트가 지역 사투리를 배우는 대학원생으로 변장하여, 현지에서 존경을 받는 이슬람교 권위자에 접근했다. 현지인들의 신뢰를 떨어뜨리기 위해 동명의 사생활, 비위 등을 수집하여 언론과 공개 집회장에서 흘렸다.

소련이 붕괴하자, 이 수법을 기업 등에 전용하는 일이 벌어졌다. 경비회사나 기업에 취직한 KGB 직원이 사업 상 경쟁자의 비리를 다반사로 수집 날조한 것이다.

경제첩보에 일가견이 있던 푸틴 역시 상트페테르부르크에 소재한 기업과 경영자를 컨트롤하기 위해 이들의 비리 등을 수집, 활용했다. 이들 기업의 재무정보와 탈세사실을 수집하여 푸틴에게 보고한 빅토르 즈프코프는 푸틴의 오른팔이 되어 출세가도를 달렸다.

콤프로마트에 빼놓을 수 없는 것이 **섹스추문**이다. 외국인 남성을 대상으로 한 허니 트랩(미인계)은 유용했으며, 여성을 노린 경우도 있었다. 1960년대 우크라이나를 방문했던 프랑스여성에게 매력적인 남성 에이전트를 접근시켜, 사전에 준비한 아파트에서 성관계를 갖도록 하고, 이를 카메라에 담아 협조자로 포섭했다. 코드네임 **'쿠르치잔카'**다. KGB는 이 여성의 동생이 프랑스의 원자력기업, 남편이 항공 산업에서 일하고 있는 것에 주목했다.

콤프로마트는 '반은 맞고 반은 틀린' 정보를 근간으로 하지만, 비리가 없을 경우, 조작도 불사한다. 1999년 러시아 국영 TV가 보도한 유리 스크라토프 검찰 총장과 비슷한 인물이 매춘부 2명과 노는 영상이 대표적이다. 당시 크렘린 고관들의 부패상을 수사하고 있던 스크라토프는, 영상 속의 남성은 자신이 아니라고 강하게 부인했지만, 해임이란 칼날을 피할 수 없었다. 의혹 영상이 진짜라고 말한 인물이 당시 러시아 연방 보안부(FSB) 국장이었던 **푸틴**이었다. 러시아 인권문제를 담당하고 있던 구미외교관에게도 비슷한 수법을 사용했다.

콤프로마트는 2016년 미 대선과정에서 당시 트럼프 후보의 성추문이 언론에 회자될 당시, 러시아 스파이기관들이 모스크바를 방문 당시 트럼프의 여성관계와 금전 정보를 쥐고 있는 것으로 추정되면서, 이 용어가 세간에 크게 알려졌다.

전위 조직

가짜 반전(反戰) NGO · 극우 조직

소련 시대는 해외의 공산계 조직 외에 '세계 평화평의회'와 같이 반전·평화 단체가 소련의 이익을 대변하는 '전위 조직'(자신들의 관여를 은폐하기 위해 이용하는 조직)으로, active measures의 수족이었던 것은 잘 알려져 있다. 그 밖에도 학생·청년·여성계의 운동, 종교조직, 환경보호단체, 'OO 소련우호협회' 등도 미국 비판을 유도하는데 이용되었다.

서방 국가의 '군비증강'을 집중적으로 반대한 '소련평화재단'은 '러시아평화재단'으로 명칭을 바꾸고(2022년 4월 사망한 질리노프스키 대신 러시아 자유 민주당 당수로 취임한 레오니드 스루츠키가 대표), 유네스코 등의 파트너 단체로 활동하고 있다. 러시아 평화재단은 러시아 정교회와 FSB와도 연결되어, 러시아의 우크라이나 전면 침공에 대해 침묵했다.

2014년, 러시아로부터 크림반도 침공을 받은 우크라이나에서는, 반전 NGO를 자칭하는 사람들이 우크라이나 각지에서 「병사의 어머니」(실제는 활동가)를 동원한 반전 이벤트를 실시했다. '정부는 올리가르히와 결탁해 상업적 이익을 위해 전선으로 젊은이 보내 쓸데없이 목숨을 잃게 하고 있다'며 징병 거부를 호소했다. 우크라이나 국민의 사기를 꺾고, 전쟁과 혼란의 이미지를 해외로 확산시키는 것을 목표로 한, active measure의 일환이었다.

이와 같이 실존하는 조직과 동일하거나 닮은 명칭을 붙여 유권자를 속이는 방법을 **'클론'**이라고 부른다. 2004년 우크라이나 대통령 선거 당시, 유시첸코를 "홀로코스트를 부정하는 네오나치 조직의 지원을 받는 후보"라고 불렀다. 코발렌코는 러시아가 우크라이나 동부 침공을 시작한 이듬해인 2015년 FSB의 지시를 받아, 헬슨 주에서 징병 반대 집회를 개최한 뒤, 우크라이나 보안청에 체포됐다.

카메라를 향해 과격한 슬로건을 외치는 '우크라이나 민족주의자'의 배후에는 종종 친러세력과 러시아 스파이기관이 있다. 소련 시대의 전위 조직은 조직으로서의 실체가 있고, 장기간에 걸쳐 활동했지만, 현대의 정치기술은, 한번 활용하고 버리는 NGO나 정당을 만드는 것을 용이하게 했다.

관제 NGO "GONGO"

현대의 active measures는 자금원과 활동 실태가 불명한 관제 NGO(Government-Organized Nongovernmental organization을 약칭하여 GONGO라고 함)를 이용한다. GONGO는 민주주의국가에서 태어난 '선거감시', '시민사회', '민간외교' 등의 개념을 내세워, 진정한 목적을 은폐한다. 러시아의 GONGO는 구소련 국가의 친러 세력을 지원하고 국내 정세를 불안정화시켜 민주화를 방해한다.

2003년에 결성된 GONGO 'CIS 선거 감시단'이 있다. 이 조직은 알렉세이 코체트코프라는 자칭 정치학자가 대표를 맡고, 구소련독립국가공동체(CIS) 국가에서 열리는 선거에 가짜 '선거감시단'을 파견했다. 2015년 9월, CIS 선거 감시단은, '러시아 혐오증과 대러시아 정보 전쟁'이라는 테마로 회의를 개최했는데, 이 석상에서 코체토코프는 "서방의 러시아 혐오증은 냉전시대 수준을 넘어섰다"고 설파했다. 2014년 러시아의 크림반도 침공 후, 코체토코프는 스루코프 대통령 보좌관이 주최하는 '전문가 회합'에 참가해 반우크라이나의 선전 책자를 발표했다.

코체토코프와 같이 크렘린이나 정보기관으로부터 위탁을 받아 GONGO나 미디어를 이용하여 여론조작에 종사하는 자를 '정치기술자'라고 한다.

한편 러시아어 구사자가 상대적으로 적은 서유럽 국가에서는 RT나 스푸트니크와 같은 러시아의 선전 미디어는 그다지 큰 영향력을 갖고 있지 않다. 이런 나라에서 러시아의 영향력 원천은 현지 정치인가 사업가를 끌어 들이는 GONGO에 의한 공작이다.

2007년 EU 러시아 정상회담에서, 푸틴 대통령은 "자유로운 선거 프로세스를 확보하고 선거, 소수민족 상황, 언론의 자유를 감시" 명분으로 유럽과 협력하는 자세를 보였다. 변호사인 아나트리 크체레나(미국 NSA의 감청실태를 폭로하고 러시아로 망명한 전 NSA 협력업체 직원인 **에드워드 스노든**의 변호를 담당)가, 독립 싱크 탱크 '민주주의 협력 연구소' 설립을 제안했다.

크체레나가 소속한 러시아 공공 평의회는 2005년에 창설되었지만, 러시아 정부 조직과 마찬가지로 국가 예산을 사용하고 있다. 푸틴 체제가 만들어낸 가짜 '공공'이며, 체제의 이니셔티브가 마치 '시민' 측에서 나온다는 환상을 만들어 내기 위한 조직이다.

2015년 이후 공공평의회는 '적극적 시민에 의한 공동체'라는 포럼을 러시아 각지에서 개최하고 있고, 푸틴도 참석한다. 관제(官製)의 가짜 민간조직은 군사 분야에도 영향을 미쳤다. 일반적으로 외국에 대한 군사 개입은 자국의 군대를 파견하는 것으로 시작된다. 그러나 푸틴의 러시아는 정규군을 파견하지 않고 군사 개입을 했다.

구미의 민간군사회사와 비슷하게 만든 조직이 활약한다. 시리아, 우크라이나, 중앙아프리카, 베네수엘라에 부대를 파견하는 자칭 '민간군사회사'의 바그너 그룹이다. 이 회사는 2000년대 초에 고급 레스토랑 첸 경영에서 두각을 드러내고 한때 푸틴과 절친한 사이였던 푸친의 요리사 에프게니 프리고진이 소유했다.

러시아의 '민간군사회사'는 러시아군 및 스파이기관(GRU 및 FSB)이 인원의 모집, 장비, 물류를 지원한다. 지휘계통이 정규군에 통합되는 경우도 있다. 이 거짓 '민간 군사 회사'는 러시아의 외국에서의 군사 활동 은폐하는 수법의 전형이다.

KGB의 사찰 수법

　소련이 붕괴된 지 30여년이 흐르면서 악명 높은 KGB의 공작과 사찰 기법은 호랑이 담배 피우던 시절이 된 것으로 보인다. 적어도 외견상은 그렇다. 하지만 KGB가 붕괴된 이후에도 정보기관들에 대해 손에 잡히는 개혁이 없었고, 기술 혁명조차 방첩기법을 완전히 바꾸지는 못했다. 오늘날까지 푸틴의 스파이기관들은 50년대와 60년대 KGB가 구사한 수법을 전가의 보도처럼 써먹고 있다.
　차이가 있다면 기술적 수단의 변화일 뿐이다. 시민 개개인에 관한 상세한 정보를 담은 데이터베이스, 비디오 감시 시스템, 소셜네트워크 감시망 등 신기술 변화에 맞춰 활용하지만, FSB의 본질은 하나도 변하지 않았다. 구체적인 수법을 보자.

외부 감시

외부 감시는 KGB가 조사하거나 관심 갖는 당사자를 상대로 그가 눈치 채지 않게 행동이나 행위를 관찰하는 것이다. 거리를 걸을 때나, 공공장소, 상품 수송이나 여행 동정 등을 체크하는데, 공작부서의 지침을 받은 KGB NN의 요원들이 수행한다. 이를 토대로 다음 임무를 해결한다. 정체 파악, 문서보고, 그리고 특별지시가 있다면, 감시대상자의 행동 억압, 그 대상자가 갖고 있는 커넥션 확인, 협조자 행동 통제 및 비밀 보호 등이다.

NN은 형태와 조직 구조에 따라 거점, 모바일, 지역 감시(floor-territorial) 등으로 구분한다. NN에는 두 가지 수법이 있다. 동반 관찰(accompanying observation)과 대응 관찰(counter observation), 그리고 NN 테크닉(chain, fork, leading, observation on parallel streets, 추월 overtaking 등)이 있다.

교대로 감시(chain)

정찰병이 교대로 감시대상자를 따라가면서 일정한 간격을 두고, 간혹 장소도 바꾼다. 이 테크닉은 교외지역이나 길거리에 오가는 사람이 그리 많지 않은 곳에 사용한다.

포크(Fork)

여러 장소에서 동시에 대상자를 관찰하는 것이다. 사람이 많이 모여 있는 등 감시 조건이 여의치 않은 곳에서 사용한다.

정찰병은 관찰하는 동안 수시로 장소를 변경한다.

차량미행감시(Leading)

대상자가 차로 이동할 때 추적하는 기술이다. 대상자의 차를 적당한 거리를 두고 뒤 따라 가면서, 그의 행적을 파악하는 것이다. 특별 도구를 사용하거나, 운전석이나 조수석 옆에 붙어 있는 백미러나 사이드 미러도 적절히 활용한다.
이 방법은 운전수가 상당히 노련해야 한다. 특히 시내인 경우 차량이 많기 때문에 대상자를 놓치기 쉽다.

나란히 걸으며 관찰하기

비교적 한적한 거리나 골목 등을 대상자와 나란히 걸으며 관찰하되, 그 주변에 있는 가옥이나 나무 등을 은폐물로 이용한다.

기다리기

여러 명의 정찰요원이 여러 특정 장소를 사전에 정해놓고 대상자를 기다리는 것이다. 대상자가 걸어 다니거나, 차로 움직이는 경우 사용하는 수법이다.

지역 (Zonal floor-territoral) 감시

대상자가 자주 다니는 길이나 지역에서 감시하는 기법으로, 거점을 설치하거나 모바일을 이용한다.

눈에 띄는 상징물을 사용하는 대상자 감시(observation of a marked object)

관찰 대상이 눈에 띄는 마크 같은 것을 사용하고 있을 때 적용하는 수법이다. 차에 라디오 수신기를 장착하고 있거나, 문건의 상징 등을 말한다. 탐지하기 쉽고, 시선을 계속 집중시킬 수 있는 점이 장점이다.

일종의 안가

관심 가는 인물을 비밀리 조치하는 장소이다. 영구포스트는 조직적인 감시를 위해 장기간 설치하는 포스트이다. 우리나라도 권위주의 정부 시절 특정 유력 정치인 집 근처에 있는 방법초소 등을 감시기지로 활용한 바 있다. 대사관 옆 시민들이 사는 오피스텔, 전도 사업을 하는 곳, 외국인이 하루 이틀 묵는 호텔, 외국 선박이 기항하는 항구 등이 적격지다.

임시거점(Temporary post)

일정 기간 만 감시업무를 수행하는 곳이다. 오픈형과 폐쇄형이 있다. 위장하는 수법에 따라 다르다. 오픈형은 광장, 거리, 공원 등에 설치하고, 폐쇄형은 건물 안쪽에 설치한다. 목적에 따라 관찰, correction, base로 구분한다.

교정점(A correction point)

대상자가 오가는 길 주변에 방 한 곳을 콕 집어 선정하고, 이곳에서 교신 및 신호 송신 등 비밀스런 업무를 수행한다. 본부에서 이곳에 근무하는 감시요원들에게 구체적인 지시 등도 하달한다.

관찰 지점

대상자의 동선과 움직임을 세세하게 살필 수 있는 곳을 말한다. 2017년경 중국에서 제작한 대하드라마 <사마의>를 보면, 조조의 아들 조비가 사마의를 감시하기 위해 사마의 집을 내려다 볼 수 있는 큰 망루를 지은 것이 상징적인 사례다. 이 장소는 감시대상자를 은밀하게 특정한 곳을 이송하는데도 이용한다. 소련시절 이 업무에 수천 명의 요원이 동원되었다.

현대판 KGB NN계승자는 FSB의 Operational Search Department(17과)와 모스크바에 있는 군부대 52295부대이다.

소련 몰락과
SVR 탄생 •
생존술

1990년 6월 12일은 러시아의 날로 기념하는 날이다. 4개월 후 KGB 해외정보 담당 간부들은 러시아 내 정치체제 변화에 대비하기 시작했다. 1900년 10월 태양이 비추는 이른 아침, 소련이 붕괴된 지 거의 1년이 되자, KGB의 해외정보국 국장은 검은 머리를 중간 가르마를 타고 단정히 빗은 다부진 몸매의 중년남성이었는데, 입을 꽉 다물고 야세네보(Yasenevo) 숲속에 있는 정보국 현관으로 내려와, 몇 킬로 떨어진 모스크바로 향했다. KGB 제1 총국이 지은 20여 채의 목조 주택 마을은 매년 잎이 떨어지는 숲으로 둘러싸여 있었다.

이 마을은 일상적인 휴양소가 아니었다. 그 집 하나하나는 시종들이 완벽할 정도로 깨끗이 치워졌고, 세탁도 하며, 음식을 해먹은 뒤, 정원을 살펴보도록 되어 있는 곳이다.

레오니트 스예바르신(Leonid Shebarshin, 당시 55세)은 야심만만하고 빈정거리는 태도를 가진 자로, 해외정보국장을 맡은 지 2년이 채 되지 않았다. 매일 아침 서둘지 않고 가을 숲을 걸으면서 사무실로 출근했다. Shebarshin은 매일 혼자서 25분간을 열정적으로 산책했는데, 이 시간은 하루의 일과를 고민하는 좋은 기회였다.

주변은 새소리도 들리지 않을 만큼 조용했으며, 잘 조성된 길은 자기 마음대로 쓸 수 있는 것처럼 보였다. 전깃줄이 쳐진 높은 펜스에는 CCTV가 곳곳에 설치되어 있었지만, 숲 속에 있는 그 지역이 워낙 넓어, 그 펜스는 보이지 않았다. 옆길에서 누군가 런닝하는 사람을 목격했다. 푸른 수트와 컬러풀한 니트로 짠 모자를 쓴 작은 키의 남자는 아침 운동을 하면서 힘차게 팔을 흔들어댔다. 그 사람은 바로 블라드미르 크류크노프(Kryuchkov)였다. 한때 안드로포프의 후배로서 KGB 전 조직을 지휘한데 이어, Shebarshin의 직속 상관이었던 인물이다.

크류크노프(Kryuchkov) 사무실은 모스크바 중심에 위치한 루뱐카에 있었지만, 조용한 야세네보(Yasenevo)에 있는 다챠(dacha)에 사는 것을 좋아했다. Shebarshin은 만나면 목례를 하고 일정 거리를 유지하며 따라갔는데, 진심으로 자기 보스를 존경했다.

자기는 Kryuchkov 덕분에 벼락출세했다고 믿고 있었다. 고르바초프가 1988년 Kryuchkov를 KGB의장으로 임명하자 동명은 Shebarshin에게 해외정보국을 맡겼다.

해외정보국이 있는 Yasenevo에서 이런 선택은 일반적이지 않았다. Shebarshin은 자신의 전 경력을 인도, 파키스탄, 이란 등 동부지역에서 보냈으며, 미국과 같은 '주요 적대국'에 관한 일은 처리해 보지 않았다. KGB에서는 미국을 상대로 일하는 것을 가장 권위 있다고 여긴다.(이는 한국 국가정보원도 마찬가지다. 거의 미국통이 해외정보국장을 맡는다)

하지만 Kryuchkov는 1980년대 소련 지도부에게 가장 큰 고통을 안겨준 아프가니스탄 문제를 다뤄본 Shebarshin이 PGU 수장으로 적임자로 판단했다. 그리하여 12,000여명의 KGB 해외정보국 요원들이 그의 지휘를 받게 되었다.

20여분 후 Shebarshin은 <과학연구센터>로 이름 붙여진 우편함과 콘크리트 펜스로 둘러싸인 철제문에 도착했다. <과학연구센터>라는 명칭은 1972년 PSU가 루뱐카에서 Yasenevo로 옮겨오면서 PSU의 후원을 받아 설립했다. 정문 근무자가 동명을 알아보고 소리 나지 않게 문을 활짝 열었다. Shebarshin은 그 길을 따라 천천히 걸어 7층 건물로 들어갔다. 해외정보국 본부가 7층인 것은 결코 우연이 아니다.

KGB 간부들은 버지니아 랭글리에 있는 CIA 건물이 몇 층인지 등 미국과 비교하는 습성이 몸에 베어 있었다. 그런데 이 두 건축물이 일반적으로 생각하는 것보다 훨씬 정서적 유대감이 있는지를 누가 아는가! 모스크바에 있는 CIA 지국과도 너무 닮아 놀랄 지경이다. 그래서 Yasenevo는 '**러시아 랭글리**'라는 닉네임을 얻었다. Shebarshin이 향한 7층 건물은 CCGT 단지의 한 파트일 뿐으로, 그의 뒤에는 22층짜리 콘크리트 건물들이 늘어서 있고, 동쪽 편에 있는 길고도 낮은 구조물들은 꼬리 끝이 두 갈래인 새와 흡사했다.

복지관에는 시중가보다 저렴한 가격을 상품을 팔거나, 의료시설, 사우나 2개, 풀장, 테니스코트 및 여러 운동시설 들이 들어차 있었다. 겉으로 보면 미국 어디에서나 볼 수 있는 고급 컨트리 클럽과 비슷했다. 정보요원들이 시간이 없으면 직접 마사지하는 사람을 사무실로 부를 수도 있었다.

Shebarshin은 로비에 들어서서 소비에트 제도에 대한 레닌의 의무감이 담긴 곳을 지나치고, 엘리베이트를 타고 3층으로 들어선다. 당직관이 대기실 문을 열어주는데, 그 대기실에는 큰 목소리를 가진 앵무새 두 마리가 새장에 살고 있었다. 쿠바 친우로부터 받은 선물이었다. 앵무새 소리는 매시간 마다 흥겨운 멜로디를 연주하던 전자시계 소리를 잠재웠다.

그 날은 여느 때처럼 시작했지만, KGB내 두 번째 중요한 인물을 불안하게 만들었다. 사무실에 들어선 그는 8개의 턴테이블로 이루어진 넓직한 테이블을 응시했다. 레닌, 제르진스키 (Dzerzhinsky), 안드로포프, 고르바초프 등 4명의 초상화가 벽에서 그를 지켜보았다. 이들 모두는 소비에트 정보기관의 운명을 좌우한 인물들이었다. 레닌과 Dzerzhinsky는 정보기관을 창설했으며, 안드로포프는 정보기관의 권능을 확장했고, 고르바초프의 글라스노트는 과거 KGB가 저질렀던 악행에 대한 진실을 드러냄으로서, KGB가 진짜 문 닫을 수 있다는 위협감을 주었다.

Shebarshin은 첫 보고서를 주마간산격으로 훑어보았다. 한때 동독을 쥐락펴락하던 정보기관 슈타지에 관한 무거운 뉴스가 베를린에서 보고되었다. 군중들이 베를린에 있는 슈타지 본부를 장악하고, 슈타지 간부들을 감옥으로 보냈다.

보고 받은 보고서에는 재통일한 독일이 새로운 정부기구를 구성하여 시민들에게 슈타지 보고서를 열람할 수 있도록 한다는 내용이 들어가 있었다.

Shebarshin은 고개를 끄덕이면서 그 상황을 그리 좋아하지 않았다. 이 날 첫 담배 갑이 텅 빌 정도로 담배를 피워댔다. 한때 동지였던 슈타지의 운명을 지켜보면서, 소련은 오랜 동지였던 슈타지를 기억해야 한다고 생각했다. 저녁 후 Shebarshin의 부하들이 일일 미팅을 위해 모여들었다. 50-60대 남성, KGB의 대령과 장성들이었는데, 지치고 불안한 얼굴로 회의실로 들어와 계급 순으로 자리에 착석했다. 부국장들은 긴 테이블에, 나머지 직원들은 벽에 도열했다.

분위기는 침울했다. Yasenevo내 요원들의 사기는 땅에 떨어지고, 요원들은 근무지에서 술이나 마시고 빈병을 아무렇게나 방치했다. 일반 고용인과 관리자 사이에도 긴장감이 나돌았다. 지휘부에 대한 불만이 담긴 투서가 홍수처럼 쏟아졌다.

Shebarshin은 변화한 정치적 환경이 KGB를 점점 더 어렵게 만들고 있음을 알아챘다. 그 날 자신의 사무실에 모인 간부 등이 가장 염려한 것도 이것이었다. 크레믈린이 여전히 KGB를 필요로 할지, 보호해줄지에 대해 확신이 없었다. 요원들은 PSU를 떠나기 시작했다. Shebarshin은 떠나는 이들을 붙잡을 당근이 없었다. 고르바초프는 여전히 KGB를 필요로 할 것으로 믿었지만, 그 자신은 위원회를 지지하는 발언을 하지 않을 예정이었다. 부하들에게 강조했다.

"우리는 맡은 곳에서, 언론이나 단체 속에서 열정적으로 일해 대중 조직에 다가갈 필요가 있다. 크레믈린은 더 이상 고려 대상이 아니며, KGB는 스스로 제 살길을 모색해야 한다."

이는 근본적인 새로운 발상이었다. KGB는 늘 공산당의 하나의 기관이었고, 수호대였으며, 공산당의 통제 하에 있었다. 공산당 위원회가 KGB 모든 부서, 처, 과에 설치되어 있었다. 하지만 1990년 3월 소련의 인민대표의회는 소련 헌법을 개헌하고, 공산당의 지도적 역할이 담긴 조항을 폐기했다. KGB는 졸지에 보스가 사라진 채, 감독자도 방어자도 없이 외로이 남게 되었다. Shebarshin은 긴급히 무언가를 쫓아가며 해야 할 필요성을 느끼고, Kryuchkov와 상의하지 않기로 마음먹었다.

우리의 생존을 위해 KGB 본부와 상관없이 "우리 자체적으로 자구안"을 준비해야 했다. A국에 이 과제를 맡기고 실행하도록 했다. A국은 전통적으로 허위조작 정보 공작에 능했다. KGB가 교묘하게 가공한 가짜뉴스를 해외에 퍼트리는 공세적 역할을 수행했다. A국은 구체적인 아이디어를 짜내어 허위보고서를 생산하고, 가짜 작가 이름으로 그 문건을 발표하는 수법을 구사했다.

Shebarshin은, 해외정보국이 살아남는 방법은 공공여론을 교묘하게 경쟁력 있게 조작하는 길 뿐이라고 믿었다. 다른 말로 하면, 지난 수십 년 간 해외를 상대로 써먹었던 수법을 국내에 적용하는 것이었다. Shebarshin은 A국을 믿었다. 수십 명의 노련하고 경험 많은 요원이 포진해 있었기 때문이다. A국은 수년전부터 정보학교에서 같이 수학했던 오랜 친구가 이끌었다. 그래서 A국은 Yasenevo내에서 가장 경쟁력 있고 유능한 부서 중의 하나였다.

"냉전시기 적극적 조치에 대한 이데올로기는 단순했다. 반대파에 대해 최대한 정치적 심리적 압박과 손상을 가하면 되었다."

이는 정보기관의 임무라기보다 군사작전의 성격이 강했으나, Shebarshin과 그 일당들은 해외정보를 무기로 삼았다. 1990년 10월, 이 무기를 해외 적대국이 아닌 모국의 시민들에게 정조준했다. A국이 이 막중한 역할을 맡았는데, 해외정보국장은 자신의 개인적 날개(직접 관할) 안에서 수행하는 것이 필요함을 깨달았다. 이를 위해 늘 하던 전략, 즉 부인과 기만 전략을 구사하기로 했다.

"우리는 허위조작정보를 전담하는 부서가 없다. 우리는 폭력, 잔인함, 타국에 대한 내정간섭을 피한다."
프라우다지와의 인터뷰에서 밝힌 내용이다.

현장에 있던 참석자 모두 Shebarshin의 계획을 지지하면서 회의를 마쳤다. 이제 자신의 책상 앞에 놓인 서류를 갖고 작업하는 것이 가능해졌다. Shebarshin은 A국이 올린 'KGB 해외정보국의 실제적인 조치에 대한 초안'을 보면서 구체적인 아이디어가 번개처럼 떠올랐다. 8개월 뒤인 1991년 8월 KGB 의장 Kryuchkov는 휴가 차 크리미아 별장에서 머물고 있던 고르바초프를 상대로 쿠데타를 일으켰다. 그러나 보리스 옐친을 비롯한 쿠데타 반대세력과 시민들이 운집하여, 이 쿠데타를 좌절시켜 3일 천하로 막을 내리게 된다.

Shebarshin은 이 당시 자신의 카드를 조심스럽게 능수능란하게 구사하면서, 자신의 보스와 모스크바 본부와는 불가근불가원 입장을 취했다. 쿠데타가 실패한 뒤 모스크바로 돌아온 고르바초프는 그를 KGB 임시의장으로 임명했지만, Shebarshin은 1일 천하였을 뿐이다. 8월 23일 외부사람인 자유진영 대표자로 전격 교체되었다.

Shebarshin은 1개월 동안 해외정보국장직을 유지했지만, KGB 개혁을 결정한 민주적 정부에 의해 타의에 의해 자리를 떠나게 된다.

2개월 후 해외정보국은 독립 기관으로 거듭나게 된다. 그 해 12월 소련연방은 종말을 고한다. PGU KGB 계승자들은 SVR(the Foreign Intelligence Service)란 새로운 이름을 부여받고, **예브게니 프리마코프(Yevgeny Primakov)**가 수장이 되었다. 존경받는 학자 풍모에 소비에트의 특징인 전제적이고 권위적인 특징을 겸비한 인물이었다. 프리마코프(Primakov)는 중동 지역에 심혈을 기울인데다, 교활하지만 사려 깊은 인물이어서 '소련의 키신저'라는 별명을 얻었다. Primakov는 과거 소련과 레바논/이집트/시리아/이라크/이란/이스라엘 간의 관계를 갈고 닦는데 수십 년의 세월을 보냈다.

Primakov는 Yasenevo 소재 Shebarshin의 사무실에 들어선 순간, 자신이 관료제라는 폭풍우 속의 한 가운데 있음을 직감했다. SVR로의 완전한 분리 문제가 여전히 미해결상태에 있었다. 옐친의 민주적 신정부는 쿠데타 실패와 관련한 KGB의 역할에 대한 조사에 착수했다. 해외정보국은 모스크바 본부와 거리를 둘 필요를 느꼈다. 과거의 평판을 일소하고, 대중의 눈 높이에 맞는 새로운 이미지를 창출하는 방법으로 극심한 내부 개혁을 피해나갔다. Shebarshin의 계획은 이런 목적을 달성하는데 안성맞춤이었다.

Primakov는 Shebarshin을 초청하여 부국장직을 제안했지만, Shebarshin은 정중하게 거절한다. 이 정도의 직책으론 자신의 야망을 달성할 수 없었기 때문이다. 이에 Primakov는 스스로 행동에 옮기기로 결정하고, Shebarshin과 A국이 몇 달 전 기획한 것 중 하나를 연상시키는 전략을 선택했다.

신임 SVR 국장은 무엇보다 A국 전문가들이 제안한 두 개의 얼개(구조)를 신설했다. Shebarshin의 제안을 받아들여 the Association of Foreign Intelligence Veterans를 조직했다. 이 기구는 주로 전직 1국(First Main Directorate) 요원 중심으로 구성되었다. 전직을 중심으로 만든 이 조직은 Yasenev와 역사가나 저널리스트들 간의 비공식적 커뮤니케이션 채널 역할을 맡았다.

그 다음으로 Primakov는 SVR내에 공보팀 만들어 언론인들을 잘 다루는 요원을 배치했다. 대변인실은 모스크바 중심가 중 조용한 곳인 콜파크니 레인(Kolpachny Lane)에 푸른색과 흰색이 조화를 이룬, 작은 맨션에 자리 잡았다. 이곳은 러시아인과 해외 언론인들이 종종 미팅을 가졌던 장소이기도 했다. 공보팀은 SVR에 대한 치밀하게 기획된 전설을 만들어 홍보에 착수했다.

4가지 홍보 착안점을 정했다.
1) 정보 수법은 고대 야만의 시절 이래 영구불변했고, CIA나 KGB 모두 이 수법을 이어가고 있으므로, 러시아 정보기관의 수법을 개혁할 필요가 없다.
2) KGB 해외파트 요원들은 적지 않은 시간을 서방에서 보냄으로서, KGB 그 어느 부서보다 폭넓은 시각과 진보적이다. 소련 국내에서만 활동한 요원에 비해, 소련이 처한 현실에 대해 훨씬 비판적이다.
3) 해외정보 파트의 활동권역은 외국이어서, 소련 반체제 인사들의 탄압에 간여하지 않았다.

4) 소련의 해외정보파트는 1950년 말부터 해외 암살임무를 포기했다. 마지막 암살공작이 우크라이나 이민기구내의 군사 분야지도자였던 스테판 반데라(Stepan Bandera)를 potassium cyanide(시안화 포타슘)이란 독극물 암살 공작으로서, 1959년 뮌헨에서 자행했다.

이 버전은 실제적 현실과는 동떨어져 있었지만, SVR은 이같은 홍보노력으로 새로운 이미지를 창출하는데 성공한다. KGB 요원 중 가장 리버럴한 요원이 근무하는 조직으로!.

Primakov는 이 4가지 외에 한 가지를 더 집어넣었다. 1993년 1월 "해외정보국의 공개 보고서"를 통해, 냉전 종식 후 대량살상 무기에 대한 글로벌 위협에 대한 분석에 헌신하고 있음을 과시했다. 이 보고서와 유사한 문건 공개는 SVR을 정보기관이 아닌 대외정책 싱크탱크라는 이미지를 심으려는 속셈이었다. 연장선상에서 Primakov는 해외정보 파트 요원을 소련 연구기관처럼 '공작원'에서 'referents(참고인)'으로 바꿔 부르게 했다.

SVR의 새로운 이미지 변신공작은 성공을 거두어 많은 리버럴한 저널리스트들조차 이러한 변신을 진지하게 받아들였다.
해외 보다 러시아내에서 더 효험을 보았다.
이 모든 것은 Shebarshin의 계획 덕분이었다.

페레스트로이카와
KGB의
셀프 개혁

2000년대 초, 저널리스트들은 탐사보도를 통해 체키스트(Chekists)[22]로 알려진, 전 KGB 요원 150명이 소련이 붕괴된 이후에도 러시아의 주요 정치 및 비즈니스계의 핵심 자리를 차지하고 있음을 밝혀냈다. 그 정점에 푸틴이 자리하고 있는 러시아 정보공동체는 소비에트 포스트 러시아 시대에도 환희를 구가하면서, 권력은 물론이고 기업도 좌지우지하고 있다.

---

[22] 체키즘은 비밀경찰이 사회 전반을 강력하게 통제했던 소련의 상황과 관련된 용어이다. 현대 러시아 등 소련 이후 정보국에서도 유사한 상황을 지적하는 데에도 사용된다. 체키스트들은 체카의 조직원을 뜻하지만, 제정 러시아 시절 악독한 비밀경찰이었던 체카의 후손들이라고 할 수 있으며, 지금도 러시아에서는 스파이를 지칭하는 용어로 사용한다.

그간 푸틴의 러시아 시대에 "전직" KGB 요원들이 괄목할만한 역할을 하고 있음에도, 실증적인 연구가 뒷받침되지 않았다.
 문제의식은 이런 것이다.
"체키스트들이 시장 경제로 편입할 수 있었던 것은 이들에게 기업가적 능력과 커넥션이 있어서인가? (Is it their individual entrepreneurial ability and connections that allowed Chekists to make their way into the market economy?)"

 소련에서 엘리트로 분류되었던 "전직 정보요원"들은 자신의 비즈니스를 할 정도로 영악하다. 부패에 연루되기도 하고, 천석꾼이 되기도 했다. 다른 한편으로 루뱐카(Lubyanka, KGB 본부가 있는 곳)에 반기를 들었던 요원들은 KGB가 강성했던 시절, 경제와 소련의 국가기구들을 지원했던 경험이 Chekists 들의 괄목상대한 사업적 성취를 이루는데 일정 정도 기여했다고 본다.
 또 하나의 문제의식은 이런 것이다.
1) 400명이나 되는 KGB 퇴역 장성 절대 다수를 자치했던 해외정보파트 출신(SVR, KGB 제1국의 후신)이 금융권과 조인트벤처 내의 지도적인 위치를 차지했다는 1990년 초 발표를 어떻게 해석해야 하는가?
2) KGB의 영향력 하락인가 확장인가?

 이 파트에서는 "현역예비요원 제도(officers of active reserve, 대민 서비스 조직, 민간기업, 미디어, 교육 및 문화기구에 신분을 위장하고 파견된 정보요원)"와 협조자들이 방첩활동을 빙자하여 전환기 경제에 파고들고, 자신들이 맡은 새로운 소비에트 기업들과 강력한 관계를 구축한 방법에 대해 중점적으로 서술하고자 한다.

일부 Chekists들은 신흥 시장 시스템에 정통한 경제학자로 훈련받았다. 이 덕분에 이들은 포스트 소비에트 러시아에서도 두각을 나타내게 되었다.

1980년대 중반, 고르바초프는 소련공산당 서기장으로 페레스트로이카라고 불리는, 곪을 대로 곪은 소련 체제를 개혁하려는 정책을 추진했다. 페레스트로이카는 소련 국가기구나 사회, 그리고 스파이기구에 이르기까지 소련 사회 전역에 퍼져나갔다. 공산당이 소련의 슈퍼기구였다면, 그 기구를 지탱한 심장 같은 존재가 KGB였다.

KGB는 고도로 중앙집중화된 기구로, 소련 내 그 누구도 견제하지 못하는, 어마어마한 조직과 맨파워를 갖고 있었다. 소위 안보기구에 대한 공산당의 통제는 상관과 하급자와의 단순한 관계가 아니었다. 고르바초프는 안드로포프의 후광을 업고 권력을 잡았다. 브레즈네프 통치 시기, **안드로포프**는 KGB 의장이었으며, 브레즈네프는 KGB의장 빅토르 크예브리코프(Viktor Chebrikov)의 지지를 받았다. 그런 의미에서 고르바초프는 "KGB 인풋(input)의 산물"이었다. 소련 말기 Chekists들은 당 조직 곳곳에 자리를 차지하고 있었으며, 당과 KGB 사이를 갈라놓기 어려울 정도로 끈끈하게 엮어갔다.

안보기구들의 활동에 관한 증거 부족이, 페레스트로이카 동안 Chekists들이 무턱대고 앉아만 있었다는 것을 의미하는 것이 아니다. KGB는 소련 경제와 테크놀로지의 앞날에 대해 매우 비관적인 정보를 갖고 있었고, 소련의 개혁을 권장할 수 있는 "prime position(우월한 지위)"에 있었다.

1980년 안드로포프는 고스플란(Gosplan)[23]에 보안기구를 설치하고, 스태프 자리에 Chekists를 앉혀 KGB의장에게 소련의 경제 문제와 전망 등을 보고하도록 했다. 이를 이용, Chekists들은 페레스트로이카라는 새로운 환경에 재빨리 적응하면서, '눈에 띌 정도로 회복력'을 과시했다. 페레스트로이카 동안, 개혁은 하나의 행위라기보다 지속적인 과정이었으며, 다양한 정치행위자들이 끌어낸 갖가지 교훈을 토대로 개인과 집단 모두 학습의 산물이었다.

Why wouldn't Chekists learn, too?(체키스트들이라고 해서 왜 배우지 않겠습니까?)

해답은, KGB 요원들이 다른 전문가 집단들 보다 훨씬 효과적으로 학습한 때문이다. 1990년 KGB 의장 블라드미르 크류치코프(Kryuchkov)는 소련 신문을 상대로, "KGB 라는 기관은 국가메커니즘의 유기적인 일부분이며, 페레스트로이카라는 조건하에 있다고 해서 천지개벽과 같은 변화를 겪을 수는 없다"고 말했다. 이 말을 액면 그대로 받아들일 것이 아니라, 보안기구 스스로가 변화한 것이 무엇인지, 자기 개혁한 것이 무엇인지를 구체적으로 따져봐야 한다.

1991년 10월, 고르바초프는 KGB를 여러 기구로 쪼개는 법안에 서명했다. Chekists들은 기본적 임무에 따라 나눠졌다. 대외정보/방첩/국경경비/경호업무/신호정보 등이 그것이다.

---

[23] 국가계획위원회의 약자. 고스플란은 소비에트 연방의 경제를 지배하고 통제하던 기관이다. 5개년 계획 등을 작성하는 업무 등을 맡았으며, 1921년 2월 22일 설립되어 1991년 4월 1일 해체되었다

서로 경쟁하는 이들 기구들을 정치적 아젠다로 활용하기로 마음먹은 보리스 옐친 대통령 덕분에 체면을 살리게 되었다. 그 결과, KGB를 계승한 조직은 이전과 비슷한 파워/기능/인력을 보유하고, 시민들의 감독의 사각지대가 되었다. 1990년대 푸틴이 집권하기 전, 정치적 격변과 경제적 어려움은 Chekists들에 대한 대중들의 평판을 다시 정립하는데 상당한 도움이 되었다.

체키스트들의 세계관과 페레스트로이카

Chekists에게 페레스트로이카는 단지 슬로건에 불과한 것처럼 보였다. 구체적인 내용도 없이 과거에 습관적으로 해오던 관행을 재고 조사하듯이 하여, 오래되고 물이 고인 사고와 관행을 철폐하라고 요구하는, 그런 것으로 여겨졌다. KGB에 대한 페레스트로이카를 실천하기 위한 고위 Chekists 컨퍼런스가 1986년 5월 27-28일 간 고르바초프가 참석한 가운데 열렸다.

KGB 저널 스보르니크(Sbornik)가 그 회의 프로토콜을 공개하지 않았지만, 그 컨퍼런스에 얼굴을 내민 일부 KGB 국장들은 이 저널을 읽은 소감을 공유했다. 컨퍼런스 이후 그들의 가장 급박한 임무는, 그간 해온 모든 과업에 대한 엄중한 재평가였다. "적의 전복활동에 대응하는 실천적인 조치를 발전시키고, 신분을 감추고 특수팀/해외 반소비에트 및 성직자 조직에 침투하는 것(카자흐스탄 KGB 지국장)",

"페레스트로이카에 대한 인식, 모든 부서의 관리 및 공작 스태프들의 심리, 업무 스타일, 타성이란 장벽의 극복, 기존의 정형화된 사고 탈피(독일 소련군 특수부대 책임자)", "스태프가 주도적이고 능률적으로 활동하도록 전방위적인 방법 개발, 업무 스타일과 리더십을 개선하여 심리적인 페레스트로이카를 달성(무르만스크 KGB 책임자)" 등과 같은 의견이 오갔다.

1987년 2월 KGB 의장 크예브리코프(Chebrikov)는, Chekists들이 페레스트로이카를 다양하게 받아들이는 상황에 관해 언급하면서, "민주주의와 글라스노트가 확장되는 조건하에서 일하는 방법에 대해 배우라"고 촉구했다.

동시에 경고하는 것도 잊지 않았다.
"적은 갖가지 수단을 사용해서 소련사회를 민주화시키려는 그들의 목적 달성을 위해 혈안이 될 것이다." 특히 "해외 경제활동 분야에서의 페레스트로이카, 소련 땅에서 서방기업들과 조인트벤처를 만드는 방법 등을 이용할 것"이라고 강조했다.

그러면서 방첩부서의 '진지한 페레스트로이카'를 위한 계획을 펼쳐보였다. "방첩부서는 대외경제관계가 진척되는 것과 비례해서 소련의 보안상태가 한 치도 흐트러지지 않도록 대처해야 한다"고 강조했다.

1987년 12월, 페레스트로이카에 헌신하기 위해 KGB가 조직한 컨퍼런스에 1,200명의 고위 간부와 공작관이 참석했다. 참석자들은, "모든 부서가 당의 요구와 시대적 변화 흐름에 조응해서 활동 방법과 기법을 성공적으로 변화시키기 어렵다"는 우려를 표명했다. 그럼에도 Chebrikov는, 그 컨퍼런스가 페레스트로이카를 실행하려는 KGB의 고충을 드러낸 "주요한 이정표"였다며 만족감을 나타냈다.

Chekists들은 새로운 기법을 찾기 시작했다. 1988년 7월, KGB Collegium[24]은 Chekists들에게 "KGB 업무를 혁신할 새로운 기법을 창안하여 신속히 습득하고, 당의 지시와 노선/시대의 요구에 완전히 부응하라"고 촉구했다.
　　1988년 10월 블라디미르 크류치코프(Kryuchkov)가 신임 KGB의장으로 선임되었다. 전임자인 Chebrikov처럼 크류치코프는 소련 페레스트로이카를 가로막는 항구적인 세력의 그림자를 보았다. 동시에 Chekists들의 새로운 역할을 외국 무역과 경제적 유대를 확장하는데서 찾았다.

　　1988년 12월, KGB 당 대회에서 크류치코프는, 외국 기업과 직접적인 접촉의 길에 들어서는 소련 기업들의 경험이 일천한 반면, 서방 기업들은 자신들만의 정보와 방첩부서를 운용하며, 교활한 수법을 동원해 "정글의 법칙에 따라" 활동한다고 지적했다. 이 같은 불균형은 무역과 비즈니스 거래에 심각한 손실을 초래하며, 소련 경제 전 부문에 "경제적 전복"을 가져온다고 우려했다.
　　1989년 4월 크류치코프는, Chekists들은 "자본주의 국가들의 비즈니스 세계와 진정으로 이익이 되는 접촉을 하여 국가를 측면 지원해야 한다. 비즈니스 전망을 넓게 조망하고, 경험 축적이 중요하며, 상업적 이익 보호에 신경 써야 한다."고 강조했다. 부하들에게는 이렇게 환기시켰다.

---

[24] 콜레기움(collegium) 또는 칼리지(college)는 고대 로마에서 법인체 역할을 했던 협회였다. 그러한 연합은 시민적일 수도 있고, 종교적일 수도 있다. collegium이라는 단어는 문자 그대로 collega에서 "사회"를 의미한다

"적 정보기관은 무역커넥션을 연막처럼 사용할 수 있는 만큼, 소련 경제 전복을 위한 적들의 야심에 관한 정보를 소련 기업들에게 제공할 필요가 있다."

체키스트, 기업 전선에 뛰어들다

1985년 초부터 소련 지도부는 점차 사유 경제활동에 대한 장벽을 풀기 시작했다. 1986년 11월에는 the Law on Individual Labor Activity(개인노동행위에 관한 법)을, 1988년 12월에는 decree of the Council of Ministers를 대외무역에 개방하고, 국영기업이나 민간 기업이 외국 회사와 직접 거래를 할 수 있도록 했다.

민간 전문가로 변신한 체키스트

KGB의 페레스트로이카는 내부 인적자원을 재배치하는 것에서부터 시작했다. 페레스트로이카 물결에 부응할 필요성을 반영한 조치였다. 페레스트로이카 초기, KGB 의장 크류치코프는 "**현역예비요원**(officers of active reserve)들의 직관을 유지할 수 있는, 그럴듯한 방안을 토의할" 필요성을 언급했다.
  소련 경제에 대한 개혁조치가 이뤄지는 와중에서, KGB는 "소련 경제체제 중 특히 정체가 격심한 곳에 officers of active reserve 요원을 최대한 많이 배치하고자 했다.

페레스트로이카 이전, officers of active reserve들은 소련 각 부처와 연구기관, 외국인과 더불어 일하는 문화단체에도 여러 명이 파견되었었다. 하지만 1970년대 말, officers of active reserve들의 시원찮은 업무 능력이 KGB 저널 Sbornik의 도마에 올랐다. 원인은, 개개인의 책임감이 부족한 데다, 일상 과업에 대해 KGB가 별로 통제하지 않았기 때문이었다.

페레스트로이카 동안 소련 땅에서의 정치정보 수집을 위해 중앙 민간 기구 안에 위장된 해외 정보부서 형태로 <PT처(소속은 제1총국 산하)>를 창설하여 국제적인 커넥션을 유지하는 한편, FCD의 active reserve요원을 스태프로 채웠다.

이에 유사한 처와 조직이 각 공화국과 지역 기관에 만들어졌다. KGB는 부서를 커버하기 위해 공작관을 파견할 때, 그 기관이 접수하는 문제들에 대한 지식 정도, 책임감, 민간인들과의 경쟁력, 비밀 업무를 수행할 전문적인 능력을 고려하였으며, 고위직이나 과학자 지위와 관련된 자리는 더 엄중하게 감안했다.

경제방첩을 담당하는 KGB 제6총국은 소련 땅에서 외국 기업의 문호를 여는데 중추적인 역할을 했다. KGB는 필요하다면 요원을 해외에 파견해서라도 외국 기업의 신뢰도를 체크했다. 비밀리 코디네이션을 하기 위해 제6총국은 active reserve 요원을 외무부/대외무역부 및 여타 민간기구 내에 유지했다.

체키스트-경제학자

대외 무역에 간여하는 소련 기구들이 점점 늘어나자 Chekists 사이에 "상업적 비밀 보호"와 "경제적 전복 방지"를 놓고 우려가 고조되기 시작하는 와중에서, 소련 시민들의 해외여행에 대한 엄격한 규제도 완화되어, 인력과잉 현상까지 나타나게 되었다. 소련 군부대 축소는 군 방첩요원의 짐을 덜어주었다.

군 방첩요원들이 전직하기 딱 좋은 곳이 경제방첩 부서였다. KGB 의장 **크류치코프**는 KGB 교육 기관 혁신에 대해 일갈하면서 "지금 우리는 민간인만큼의 전문성을 가진 보안요원이 필요하며, 새롭게 신분을 위장한 지위를 갖고 업무를 해야 할 준비를 갖추고 있어야 한다. 여기에는 우리가 조종하는 사람들과 원가계산 방식 도입, 소련 기업들의 해외 시장에 대한 폭넓은 접근 등도 포함된다."

1987년 초 크류치코프는 모든 KGB 간부들의 경제훈련 필요성을 강조했다.

"우리는 기초적인 경제 카테고리의 정수를 잘 이해하는 근로자가 필요하다. 이윤, 이익실현 가능성, 상품과 화폐와의 관계, 시장, 자기 금융 등."

그러면서 KGB 요원들에게도 마찬가지로 적용된다고 덧붙였다. KGB 인력담당총국은 소련 국가계획위원회 산하 고위경제과정과 협조해서 "Fundamentals of Market Economy(시장경제의 펀드멘털)" 이란 프로그램을 만들고, 훈련 세션을 조직하여 중앙 부서에서 일하는 요원을 훈련시켰다.

페레스트로이카 말기, KGB 지역담당과는 "쓸 만한 기존의 인적자원과 다가올 미래 변화에 대한 예측"을 분석하고, 요원들 중에서 후보를 뽑았다. "KGB 입사 전 받은 민간교육 경력이 앞으로 닥칠 KGB 활동과 조응할 수 있는 사람으로."

이어 선정한 미래요원을 민간교육기관에 파견하여 "기업/연구기관/각종 기구에서의 외교 관행" 등을 배우도록 했다. 한 예로, 조인트벤처 붐은 "경제와 공학 교육을 받은 인력과 외국어 소양을 갖춘 자"에 대한 수요가 폭증했으나, 이에 부응하기에는 어려움이 많았다. 1991년 초 KGB는 87명의 박사, 1,779명의 Candidates of Science, 8,757명의 유창한 외국어 구사자를 보유하고 있었고, 2개 언어 이상 구사자도 1,187명이나 되었다.

KGB는 적지 않은 경제전문가를 키웠다. 제6총국(경제 방첩), 제3총국 내 1국(군사방첩), Dzerzhinsky(제르진스키) Higher School 등은 소련의 그림자 경제가 초래할 결과에 관해 정치하게 정리했다. 시장경제로의 이행기 동안 그림자 경제의 성장과 범죄가 활개 칠 것으로 예측한 가운데, 예전에 감추거나 금지되었던 것이 입법화되면서, 갖가지 그림자 경제 형태가 근본적인 페레스트로이카의 재산관계를 방해할 것으로 보았다. 소유권 형태에 대한 것들이 확장되는 것 등.

KGB 내부 저널 Sbornik는 1991년 1월, 18p나 되는 장문의 기사에서, 소련 경제가 시장경제로 이행하는 과정에서 나타날 문제점을 크게 부각시키면서, 그림자 경제와 싸울 몇 가지 방책도 제시했다.

(1) 소련경제가 시장경제로 전환되는 과정 모두를 규제하거나 작동하는, 효과적인 법률적 틀과 모든 기업주체나 범죄

행위 자행가능성도 있는 단체 등도 활동할 수 있는 게임의 룰 창안,
(2) 경제권역에서 방첩업무 담당 조직 신설과 수법 고안 필요성, 소련 경제와 그밖에 전환기에서 드러나는 어려움에 대한 고려,
(3) KGB 요원을 시장경제 환경에 적응하도록 교육 및 재교육하는 것 등이었다. 오늘날 KGB는 경제와 법률적 지식을 갖춘 방첩 전문가를 필요로 한다고 자의적으로 해석했다.

체키스트 경제학자/체키스트 기업가로 변신한 또 다른 논리는 재정문제였다. KGB 내부 저널 Sbornik 145판(1990)은 "소련 공산당 중앙위원회가 KGB의 예산 문제 해결 방안 중 하나로 경제행위를 할 수 있는 권리를 담보해주어야 한다." 며 그 필요성에 대해 일갈하고 있다.

신분을 감춘 자리(deep cover position)는 다종다양한 기업 활동에서 KGB가 투자할 수 있는 곳으로 보았다. 이런 관행은 서방정보기관들에게 일상적인 것이라면서, 그 자리를 통해 확보한 자금은 참모팀 유지와 비밀공작 비용으로 사용하면 된다고 주장했다. 이에 크류치코프 KGB 의장은 1990년 가을 KGB에게 상업적 활동을 해도 좋다는 지시를 내리게 된다.

6총국 라인과 비즈니스 감독

소련 기업들은 초기부터 KGB와 발을 맞추며 기업 활동을 해나갔다. 1986년 KGB 내부 저널 Sbornik 여름호를 보면,

"Work Creatively, Look for New Approaches(창조적으로 일하면서, 새로운 방식을 물색하자)"라는 주제를 집중 다루면서, 1986년 5월 KGB 전 지부 회의 후 중앙 부서와 지부들 간의 후속 회의결과를 보도했다.

지방 중앙위원회 제1서기는, KGB 업무는 "소련이 갖고 있는 경제/과학/기술/군사적 자원을 적의 파고들기에서 보호해야 하며, 적대적인 이데올로기적인 행위에 맞서 맹렬하게 투쟁해야 한다."고 주장했다. KGB 지부 중 가장 규모가 크면서 73개 지역 지부를 컨트롤하는 곳이 모스크바 지부인데, 그 회합에 모스크바 시·당위원회 제1서기인 **보리스 옐친**이 참석했다는 점이다.

제6총국(경제방첩)과 지역 부서들은 7개의 모스크바 기업들을 기반으로 대외무역회사를 설립한 정부의 결정과 궤를 같이하면서, 진전되는 상황에 대한 통제 임무를 부여받고, 조직적 차원에서 필요한 조치가 무엇인지를 그리는 한편, 그 기업 지도자들과 KGB 요원을 임원 자리에 배치키로 합의했다.

경제방첩은 대도시 KGB 출장소에서 까지 일상적으로 하는 업무가 되었다. 모스크바 지부의 경우, 스태프의 80%가 출장소 등에 배속되었다. 가장 중요한 임무는 경제 분야에서 지방 지부의 활동을 통제하고, 코디네이션하는 것이었다. 쉽게 말하면, 모스크바가 소련 경제 전반에 관한 그립을 강하게 쥐는 것이었다.

KGB 의장은, 일부 공작관들이 허위 보도 확인/불량품/경제 결함과 같은 정당성이 결여된 기업의 경제행위를 업무인 것처럼 끌어 들인다"고 불만을 표출하곤 했다. 이런 일들은 KGB 고유 업무가 아니라고 생각한 때문이다.

체키스트들은 페레스트로이카 초기에 광범위하게 경제 분야에 침투했다. 아르메니아의 경우, KGB 공작관들은 "경제보호 명목으로", 적지 않은 대상을 합리적 설명도 없이 공작 목표로 삼았다.

경제영역에 대한 과도한 개입은 KGB가 핵발전소와 같은 중차대한 목표물에 별다른 관심을 기울이지 않는다는 비판에 휩싸였다. 다른 지부장들도 비판대열에 합세했다. "방첩명분으로 요원을 투입하여 35개나 되는 경제 목표물에 대해 지나치게 감시 감독한다."고. 이런 기업들의 과반수는 국가비밀도 갖고 있지 않고, 중대한 경제프로그램과도 무관함에도 불구하고!.

외국 스파이 위협에 대한 평가도 하지 않고, 모스크바 내 300여개 기업들을 관장하는 경우도 있었다. 가급적 많은 기업과 농업/산업 복합체들을 자신들의 통제 하에 두고 싶어 하는 체키스트 삐뚤어진 욕망 때문이었다.

크류치코프의 리더십 하에 이런 추세는 더욱 확연해졌다. 이유는 크류치코프 의장 자신이 갖고 있는 서방기업에 대한 불신이 크게 작용했다. 전임자와 달리, 체키스트들이 경제행위에 보다 적극적으로 간여하도록 촉구했다. 1989년 4월 열린 KGB 중앙기구 세미나에서 "서방의 대외 무역업자들은 유순한 소비에트 카운터파트들에게 좋지 않은 거래"나 "한물간 과학기술 정보"를 제공하는 수법으로 속인다"고 일갈했다.

나아가 소규모 협동작업장(Kooperativy 코오페라티비)에서의 기초과학 발견물에 대한 보호조치를 강화하여, 군과 민간의 융합으로 인해 불거지는 부정적 효과에 대응해야 한다고 부언했다. 소련 과학자들이 국영기업에서 근무하던 시절 그곳에서 정보를 얻고, 저녁에는 협동조합의 틀 안에서 그 정보를 이용했으며, 그리고 다른 국가들과 무역거래를 했다.

제6총국장 F. 스체르바크(Shcherbak)는 대외 무역산하기관과 조인트벤처에 대한 경제방첩업무를 조종하기 위해 제6총국 내에 13개단을 만들었다.

제8단은 외국 기업들과의 대규모 무역 계약 시 "방첩정보 지원"역할을 맡았다. 그래서 6총국은 국제적인 비즈니스 합의와 실행 과정을 눈을 부릅뜨고 지켜보며, 소련에 미칠 경제적 피해를 최소화하고자 했다. 1987년 정부가 법령을 반포한 이후, 21개 소련 부처와 처/75개의 산하기관과 기업들은 독립적으로 외국 파트너들과 수출입 업무를 하며, 조인트벤처를 만들 수 있게 되었다.

소련 입장에서는, 이런 조치들이 새로우면서 복잡한 이슈이기에 지역 지부의 경제담당 부서는 공작 여건이 될 만한 동인을 면밀히 모니터하면서, 방첩업무를 착실히 준비했다.

계약을 이행하는 동안 소련 전문가들 중에서 선발된 요원들은 경제방첩 대상이 아닌 수입설비 중 기술적으로 역이용할 수 있는 것을 보고했다. 경제방첩부서는 사실상 민간 경제당국을 대신한 것으로, 서방기업들과 맺은 계약의 진척 상황을 모니터했다. 그 결과, 소련 경제주체에 잠입한 KGB 요원들은 방첩업무 보다 통제역할에 더 골몰하게 되었다.

기업들은 체키스트들이 외국기업들과 수지타산에 맞게 계약하도록 측면지원해준 데 대해 감사를 표했다. 일례로, Uralkali(우랄칼리는 러시아의 포타시 비료 생산 및 수출 회사), 칼륨비료 수출업체 등은 KGB 총국장에게 "500만 루블이 넘는 기업을 살려주었다"고 고마워했을 정도다.

1991년 2월호의 Sbornik는, KGB가 소련의 대외무역기구들이 유리한 조건으로 거래하도록 도우고, 큰 계약을 성사시키거나, 고성능 설비와 기술을 선별했다고 보도했다.

KGB는 외국 정보출처와 정보원을 통해 외국기업들의 협상정보를 수집했다. 소련 측이 카운트파트들을 상대로 영향력 행사 여부나, 거래 시 통 큰 양보 여부 등이 그것이다. 한 예로, 6총국이 라이벌 기업들의 입장과 가격에 대한 정보를 제공해줌으로써, 소련기업들은 설비와 기술이 담긴 문서 공급을 놓고 컨소시움으로 맞선 서방기업을 상대로, 440만 루블을 깎는데 일조 했다. 1989년 통틀어, KGB는 대외경제관계부와 대외무역기구에 수백여건의 문서를 지원하여, 대략 125만 루블을 절약하는데 기여했다.

상업비밀 직접 제공

KGB 의장은 소련에 대한 비밀보호는 물론이고, 외국 기업의 비밀을 훔치는 것에 흥미를 나타내면서, 과학기술정보의 중요성을 설파했다. 체키스트들은 수뇌부의 이 같은 방침에 따라 소련 경제의 문제점 해결 가속화에 도움을 주기 위해 큰 발걸음을 성큼 내디뎌야만 했다. 크나큰 고통을 감수하면서 획득한 자료들을 폭넓게 모아, 신속히 국가경제에 투입했다.

대표적인 케이스가 레닌그라드 넵스키 지부에서 "Intensification-90"이라는 영토부분 프로그램을 지원한 일이다. 이 지역에는 40개가 넘는 부처와 처가 둥지를 틀고 있었다.

이들 중 열에 여덟은 서방기업- 독일/오스트리아/이탈리아/프랑스/스위스 등의 회사들과 안정적인 무역거래를 하고 경제적 유대를 맺고 있었다. 이런 회사들은 첨단기술과 설비를 소련에 제공했다. 레닌그라드 지부의 지역담당국은 대외정보 담당부서와 경제방첩 부서가 하나가 되어 서방기업들과의 무역거래 채널을 이용, 동 과업 달성과 정보요원 공작에 용이한 조직으로 거듭났다.

체키스트들은 소련기업들과 짝짜꿍하면서, 잘 훈련되고 감쪽같이 신분위장을 한 요원을 일종의 예비군처럼 육성하여, 서방기업 대표들과 함께 작업하고자 했다.

이전까지 KGB가 서방으로부터 훔친 과학기술 데이터들은 관련 부처가 산하 기업들에게 전달하여 활용했는데, 공작기계, 비행기술, 조선 등이 대표적이다.

페레스트로이카 기간 동안, 체키스트들은 새로운 수법을 개발했다. KGB 지역사무소가 소련기업들로부터 직접 획득한 자료를 공유하기 시작한 것이다. KGB는 그 소련기업에 위장 취업하여 공작을 통해 서방기업들의 정보를 빼냈기 때문이다. 이렇게 빼낸 상업적 비밀들은 소련의 과학기술 발전에 크게 기여하는 한편, 기업 전문가 중에서 선발한 에이전트들에게 도덕적 만족감을 주고, 기업을 산하에 둔 부처와 더 끈끈한 비즈니스 관계가 형성되었다. Nevsky 지부의 경험에 따라, 소련 생산협회 책임자들은 편지를 보내 체키스트들에게 감사를 표했다.

"제공해준 과학기술 정보 덕분에 생산 수요를 맞추고 "Intensification-90" 프로그램을 이행하는데 속도가 붙었다."

부서간 기능 조정

　제6총국 계열이 조인트벤처 비즈니스에도 간여했다. 다양한 부문에서 외국 기업 등과 조인트 벤처를 하는 경우가 늘어나 1989년 말에 이르면 150개가 넘었고, 프로젝트도 500개 이상 되었다. 이렇게 되자 KGB 내 방첩업무 담당 부서를 놓고 의문이 제기되었다.
　대외경제관계에 대한 KGB의 간여조항에 따라, 기존 관행이 간단한 해결로 이끌었다. 1차적 책임은 소련 측 공동창업자를 담당하는 부서가 맡기로 한 것이다. 6처는 조인트벤처와 과학을, 4처는 수송과 수산업을, 5처는 스포츠와 인쇄 및 출판을, 2처는 여행업 담당으로 기능을 조정한 것이다. 각 처간 책임범위가 정해짐에 따라 공작은 중앙부서의 방첩담당 팀/영토담당 부서 등과 조율하면서, 해외정보국 산하 처와 서로 조응하면서 수행했다.

　해외정보 파트와 방첩담당 부서간의 코디네이션 문제는 1960년대 이래 KGB 리더십의 골칫거리 중 하나였다. FCD는 6총국 산하의 방첩담당의 포지션과 외국기업을 상대하는 부서, 그리고 조인트벤처 등을 결코 간과하지 않았다.
　1988년, 6처/1처/2처는 로스토프(Rostov) 지역의 방위시설 전문가들의 해외 여행하는 채널을 이용하여 "동 안보시설에 대한 적들의 감시시설 설치 열망/적들의 전술무기 시스템에 대한 34종의 과학기술 첩보"를 수집했다. FCD의 과학기술 정보 담당 부서는 수집 정보에 대해 높이 평가하고, 6처와 1처가 잘 화합해서 과학기술 정보를 수집하도록 했다.

보로네스(Voronezh)국의 경우, 해외정보 담당 1단은 KGB 본부의 감찰관으로부터 과학기술 정보 업무에서 손을 떼도록 권고 받았는데, 이는 방첩부서가 광범위하게 활동하는 점을 고려한 것이었다. 지휘부는 2과/4과/6과 및 1단과 시 지역 담당 부서에게 스위스/미국/영국/인도 등지의 기업과 조인한 합의서 및 조인트벤처 설립을 둘러싼 협상 진척동향을 주의 깊게 모니터하라고 지시했다.

소련 측 근로자 사이에 요원을 심을 자리를 미리 확보해두려는 심산이었고, 소련 땅에 입국하는 해외전문가와 기업인들에 관해 심도 깊게 연구하라는 내용도 덧붙였다.

리페츠크(Lipetsk)국 산하 6처장에 의하면, 외국 전문가를 적극 포섭하는 동안, 체키스트들은 FCD/ 방첩을 담당하는 제2총국/6총국의 눈치를 보았다. FCD와 6총국이 잘 조율하여 소련에서 일하는 서방 비즈니스맨을 양성하여, 서방정보기관을 상대로 공작게임을 할 수 있는 여건을 만드는 그런 케이스도 여러 건 있었다.

소결론 : 경제침투를 위한 제도적 장치

KGB는 페레스토로이카를 이렇게 인식했다. 낡은 관행을 없애고 지도부와 참모진의 주도성과 창의성을 북돋워 업무의 효율성을 높이는 계기로 활용하는 것이었다. 이를 위해 뼈까지는 아니더라도, 이에 준할 정도의 자기개혁의 닻을 올렸다.

특히 경제자유화 물결의 맨 앞자리를 차지하는 것이었다. active reserve officers와 요원을 조인트벤처와 같은 신선한

향을 풍기는 소련 비즈니스세계에 파견하여, 시장경제에서 활동하는 기업에 진입터전을 확보했다. 구체적으로 대외무역에서 체키스트 직업은 상업적 비밀을 확보하는데 그치지 않고, 신분을 위장하여 경제당국이 행하는 일(대규모 계약 감독 등) 까지로 나아갔다.

서방기업들로부터 탈취한 상업비밀은 관련 부처를 제치고, 상업 및 과학기술과 관련한 기업과 체키스트 간의 관계를 돈독하게 해주었다. 경제자유화 기간 동안, 소련경제 내에서 방첩업무의 확장과 국제상거래는 외국기업들의 음모가 도처에 도사리고 있다고 보는 체키스트들의 마음가짐에 의해 추동되었다.

페레스트로이카 동안 KGB 에스트니아 지부 6처는 5개의 기관에 체키스트를 침투시켰다. 과학원/Gosplan(국가계획위원회)/ 상공회의소/수출입 협회/Administration of the ESSR Cabinet of Ministers(ESSR 각료회의 담당청) 등이었다. 다른 처는 active reserve officers의 신분을 감추고 관련 기관과 기구에 침투시켰다.

서방기업들로부터 과학기술정보를 훔치면, 이 내용을 모스크바 KGB 본부로 보내 1차 평가를 받았다.

그런 다음 그 데이터를 각 공화국 KGB로 다시 보내 지역 수준에서 적용하도록 했다. 에스토니아 KGB지부는 "지역적으로 중요한 첩보(information of local significance)"의 경우, 모스크바로 보내지 않고 내부 존안했다. 당시 지부장이었던 Pool은 개인적으로 그 데이터를 농/산업 위원회 및 콜크오제스(Kolkhozes)에 넘겨주었다. 비행기에서 서방기업인들이 하는 대화를 도청한 정보 등 공작적 첩보 등을 활용해서 소련 매니저들이 서방 기업과 유리한 거래를 하도록 측면 지원했다.

1991년 에스토니아가 6처를 비롯한 KGB지부에 대한 정화 작업을 벌이자, 포스트 소비에트 러시아 스파이기관들이 경제 개입활동을 계속 이어갔다.

첫째, 모스크바 본부의 6총국은 털끝 하나 건드리지 않고, 대외 경제관계와 서방기업과 조인트벤처를 한 러시아 기업들에 대한 모니터링과 같은 주요 임무가 러시아에 승계되었다. 1992년경 러시아내 80여개의 조인트벤처 회사에 KGB 요원들이 발을 담갔다. 다수의 체키스트들은 서방기업들과의 비즈니스에 간여하는 동안 active reserve officers 지위를 갖고, 돈이 되는 민간섹터에 진입하고, 모스크바 본부와 전문적인 관계를 유지했다.

둘째, 러시아 연방정보부 FSB는 active reserve officers을 민간 기업에 꽂는 관행을 재정립했다. 1991년 12월 KGB의 active reserve officers들은 공식적으론 끈이 떨어진 것처럼 보였지만, "특별 임무"라는 명목으로 하던 일을 이어갔다. FSB에 관한 1995년 법은 체키스트들이 "국영기업/기업체/제도적 기구/기관 등에 파견 보낼 때는 오너가 누군지 관계없이 그 조직의 최고책임자의 동의를 받도록" 했다. 1998년 active reserve officers들은 "apparatus of seconded officers(임시 파견요원 조직체)"로 개명하게 된다.

셋째, 체키스트들의 러시아 민간기업에 대해 돈 벌 수 있는 정보 제공은 페레스트로이카 동안 새로운 관행으로 자리 잡은 것으로, 러시아 연방 발족 후에도 역동적으로 계속되었다. 대외 정보활동을 규정한 2000년 법 14조(정보제공 조항)는 다음과 같이 기술되어 있다.

"정보와 첩보는 러시아 연방대통령이 규정한 각급 기관/기업 및 러시아 연방 대통령에게 제공된다."

이러한 내용들은, 기업인으로 위장 변신한 체키스트들의 성공이 똑 부러지는 그들의 총명함에 기인한 것이라는 그간의 통설을 근본적으로 허문다. KGB는 시장 개혁 시기에 체키스트들을 경제학자로 훈련시키고, 보안요원 명목으로 유리한 지위를 차지하여 포스트소비에트 러시아 경제에 돋보일 수 있는 비단길을 닦았다. 이들의 경제계 침투는 민간인으로 위장하거나 비밀 요원을 투입함으로써 서방의 레이더망에서 벗어났다.

체키스트들이 얼마나 많은 숫자가 집단적으로 포스트 소비에트 러시아에 들어앉아 있는지는 좀 더 면밀한 조사가 필요하다. KGB 요원들이 새로운 환경에 성공적으로 적응한 듯 보이지만, 포스트 소비에트 러시아는 고위직 체키스트들과 내무 관료 간에 주도권을 놓고 싸움을 벌여왔고, 옐친은 자신의 정치적 생명 유지를 위해 이러한 다툼을 쥐락펴락했다. 일부 체키스트들은 특정 정치인과 러시아의 검은 재벌 **올리가르히**를 편들기도 했는데, 이는 기업가적 능력 때문이 아니라 보안기구내에서의 개인적 영향력에 기인한 것이다.

"there is no such thing as a former Chekist(체키스트를 견줄 사람은 없다)."

이 유명한 말은 KGB지도부의 공식적 수사에서도 확인된다. 1988년 KGB 의장 Chebrikov는 KGB 미래 간부들에게 한 연설에서, "체키스트들은 평생 전문가"라며 칭송했다.

1991년 8월 쿠데타 실패 여파로 루뱐카 광장에 있는 Felix Dzerzhinsky(펠릭스 제르진스키)[25)]의 동상이 철거되었어도, 포스트 소비에트 체키스트들의 기업가로서의 정체성은 "Chekism(소비에트 체카 숭배)"이란 이름으로 돌고 있다.

현실에서 active reserve officers 관행과 재고용을 엄격하게 구분 짓는 일이 쉽지는 않다. 체키스트들의 상업적 변신은 문자 그대로 KGB 퇴직자와 현역 예비요원(active reserve officers) 간의 경계를 흐릿하게 만들었다. 외부관측자들에게는 더욱 그렇다.
러시아 스파이기관 내에 포진한 active reserve officers는 수천 명으로 추산한다. 비밀로 분류된데다, 폭로 시 징벌을 받기 때문에 정확한 숫자를 가늠하기 어렵다.
그렇지만 다음과 같은 가정은 가능하다.

"오늘날 러시아 엘리트 중 상당수는 신분을 위장한 체키스트들이며, 개인 이력에 보안기구와의 연계성은 거론하지 않는다."

---

25) **펠릭스 예드문도비치 제르진스키(1877-1926)**는 폴란드와 러시아의 공산주의 혁명가, 소비에트 연방의 정치가로 소비에트 연방의 공안/정보기관인 체카의 지도자였다. 소련 몰락 후 동상이 철거되기도 했으나, 2023년 9월 11일 러시아 대외정보국(SVR)은 모스크바의 남부 야세네보 지역에 있는 본부 건물 앞에서 동상 제막식을 열었다

미국의 인종갈등과
'판도라 공작'
(Operation
Pandora)

1960년대 미국은 흑백갈등의 소용돌이에 휘말려 있었다. "우리에게도 국민의 권리를 달라"는 흑인들의 외침과 백인들의 차별적인 비난공세가 맞서면서, 갈등의 골은 깊어만 갔다. 이를 주시하던 소련은 흑백갈등을 더욱 부추겨 미국의 사회의 분열을 고착화할 경우, 미국은 내치의 덫에 빠져 국제적 영향력을 제대로 발휘하지 못할 것으로 판단했다. 미국과 패권경쟁을 벌이고 있던 소련에게는 천재일우의 기회처럼 보였다.

KGB가 가만히 있을 리 없었다. 인종갈등을 이용한 미국 사회 분열공작에 착수했다. 공작명을 판도라 공작(Operation

Pandora)로 지었다. 1962년 봄, KGB 수뇌부는 전략회의를 열고, 공작의 목표부터 명확히 했다. 단기적인 목표로, 흑백갈등을 최대한 증폭시켜, 미국이 국내문제에만 매달리도록 발목을 잡고, 장기적으론 미국의 내부분열을 구조화시켜 국력을 약화시키는 한편, 나아가 흑백 폭력이 난무해 내전으로 치닫게 함으로써 미국이 스스로 무너지게 한다는 목표를 세웠다.

KGB는 곧바로 실행에 들어갔다. 첫 단계는 미국 내 인종갈등 실태와 공격 포인트에 관한 기본 정보수집이었다. 주로 미국에 파견된 KGB 요원들이 맡았으며, 흑백충돌의 전위조직 확보를 위해 흑인지도자 단체와 백인 우월주의 조직들에 대한 정보도 수집했다.

기본정보가 충분히 수집되자, 분열이라는 독을 미국 사회에 주입하기 시작했다. 우선, 흑백 양측의 분노와 불신을 동시에 자극했다. 이를 위해 백인 우월주의 조직 KKK단[26]을 사칭해 흑인지도자들을 위협하는 편지를 발송했다. 이른바 서신공작이다. 이 편지가 진짜 KKK단에서 발송한 것으로 믿도록 하기 위해, 편지지의 질감, 잉크의 종류까지 KKK가 사용하는 것도 동일한 것을 사용해가며 위조했다. 동시에 백인우월주의 단체들에게도 편지를 보내, 흑인 민권운동가들의 탐욕을 부각시키는 비방내용을 퍼트렸다.

허위과장 정보, 즉 요즘 단어로 치면 가짜뉴스를 확산시켰다. 흑인 사회에 백인 경찰의 과잉진압 소문을 유포하고, 백인 사회를 향해서는 흑인들의 폭력성을 과대 포장했다.

---

[26] 그리스어로 원형을 뜻하는 Ku Klux(쿠 클럭스)와 집단을 뜻하는 Klan(클랜)의 약칭으로, 백인우월/반유대/기독교 근본주의를 추구하는 극우 비밀조직이다. FBI 단속으로 한 때 활동이 위축되었으나, 70년대 후반부터 서서히 활동반경을 넓히고 있다.

심지어 **마틴 루터 킹 목사 암살사건**에 미국 정부가 개입했다는 음모론을 흘려 여론을 들쑤셨다. 1963년 버밍햄 교회 폭탄 테러사건에 대해서도, 미국 정부의 인종 말살 정책의 일환이라는 허위정보를 퍼트려 흑인 사회를 자극했다.

흑백 갈등 뿐 아니라 흑인과 유대인 간의 틈새 벌리기도 시도했다. 흑인 민권운동을 경멸하는 팜플렛을 만들어, 미국 내 유대인 사회가 만든 것처럼 조작해 배포했다. 1971년에는 뉴욕 흑인 밀집지역에 폭발사고를 일으킨 후, 미국 내 극우 유대인 단체인 <유대방위연맹(Jewish Defense League)>의 소행이라고 뒤집어씌우는 계획도 세웠다. 이 계획은 사전에 발각되어 실패로 끝났다.

KGB의 분열공작은 인종갈등에만 국한되지 않았다. 베트남 전쟁 등 국론을 분열시킬 수 있는 모든 사안을 공작 대상으로 삼았다. 소련 군 정보기관인 GRU는 베트남 전쟁에 반대하는 평화운동에 막대한 자금을 지원했다. 반전운동을 통한 미국 사회의 갈등을 증폭시키려는 의도였다. KGB 역시 세계평화위원회와 같은 국제 평화운동 단체를 은밀히 지원해, 반전 갈등 확산을 유도했다.

판도라 공작의 실행도 영리하게 이루어졌다. 100% 창작하고 조작한 가공의 정보를 유포하기 보다는, 이미 발생한 실제 사건을 왜곡하고 과장하는 방법을 선택했다. 내러티브에 실제 사건을 일부 집어넣어야 사람들이 더 쉽게 현혹당하기 때문이다. 분열의 불씨가 될 만한 것은 모두 공격 대상으로 삼았다.

여기서 이해하기 어려운 점은 판도라 공작의 존재를 1992년 러시아가 자발적으로 미국에게 알려줬다는 점이다.

소련 붕괴 후, 1991년 러시아 첫 민선 대통령 자격으로 미국 방문을 마친 보리스 옐친은 냉전 당시 KGB의 미국을 상대로 한 정보전 일부를 통보하도록 지시했고, 그 때 판도라 공작도 포함되었다.

당시 통보한 내용 중에는, 판도라 공작 이외에 미국 정치인과 고위 관리들에 대한 KGB 평가, 미국의 대외정책에 대한 KGB의 분석 내용, 심지어 소련이 분석한 미국 핵시설의 취약점 등과 같은 메가톤급 정보도 포함돼 있었다.

그 이면에는 대미 관계 개선을 갈망했던 옐친의 속내가 숨겨져 있었다. 소련 붕괴로 미국과의 우호관계 구축이 절실했던 옐친으로서는, 새롭게 탄생하는 러시아는 과거 소련체제와 단절하고 과거와는 다른 대외정책을 펼칠 것이라는 메시지 전달이 필요했다.

그래서 "러시아가 대폭 변했다"고 느낄 수 있도록 메가톤급 정보까지 알려준 것이다. 극히 일부이긴 하지만, 적대국에 대한 비밀 정보전 내용이 국가 간의 신뢰의 증표로 활용될 수 있다는 역설적인 사례를 남겼다.

KGB의 판도라 공작은 소련의 붕괴로 미완으로 남았다. 하지만 판도라 공작이 남긴 그림자는 길었다. 아직도 미국 사회에 어른거리고 있다. 2019년 미 상원 정보위원회가 오늘날 흑인문제의 새로운 이슈인 **BLM(Black Lives Matter** : 흑인 생명도 소중하다) 운동[27])에 러시아 스파이기관들의 개입 정황이 있다고 밝힌 것이 좋은 사례다.

---

27) 2012년 히스패닉계 미국 남성이 흑인 청소년을 살해하자, 소셜미디어에 '#Black Lives Matter'를 사용하면서 시작되었으며, 이후 주로 흑인에 대한 백인 경찰의 과잉 진압을 항의하는 사회운동으로 발전되었다.

러시아 스파이기관들이 운영하는 <러시아 인터넷연구소(IRA)>가 개방된 미국 사회의 여론 공간을 악용해, 미국 경찰의 흑인 범죄 과잉진압 사건을 과장 보도하는 등 여전히 흑백갈등을 조장하고 있다는 주장이다.

물론 판도라 공작이 오늘날 미국 사회의 분열을 얼마나 더 심화시켰는지 계량적으로 평가하는 것은 쉽지 않다. 하지만 인종 문제가 미국의 고질적인 사회문제로 고착화되는데 직/간접적인 영향을 미쳤다는 것은 부인하기 어렵다.

이 공작을 처음 대중에게 알린 **미트로킨** 전 KGB 요원과 영국 캠브리지대 크리스토퍼 앤드루 교수는 1999년 펴낸 공저 『칼과 방패 : 미트로킨 문서와 KGB의 비밀역사』에서 판도라 공작 전후의 인종 갈등 양태를 비교하며, "공작 목표는 일정 부분 달성됐다"고 평가했다.

영국에서 사망한 KGB 이중스파이

　올레그 고르디에프스키(Oleg Gordievsky), 냉전 시절 영국 정보기관이 KGB 내부에 부식한 가장 비중 있는 이중스파이로, 2025년 3월 20일 86세의 일기로, 서레이(Surrey)자택에서 숨을 거두었다. 영국 경찰이 죽음을 둘러싼 동향을 체크했지만, 암살과 같은 의심스런 구석은 없었다. Gordievsky는 신원이 노출되어 살해 위협을 받고서도 영국으로 귀화했던 스파이로, 영국 정보기관으로선 그 어느 것과도 바꿀 수 없는 가치가 높은 첩보원이었다.

이중스파이로서 Gordievsky의 경력은 냉전 시절 치열하면서도 위험했던 스파이 전쟁의 최정점을 다루었던, 스파이 소설 작가로 유명한 **르 카레(작고)** 소설에서 등장할 뻔한 그런 의미 있는 내용이었다.

르 카레의 스파이 소설은 예전부터 내려온 정보활동에 대한 대중의 상상력에 화려한 색깔을 입혔다. 오늘날 FSB의 전신인 KGB 소속 대령이었던 Gordievsky는 영국의 국내방첩기관 MI5와 해외정보국인 MI6에게 기밀 정보를 넘겨주어, 영국 사법기관이 영국에서 암약하던 수십 명의 KGB 요원을 축출할 수 있게 해주었다.

제일 큰 공헌은 마가렛 대처와 미국 레이건 대통령 시절에 그가 전해준 '경고' 내용이다. 즉 크레믈린 내부에서 고민하고 있는 서방의 핵 태세에 대한 편집증적 사고로써, 소련이 서방을 상대로 1차 선제공격을 고려하게 끔 했던 생각이었다.

그래서 나토는 군사훈련을 줄이고, 확전 여지를 주는 행위는 피했다. 그는 소련의 정책에 대해 우려했다. 덴마크 파견관으로 근무하던 1968년 체코 프라하의 봄(민주화 투쟁)을 짓밟는 것을 목격하고 - 1970년대 영국정보기관에 포섭되어 **"Sunbeam(일광)"**이란 코드네임을 부여받은 후, KGB 영국 주재관(resident)으로 근무했다. 그가 제공한 정보는 매우 가치 있었기에, 전 노동당 당수 마이클 풋(Michael Foot)은, 자신이 저술한 책에서, 그를 소련의 "영향요원(agent of influence)"으로 불렀는데, 이는 법정 밖에서도 대체적으로 공감하게 된다.

Gordievsky의 활동은 술주정뱅이 였던 MI5 요원 마이클 배터니(Michael Bettaney)가 러시아 정보기관에 접근하여, 영국 정보기관에 의해 노출된 소련 정보요원들이 어떻게 처리

되었는지를 파악하는 과정에서 들통 나게 된다.

영국 스파이로서 그의 은밀한 활동은 소련에 정보를 누설한 CIA 요원 **알드리치 에임즈(Aldrich Ames[28])** 의 제보도 활동 노출의 요인으로 작용한다. 이로 인해 1985년 모스크바로 소환되어 KGB의 감시 하에 놓이게 되면서, 영국 정보기관으로부터 귀순을 제의받게 된다. 한동안 주저하던 그는 모스크바에서의 생활이 재앙으로 변하자, MI6와 협조하여 장기간에 걸쳐 탈출계획을 세우고, KGB의 감시 눈초리를 피해 안전하게 핀란드 국경으로 피신한다.

Gordievsky는 귀순동기를 이렇게 설명했다.

"나는 공산주의 시스템을 증오했다. 그 시스템 붕괴를 위해 싸우고 싶었다."

이 내용은 영국 BBC에서 '핵 게임(A Nuclear Game)'라는 제목으로 다큐로 방영하기도 했다. 언론인 마크 어번(Mark Urban)은 소셜미디어 X에 다음과 같이 포스팅했다.

"Gordievsky는 자신을 MI6 가이(guy, 녀석)로 부르며, 유일하고도 진실한 이념적 스파이라고 말했다. 소련을 진짜 경멸했으며, 기밀정보를 서방측에 넘겨주는 방식으로 소련체제를 허물어뜨리고자 했다."

영국으로 성공적으로 귀순한 이후, 죽을 때까지 Surrey의 Godalming에 살면서 생을 마감했다. 영국 당국의 보호를 받으면서!.

---

[28] 필자의 블로그 '정보와 미국' 코너에 에임즈에 대한 내용이 상세히 포스팅되어 있다.

'프라하의 봄' 과 KGB의 '전진공작' (operation progress)

1968년, 그 유명한 '프라하의 봄' 당시, 혁명적 기운이 공산정권이 잡고 있던 체코에서 스멀스멀 싹트기 시작한 가운데, 일군의 우호적인 외국인들이 프라하에 도착하기 시작했다. 헬싱키 혹은 동베를린에서 항공편을 이용하거나, 서독에서는 승용차를 이용했다.

이들 중, 11명의 서구 유럽인이 있었는데, 마리아 웨버(Maris Weber)로 불리는 스위스 여성과 오게인스 사라지안(Oganes Sarajian)으로 불리는 레바논출신 카펫 딜러가 있었다. 이들 모두는 프라하의 봄 지지자였다. 모두가 익히 알다시피, 프라하의 봄은 소련의 위성국가들이 압제적 공산통치에서 벗어나, 보다 리버럴하고 자유로운 사회주의를 꿈꾼 체코 시민들의 저항운동이자, 혁명이었다.

많은 방문객들은 프라하의 봄을 이끄는 불빛에 가까이 가면서, 교조적인 공산체제 개혁을 위한 투쟁에 지지를 보냈다. 하지만 이들은 우리가 생각한 그런 방문객이 아니었다. KGB가 외교관의 탈을 쓰지 않은, 흑잠복공작원(흑색요원 illegals)으로 파견한 스파이였다. 소련시민이지만, 몇 년 간 유럽인처럼 행세할 수 있도록 고도의 비밀 훈련을 받은 자들이었다. 흑색요원들은 서구 사회에 비집고 들어가, 비밀을 캐내 모스크바로 은밀히 전달하는 임무를 맡고 있었다.

KGB는 프라하의 봄이 체코에 대한 소련의 영향력을 종식시킬 것을 두려워하여, 처음으로 가장 뛰어난 스파이들을 동구 공산권에 침투시키기로 결정했다. 공작명은 '**전진 공작(Operation Progress)**'이었다. 오늘날 까지 러시아 스파이 기관들은 이 공작 자체를 인정한 적이 없다.

미공개 문건/참여자 인터뷰 등은, 모스크바가 스파이들을 부식하여 개혁가들에게 어떻게 접근했는지를 생생하게 보여준다. 수법은 이랬다. ▶ 리더들에게 정보제공하기, ▶ 가짜 증거 심기, ▶ 항의 표시로 극적인 자해를 계획한 남성, 정신병원 보내기 등이었다.

프라하의 봄은 애석하게 1968년 8월 소련군의 무력 침공으로 인해, 미완의 혁명으로 끝났지만, 체코 사회에 움터온 커다란 변화의 욕망을 담아냈다. 개혁운동은 일개 지방 공산당 지도자였던 **알렉산더 두브체크**의 열렬한 지지를 받았으며, 두브체크는 "인간의 얼굴을 한 사회주의 운동"으로 명명했다. 이는 풀뿌리 운동으로, 프라하를 동구 공산권 중에 가장 와글와글하는 도시로 변모시켰다.

"청바지와 장발은 어디에서든지 볼 수 있었다." 서구 유럽 학생들은 프라하로 여행가서 노래를 부르고, 기타를 치며, 새롭게 사귄 친구들과 함께 담배를 피웠다. 이 개방적인 풍모는 소련 지도자 브레즈네프와 KGB 국장 유리 안드로포프를 불안하게 하여, 안드로포프 국장은 개방적인 분위기를 역으로 악용하여, 스파이를 침투시킬 기회를 엿보고 있었다. 위조 서방여권만 있으면, 체코 국경을 넘는 것은 식은 죽 먹기였다.

도착한 사람들 중 5명은 레스토랑/박물관/갤러리/호텔 등을 방문하여, 야당성향 체코인을 물색하도록 지시를 받았다. 필요할 경우, 유용한 정치정보를 제공하고, 그에 따른 자금은 서방 정보기관으로부터 지불되는 것이라고 은근슬쩍 흘리기도 했다. 이중 몇 명은 체코 일간지 편집장을 친구로 만들라는 임무를 받고, 이들을 선동하여 반소비에트 논조를 싣도록 하여, 긴장을 고조시키려 했다. 또 다른 요원은 가짜 미국 무기다발을 파묻어 놓고, 프라하의 봄이 미국 정부가 막후에서 지원하는 증거라고 우겼다.

1969년, 소련이 대대적인 무력 침공을 감행하여 프라하의 봄을 강제 진압한 뒤, 흑색 스파이들을 대거 침투시켰다. 그 중 한 명이 유리 리노프(Yuri Linov)로서, 여행을 핑계로 프라하로 들어가 호주 사업가 Karl-Bernd Motl로 자처했다. 얼마 지나지 않아 선술집에서 학생지도자들 및 국영방송국에 종사하는 진보적 언론인들과 사귀었다. 밤에는, 시위자들과 "값싼 레드와인을 강물"처럼 마셔댔고, 아침에는, 자신이 그 다음 해야 할 계획에 대한 보고서를 작성하여, 핸들러에게 보냈다.

이 흑색 스파이들을 조종한 인물은 드미트리 베트로프(Dmitry Vetrov)라는 인물로, 50대 초반으로 느릿느릿 행동(lumbering)하는 사람이었다. KGB 스파이라는 의심이 들지 않을 모습을 띄면서, 그저 공산사회 개혁을 갈망하는 이상적인 젊은이들에게 허위정보를 던져주었다.

Vetrov는 Yuri Linov를 비롯한 다른 흑색 요원들에게 너무 많은 생각을 하지 말라고 책망했다. 그는, 자신이 일전에 베를린에서 반대파를 무력화시켰던 공작에 대해 영웅담처럼 회상하길 좋아했는데, 그 공작을 위해, 자신을 '강제이주노동자'로 위장하고, 조심스럽게 타깃에 접근했으며, 타깃이 물색 되면, 소련으로 보냈다. "카펫/비행기/시베리아"는 늘 반복하던 말로서, 체코에서 반대파들은 이와 같은 방식으로 다루어야 한다고 믿었던 인물이다.

Linov가 새롭게 사귄 친구들 가운데 얀 크리제크(Jan Krizek)가 있었다. 그는 큰 키에 술고래인 25세 청년으로, 단정하지 못한 금발머리 소유자였다. Krizek는 자해로 자살했지만, 저항의 영웅으로 칭송받던 학교 친구 얀 팔라치(Jan Palach)를 잊지 못하고 있었다.

Linov에게 1969년 8월 21일 소련 침공 1주년을 환기시키기 위해 분신하겠다는 계획을 알리자, "Palach는 지금 체코 영웅이고, 모든 사람들이 그의 이름을 안다. 머지않아 Krizek의 이름도 알려질 것이다." 고 부추겼다. Linov가 이 계획을 Vetrov에게 보고하자, "나중에 Krizek는 구금되어 정신요양 시설로 보내질 것"이란 엉뚱한 대답을 들었다.

전진공작(Operation Progress)은 1999년에 처음 백일하에 드러났다. 역사가 크리스토퍼 앤드류가 KGB 파일에서 관련 내용을 찾아내 펴낸 책에서였다.

그 파일은 KGB 정보관리요원으로 1992년 영국으로 망명한 **바실리 미트로킨**(Vasily Mitrokhin)이 정리했던 것들이다. Mitrokhin의 원본 파일은 지금 캠브리지에서 공개되어 있으며, 프라하의 봄 뿐 아니라 소련공산권국가를 상대로 KGB가 심어놓은 흑색스파이들의 활동상에 관한 내용도 다수 포함되어 있다.

안드로포프 KGB 국장은, "Operation Progress 덕분에 소련이 프라하에서 소련 반대파를 요리하는데 큰 도움이 되고 있다"며 흐뭇해하면서, 공산권 전역으로 확대하도록 지시했다. 이 덕분에 향후 20년 여년에 걸쳐 단기 공작이 성행하게 된다.

헝가리의 경우, KGB는 헝가리 정당과 지식인 계층에 '시오니스트'들이 위세를 부리는 것으로 보았다. 유고슬라비아의 경우, 흑색 스파이들이 코소보로 가서 세르비아인들과 알바니아인들 간의 갈등을 조사하기도 했으며, 폴란드에서는, 가톨릭교회에 대해 관심을 갖고 영향력 있는 종교 지도자들에게 접근을 시도했다. 후에 요한 바오르 2세 교황이 된 Karol Wojtyla가 대표적이다.

KGB는 심지어 소련 내부에도 흑색 스파이를 부식했다. 서방의 provocateur(선동가)로 자처하고, 반대파로 의심되는 인물의 충성도를 테스트했다. 러시아는 1세기 전부터 상습적으로 흑색요원을 활용하여, 서구사회에 끊임없이 침투시켜, 이들을 비밀 정보 수집으로 모국 러시아를 도우는 영웅적 전사로 칭송하고 있다.

푸틴은 2017년 이들의 공헌에 대해 이렇게 강조한 적이 있다.

"흑색요원(잠복스파이)은 캄보디아의 사원인 와트와 같은 특별한 존재다. 강한 도덕성과 강인한 성품을 가진 자들이다. 우리는 그들의 존재에 대해 자부심이 크다(Illegals are built in a particular wat, with strong morals and a firm character. we are proud of them.)"

1970년대 소련과 중국의 스파이 전쟁

Part 1

에이리안 크누셀(Ariane Knusel)은 냉전기 스위스에서 중국 첩보활동을 연구하면서, 이에 대한 아카이브가 별로 없다는 사실을 통렬하게 지적했다. 대다수 서방국가들이 중국 정보기관의 활동에 관한 자료를 비밀로 분류해서 쥐고 있기 때문임을 알았다. 소련시절 일부 국가들은 상황이 조금 다르다. 발틱국가들이나 우크라이나의 경우, 소련 안보기구 등에 대한 파일이 방대하여, 가장 대표적 기관인 KGB 자료에 역사가들이나

학자들이 접근할 수 있게 되었다. 그래서 많은 출처들이 디지털화되고 온라인에 포스팅되어 왔다.

이런 노력을 기울인 단체가 GRRCL(the Genocide and Resistance Research Centre of Lithuania 리투아니아 집단학살 및 저항 연구소)로서, 일반인에게 공개할 목표를 세우고, 리투아니아 KGB에 대한 파일을 만드는 방대한 작업을 해왔다. 그 단체가 온라인에 올린 자료 중에는 KGB의 1급 비밀도 있는데, KGB의 내부 부서들이 하는 일 뿐 아니라 방법, 출처, 공작 등에 관해 태양처럼 환하게 비추어주고 있다. 이 자료(저널)들을 은유적으로 표현하면 "KGB의 두뇌"라고 할 수 있으며, 전문적인 경험과 전문적 기술 공유, 공통 체크리스트 수립, 단체정신 등을 담은 자료로서, 조직 내부 커뮤니케이션할 때 사용되었다.

이 저널에는 격/월간 혹은 계간 마다 발행한 KGB 스보르니크(Sbornik, Review라는 뜻)와 연 2회 개최되는 KGB의 Felix Dzerhinsky(펠릭스 제르진스키) Higher School의 Trudy(papers)가 포함되어 있다. GRRCL이 모든 저널을 모은 것은 아니지만, 아쉬운 대로 당시 시점에서 모을 수 있는 자료는 죄다 수집했다. 1985년부터 1990년까지 간행한 KGB Sbornik는 거의 망라했고, 1971년부터 1989년까지 간행한 것은 절반쯤 모았다.

KGB Sbornik와 KGB Papers에 실린 상당수 글들은 방첩 문제를 다루고 있다. 간혹 신분 감추기에 대한 법률적 해석과 정보역사를 다룬 내용이 있긴 하지만. KGB Sbornik는 1980년대 권당 350부를 복사한 KGB Papers보다 공헌도가 훨씬 크다. 그 발행본에 실린 언어는 그렇게 딱딱하지 않다.

KGB Sbornik는 지역 기부자를 늘리고자 애를 썼으며, 소련 연방 전역에 걸쳐 KGB의 활동에 영향을 줄만한 다양한 이슈를 뽑아 간단명료하게 분석한 기사도 실었다.

한편 KGB Papers는 KGB의 1급 공작에 근거를 둔, 장기적으로 연구한 글들을 주로 실었다. KGB 정보학교의 교수요원이나 조교, 혹은 KGB 지부 고위층이 주로 작성했다. KGB Papers를 읽다보면, 중국 정보기관의 "전복활동(subversive activities)"을 다룬 글들이 많다는 점에 크게 놀랄 것이다. 특히 미국이나 서방을 "주된 적대국(main adversary)"으로 지목해온 점을 고려한다면 그렇다.

하지만 이런 방대한 글들은 1950년대와 60년대 초 중국과 소련과의 이념대결에 따라 갈라선 이후, KGB가 중국의 마오쩌둥 정권을 적대국이자 서방 민주주의 대항하는 소련의 국가이익을 위협하는 존재로 간주했음을 보여준다. KGB Papers의 전면에 실린 상당수의 글들은 소련 공산당 대회에서 언급한 설명이나 결의 내용으로 채워져 있다. 우회적으로 1960년대와 70년대 중국 정부의 대외 및 국내 정책 방향을 비난했다.

대표적인 것이 KGB 방첩관 Captain N. S. 쿠즈네초프(Kuznetsov)가 1980년에 작성한 글이다. 제목은 '소련 영토 내에서 합법의 탈을 쓰고 활동하는 중국 정보기관의 활동에 대하여'인데, KGB 제2국(방첩국)이 1970년대 합법 신분을 활용하여 소련 땅에서 중국 정보기관이 자행하는 공작에 관해 통찰력을 준다.

Kuznetsov는 KGB의장 유리 안드로포프의 1975년 연설을 거론하는 것으로 내러티브를 시작한다. 안드로포프는 "소련 땅에서 중국 정보기관의 전복활동은 국가안보 위협"이라고 강조했다.

Kuznetsov는 그래서 중국을 자신이 쓴 글 내내 '적대세력'으로 언급하며, 외교관 신분으로 정보 수집 및 공작활동을 하는 중국 정보요원에게 포커스를 맞춘다. 중국 정보요원들은 모스크바 중국 대사관, 신화사 통신사 본부, 모스크바 스예레메티예보(Sheremetyevo)공항 내 중국 민간항공사 등을 아지트로 삼아 활동했다. 이 공항은 1974년까지 시베리아 이르쿠츠크(Irkutsk)시에 있었다.

중국 정보기관은 무역거래상이나 자발이칼스크(Zabaikalsk)와 그로데코보(Grodekovo) 뿐 아니라, 베이징과 모스크바를 운행하는 철도 및 국경 마을의 국경경비대에 요원을 파견했다. 그러나 Kuznetsov는 소련 땅에서 중국 첩보활동을 컨트롤하는 곳은 중국 대사관으로, 중국 국가안전부, 대외정보부, 인민군 정보부서 등이 대사관의 울타리 안에 있다고 보았다.

중국 정보요원은 소련시민을 상대할 때 대단히 사려 깊고 신중하게 처신한다고 말한다. 러시아어에 능통하고 KGB 감시도 교묘하게 따돌린다. 그들이 애호하는 첩보원 충원 방식은 대사관에서 열리는 외교적 이벤트나 파티를 활용하는 것이다. 1972년부터 1976년 동안, 중국 대사관은 2,500여명의 외국인, 1,000여명의 소련인, 400여명의 소련 거주 중국인 등이 참여하는 외교적 이벤트를 60회 이상 열었다.

소련 내 중국 화교들이나 중국 커뮤니티 속에서 일하는 사람들은 전통적으로 중국 정보기관의 협조자 확보 인력 풀 역할을 했다. 그렇지만 첩보원 충원작업은 오랜 기간 교차 점검한 뒤 이뤄졌으며, 은밀히 주거지역도 살펴보았고, 확정까지는 몇 년이 걸리기도 했다.

Kuznetsov는, 중국 정보기관은 소련 거주 중국 화교들에게 특히 주의를 기울였음을 보여주는 흔적을 열거한다. 대사관 주최 이벤트에 빈번히 초대하는데, 늘 동일한 외교관이 접대를 하며, 국가적 기념품이나 약간의 현금을 쥐어주거나, 여러 채널을 통해 목표로 찍은 사람에 대한 정보를 수집한다.

  KGB가 중국 정보요원이 몸담은 커뮤니티를 이용, 협조자를 포섭하려고 하면 중국 본토와의 가족관계 등 생생하면서도 은밀한 스토리가 필요했다. KGB 요원은 중국 정보요원이 무슨 내용을 물어도 대답할 정도로 관련 지식을 갖추어야 했다. 중국 정보요원은 모든 자원자들을 항상 의심의 눈초리로 바라보기 때문이다.

  KGB 요원이 소련 땅에 부식한 중국의 첩보망에 침투하는 방법은 소련인이 아닌 외교관이나 언론인, "자본주의자(capitalist)" 국가들 가운데 기존 KGB 요원을 부식하는 것이다. 중국 정보요원은 이 그룹에서 협조자를 충원하려고 엄청 노력했으며, 때론 중국 이민자 커뮤니티에서도 협조자를 물색했다. 몽골이나 동독 정보기관의 방첩부서도 소련과 동일한 결론을 내렸다.

  Kuznetsov는, 중국대사관 직원들이 갖가지 방법으로 주의를 기울이고 보호하는 것에 개의치 않고, KGB 방첩부서는 중국 대사관 내부의 도덕적 실패와 기밀 누설 행위를 올빼미처럼 주목했다고 말한다. 이니셜이 "Ch"와 "M"으로 알려진 중국 외교관이 1969년 Irkutsk를 방문한 자리에서 비도덕적으로 행동한 것이 한 예다. Grodekovo 국경도시를 방문한 일부 중국 무역요원들이 다른 사람들의 선물이나 돈을 훔치는 것을 KGB 요원이 목격하기도 했다.

이런 사례들은 방첩활동 협조자 확보를 위한 도구로 이용될 수 있었다. 그리고 중국 정보요원들이 소련 시민을 협조자로 충원한 여러 케이스도 설명한다. 첫 케이스는 코드네임 **"Monk"**로 불리는 중국어 통역자가 코드네임 **"Mole"**로 불리는 소련 통역자를 협조자로 포섭을 시도한 사례다.

"Mole"은 1954년부터 1961년까지 Chita에서 통역원으로 활동했지만, 과도한 음주가 문제가 되어 좌천된 사람이었다. 중국 정보요원들은 동명의 개인적이고 경력 상 실패를 협조자로 포섭할 도구로 보았다.

"Mole"은 1972년부터 1974년까지 중국 정보기관에 소련의 군사 및 산업 인프라에 관한 기밀정보 제공을 요구받았으며, 그 대가로 금전이나 중국으로 은밀히 탈출하는 것을 반대급부로 제시했다. "Mole"은 사실 KGB가 통제하고 있었으며, 중국 정보요원에게 무가치한 정보를 제공하거나, 엉뚱한 방향으로 유도했다.

두 번째 케이스는 코드네임 **"로고프(Rogov)"**로 불린 공항 직원이었다. 중국민항이 Irkutsk에 자리 잡으면서 협조자로 포섭을 시도한 경우다. "Rogov"는 중국이 2년간이나 체크하고 또 체크한 인물이었다. 마오쩌둥의 어록을 읽고, 핸들러와 토론하기도 했다. 중국 신문을 상대로 소련에 비판적인 글을 기고하도록 요구받았지만, 동명 역시 KGB 통제 하에 있었다.

Kuznetsov는 이니셜 **"Ch"**라고 알려진 중국 스파이 케이스도 언급한다. "Ch"는 1975년 명미상의 KGB 지부에 찾아와서 자발적으로 자신이 중국을 위한 스파이활동을 했음을 자백했다. 이런 사람들을 첩보용어로 **walk-in**이라고 한다.

"Ch"는 영주권자로서 소련에 도착하기 이전부터 중국 정보기관에 협조자로 포섭되었으며, 1961년부터 스파이활동을 시작했다. 10여년 이상을 중국 대사관 소속 정보요원이 하달한 지시를 이행했다. 중국 대사관 소속 차량에서 접촉하거나, 은밀히 대사관 마당으로 차를 몰고 들어가 접촉했다. 필요 시 비화폰으로 중국 정보요원과 통화하기도 했다. 후에 "Ch"는 이중간첩으로 변신했지만, 그의 최종 운명은 모른다.

결론적으로 Kuznetsov는 소련 땅에서 중국인 첩보활동 이슈는 복잡하여 공작활동과 그 역사에 대한 데이터를 한 장소에 모아야 중국 첩보활동의 일반적 모델을 만들 수 있다고 말한다. 그러한 모델이 존재하면 KGB 방첩부서가 방첩공작에 착수 시 실수를 피할 수 있고, 시기와 장소를 봐가며 "선제적인 대처(pre-emptive blows)"도 가능하다고 주장한다.

우리가 알다시피 소련과 중국정보기관 간의 적대감은 1970년대에 최고조에 이르렀다. KGB 방첩부서는 괄목할 만한 성공을 거둔 것처럼 보이지만, 동시에 중국인들이 규정하기 어려운 불안정성을 드러냈다. Kuznetsov는 그래도 푸른 희망을 유지하려 하지만, 그의 내러티브 속에 불안감이 드리워져 있음은 부인할 수 없다.

Part 2

 KGB 방첩국 고위간부인 Major General A.G. 코발렌코(Kovalenko)와 Colonel B.I. 포로마료프(Ponomaryov)가 공동으로 만든 1980년 KGB 저널에 실린 글들은 소련 땅에서 활동한 중국 정보기관의 활동에 관해 풍부한 정보를 제공해준다. 1970년대 소련 땅에서 벌인 두 가지 중국 첩보활동에 관한 상세한 내용도 담고 있다. KGB 방첩국 간부 Captain N.S. Kuznetsov가 언급하지 않은 사안이다.

 그 글은 "Some Contemporary Tendencies in the Subversive Activities of the Chinese Intelligence Services Against the USSR(소련에 대한 중국정보기관의 전복활동의 최근 경향)"인데, 앞서 언급한 GRRCL이 자신들이 만든 KGB 다큐멘트 포탈을 통해 공개했다. 이 매혹적인 기록은 러시아 정부가 공식적으로 비밀 해제한 적이 없으며, 영어로도 처음 번역한 것이다.

Kovalenko와 Ponomaryov는 1970년 중국의 대외정책을 거론하는 것으로 내러티브를 풀어나간다. 노골적인 반소비에트, 팽창주의자 그리고 공격적 성격을 띤 것으로 보았다. 1979년 9월 모스크바에서 열린 소련과 중국 간의 국경협상의 중대성을 거론하면서, "중국은 중국 정보기관의 존재를 대사관내에 꾸준히 늘리는 것에만 관심을 갖고 있다"며 통렬하게 지적한다. 협상 동안에도 중국 대사관 직원은 25%가 증가한 150명에서 200명으로 늘었고, 최소 30명은 정보요원으로 추정했다. 중국 정보요원들은 전통적인 정보수집과 협조자 포섭 활동을 하면서 소련을 내부에서 전복활동을 할 수 있는 다양한 방법에 찾고 있었다고 주장한다.

Kovalenko와 Ponomaryov는 모스크바 주재 중국 대사관을 중국 첩보활동의 핵심 전진기지로 지목한다. 중국 대사관 직원들은 다음과 같은 정보활동을 하고 있다고 보았다.

1) 소련의 정치, 경제, 군사 및 과학 기술 정보
2) 국제적 포럼에서 소련에 대항하는 "ideological diversion (이데올로기 전환)"으로 활용 여지가 있는 루머 등에 대한 수집
3) 소련 땅 내에서 정보망과 첩보원 간의 협조
4) 소련 매체의 보도 내용 모니터
5) 협조자(소련 내에서 활동하는 외국 언론인과 개발도상국 소속 외교관 등)포섭 노력
6) 비합법 중국 정보요원에 대한 장비 제공 및 경제적 지원 등이다.

중국 대사관은 1년에 4,500루블을 지불하며 소련 신문과 저널을 구입한데 이어, 책이나 전문가 출판물 등을 사는데 160,000루블을 지불했다(1979년 당시 시세로 1루블은 1.52 달러에 달한다). 1971년 이래 대사관 소속 중국 외교관들은 여행을 핑계로 소련 전역을 돌아다니며 정보 수집을 재개하던 중 문화혁명이 터지자 중단했다. 확인된 사람이 2명인데, 그 중 한 명은 국방무관 보조자로서 키스이네프(Kishinev), 키예프(Kiev), 크라르코프(Kharkov) 지역을 돌아다녔다. 해당 지역민(그 중 KGB 협조자도 포함)에게 군부대나 산업시설 현황 등에 대해 묻곤 했다.

다른 한 조는 1979년 1월 Baku(바쿠), Yerevan(예레반), Tbilisi(트빌리시), Sukhumi(수크우미) 지역을 여행하면서, 그 지역 관료들을 상대로 정치와 경제에 관한 정보를 열성적으로 수집했다. 코카서스(Caucasus)의 대화 상대자에게 모스크바의 "러시아화"와 "압력"으로부터 해방된다면 훨씬 더 나은 삶을 살 것이라고 말하는 등 노골적으로 반소비에트적이고, 전복적인 행위를 했다.

이 저널은 1970년대 중국 대사관이 연루된 스파이 사건도 풀어놓는다. 코드네임이 **"지네(Scorpio)"**인 중국 첩보요원에 대한 이야기다. 중국 국적자인 동명은 1955년 소련 국적자인 부인과 함께 소련으로 건너온다. 소련에서 암약하던 중국 정보요원은 이들 부부를 10여년 이상 만나고 살펴 본 뒤 첩보원으로 포섭한다. 1972년 "Scorpio"는 자신이 우즈벡 출신이라며 소련시민권을 신청한다. 그리고 우크라이나 남부(크리미아로 추정) 해안가 근처 메이저 조선소 센터 근처에 있는 주택도 매입한다.

동명은 중국 대사관으로부터 지원받은 자금을 바탕으로 경제, 군사, 과학기술 정보를 수집하기 시작한다. 모스크바에 살고 있는 중국 화교를 통해 대사관과 접촉했으며, 대사관 행사에 수시로 얼굴을 내밀었지만, 그 후 15년 동안 대사관이나 중국 땅을 밟지 못했다. "Scorpio"가 언제 어떻게 체포되었는지에 대한 설명은 없지만, 중국 정보기관의 활동 수법이 그리 만만치 않음을 보여준다.

이 케이스는, 중국 정보요원들은 중국인이 흔히 구사하는 '만만디 작전'으로 첩보원을 포섭하여, 스릴 넘치는 스파이 세계에서 펼쳐지는 복잡하고 다차원적인 임무를 맡기고 있음을 보여주는 사례이다.

두 번째 케이스는 한층 교묘한 스파이 모험 이야기다. 코드네임이 **"춘(Tsun)"**으로 불린 중국 정보요원과 관련된 비화다. 1973년 "Tsun"은 소련과 중국 국경을 불법적으로 넘나들었다는 혐의로 체포된다.

동명은 저녁이 있는 삶을 위해 소련으로 넘어가려고 했다고 진술한 덕분에 짧은 수감생활을 마치고 방면된다. 얼마 안 있어 중국 이민자 커뮤니티 등을 상대로 정보활동에 개입하면서 블라디보스톡이나 크아바롭스크(Khabarovsk) 등지를 자가용을 타고 여행하며, 군사 및 중공업 기지를 모니터링했다.

KGB 방첩요원이 그를 바짝 미행하고 있음을 직감하고, 아무르 강에 정박한 선박을 훔쳐 탈주를 시도하지만, 중국 국경을 넘기도 전에 잡히고 만다. 소지품 속에는 소련과 군사 비밀 등이 담겨 있었고, 1974년에 7년형을 언도받았다.

Kovalenko와 Ponomaryov는 이 케이스를 소련과 중국 국경지역에서 벌이는 중국 정보기관의 활동의 심각성을 강조하는 자료로 활용한다.

소련의 방첩활동은 공중파 방송이나 무선 전파를 감시하면서, 중국 국경경비대와 무역 대표들이 소련사람들과 만나는 곳에 정보요원들이 끼어들어 불만을 갖고 있는 소련시민을 포섭하는 것은 아닌지 주시했다.

한편 중국 정보기관은 아프가니스탄의 소련군 개입을 뒤집으려는 노력도 했다고 본다. 초기 단계였다. 중국은 신장에서 훈련시킨 특수부대와 비밀요원을 아프가니스탄으로 보내 반소비에트 그룹을 지원하고자 했다.

더구나 아프가니스탄 내 중국 정보요원은 CIA와도 접촉선을 마련했는데, 이는 "제국주의자들"과 중국 공산당이 국제적 수준에서 지정학적으로 "맞대는(collusion)" 증거로 간주했다.

결론적으로 Kovalenko와 Ponomaryov의 글은 1970년대 중국 정보기관의 활동을 소련의 심각한 위협요인으로 보았던 Kuznetsov의 글과 별반 다르지 않다. 이들은 KGB의 방첩활동을 성공적이라고 스스로 추켜세우지만, 군의 고급 지휘관이었다는 점에서 뭐 그리 놀랄 일도 아니다.

Part 3

KGB 부서 편제표를 보면, 방첩국은 제3총국(Third Main Directorate)이다. 소위 소련 군부대도 포함하는 "특별부서"이다. the Osobists(오소비스츠)는 소련 군 고위층에 첩자 침투를 막는 임무를 맡으면서, 군 고위층들이 공산당 이데올로기 도그마를 습득하게 하는 것이 부차적인 임무였다. 군부 내에 파묻혀서 활동하는 이들은 통상적인 방첩활동(제2국)과는 차이가 있었다.

2국은 對국가 전복행위를 막기 위해 소련시민들의 거의 모든 생활영역을 모니터했다. 1978년 제3총국 소속 Major A.A. 카라예프(Karyaev)는 "Some Questions Regarding the Subversive Activities of Chinese intelligence Services Directed Against the Military Forces of the USSR(소련 군부대를 겨냥한 중국 정보기관의 전복활동에 관한 몇 가지 의문점)"이란 제목의 글을 기고했다.

Karyaev가 다른 영역에서 활동하면서 KGB내 다른 출처에서 논거를 끌어왔지만, 결론은 크게 다르지 않다. 중국 정보기관을 대단한 적대자로 인식했고, 중국 정보기관의 수법과 출처는 KGB의 지속적인 우려의 대상이었다.

Karyaev는 1976년에 열린 제 25차 소련 공산당 대회에서 내린 결론을 언급하는 것으로 내러티브를 시작한다. 중국 공산당 리더십이 우익으로 치우쳐 공개적으로 소련제국에 적대적으로 변했다는 내용이다. 중국은 소련을 서방보다 더 "주된 적대국"으로 인식하고 있었다고 말한다. 중국은 수단과 방법을 가리지 않고 "whole arsenal(전 무기고)"를 동원해 소련의 정치 안정을 흔들고, 국제사회 특히 사회주의 국가 권역에 소련 평판을 떨어뜨리고 있다는 것이다.

은밀한 정보전쟁의 의미심장한 타깃은 소련의 군사력이었다. 중국 변방지역에서 그 상황은 송곳을 찌르듯 날카로웠다. 이외에도 소련 극동지역, 발칸지역, 시베리아, 카자흐스탄, 중앙아시아 공화국 등도 거론했다.

중국 정보기관은 소련의 군사 문제라면 찬밥 더운 밥 가리지 않고 전 방위로 수집했다. 부대숫자, 장비, 위치, 병력 및 사기 등을 수집하는 한편, 군 수송망과 커뮤니케이션 네트워크, 훈련실태, 민간 방위조직 등에 대해서도 집중 수집했다.

1976년 중국 정보기관은 소련군부대의 위치와 기동상황, 변방지역으로의 공급선 등을 최우선 정보수집목표로 설정했다. 소련 군사력에 대한 첩보활동은 중국 공산당 군사위원회가 직접 지령을 하달했으며, 인민해방군 내 정보부서와 공공안전부/국경경비대 내 정보팀 등도 합세했다.

중국 정보기관은 하달된 지시를 이행하기 위해 합법 비합법 가리지 않고 인간 플랫폼을 공략했다. 외교관의 탈을 쓰고 소련 변경지역을 다니면서, 소련 군부대의 인프라, 수송망, 커뮤니케이션 망에 대한 영상이나 사진을 촬영했다.

한 사례가 1970년대 중반 하바롭스크(Khabarovsk)를 중국 외교관이 다녀간 경우다. 투르크메니스탄 군사지역을 중국 외교관이 방문하는 동안, 코드네임 **"Narymov(나리모프)"**인 소련군 장교에게 이 지역에 주둔한 군부대에 대해 상세히 물었다. 군병원, 연령대, 봉급 수준, 병사들의 인종적 분포와 국방장관의 방문여부 등. 사실 "Narymov"는 KGB 제3총국 소속 요원이었으며, 중국에게 허위조작 정보를 넘겨주었다.

중국 외교관들의 소련군부대에 대한 관찰은 소련 국경전역으로 확대되었다. 소련군이 주둔한 지역에 중국 외교관들의 방문 횟수가 눈에 띄게 늘어났다. 폴란드, 체코 등 동구권에서부터 아프리카에 이르기까지. 일례로 소말리아 베르베르(Berbers)항구에 정박한 소련 해군 선박을 중국 외교관 번호판이 달린 차 안에서 촬영했을 정도다.

중국 정보기관이 애호한 또 다른 정보목표물은 모스크바와 베이징을 오가는 정기철도였다. 중국 정보요원은 종종 열차 기관사로 위장하여 활동했다. 철도가 지나가는 지역을 촬영하면서, 승객들과 대화할 기회를 만들어 친구로 삼기도 했다.

소련군 장교와 가족이 주타깃이었는데, 아이들도 포함되어 있었다. 이들과 접촉면이 만들어지면 관사에 초빙하여 과일, 담배 및 적절한 선물을 주곤 했다. 한 예로 초청되어 간 소련 장교는 사생활은 물론, 정치적이고 군사적인 문제에 관해 폭넓은 질문을 받았다.

중국 정보기관은 합법적 신분을 이용한 정보 공작을 하면서, 이에 더해 멀리 내다보는(future-oriented) 비합법 공작을 진행했다. 비합법적 수단으로 소련 제국 내에 첩보원을 부식하는 것이다. Karyaev는 진실한 중국 정보기관원이라고 부른 사람을 심문한 것을 언급하면서, 중국 정보기관은 국경을 넘어 소련 땅으로 들어가는 수많은 이민자 속에 위장요원을 침투시키는 편리한 수법을 구사했다고 말한다.

코드네임 **"쿤(Khun)"** 으로 불린 중국정보요원의 경우, 공공안전부가 1960년대 중반부터 소련을 상대로 한 공작활동을 위해 체계적으로 훈련시킨 비합법 요원이다. 공작원 훈련은 적게는 1년, 많게는 3년이나 걸렸다. 장군이나 특수요원도 있었다. 한족을 중심으로 하되, 소수민족도 가리지 않았다. 또 다른 요원 "D"도 있었다. 소련에 불법 입국하여 카자흐스탄 지역을 여행하며 군사정보를 수집하다 체포되었다.

중국 인민해방군은 소위 **"the Tigers"** 로 불리는 특수부대를 훈련시켜 반소비에트 사보타주 작전에 투입할 준비를 했었다고 Karyaev는 주장한다. 이 작전이 실제 개시되면, 소련 국경지역에 심각한 위협이 될 것이므로, 진지하게 대응해야 한다고 덧붙인다. 나아가 중국군은 서독 및 서방으로부터 광학렌즈와 같은 당시로선 첨단 기술 장비를 수입하여 통신첩보(SIGINT) 수집능력을 배가했다. 이는 당연히 국경지역 소련군의 군사 활동 뿐 아니라 미사일 및 위성발사 등에 대한 첩보수집을 활성화하는 동인이 되었다.

결론적으로 Karyaev는 감시를 고도로 강화해야 KGB 방첩국이 중국 정보기관의 활동으로 인한 데미지를 최소화할 수 있다고 조언한다. 중국의 첩보활동은 시간이 갈수록 배가 될 것이며, 이는 KGB에게도 무거운 부담으로 돌아올 것으로 보았다.

한 가지 풀리지 않는 의문은 Karyaev와 KGB가 왜 중국과 서방이 같은 지정학적 편이며, 양쪽 공히 비슷하게 반소비에트를 핵심적인 지향점이라고 해석했는지 여부이다. 두 개의 전선에서 글로벌 스파이 전쟁을 벌이게 되면 기가 죽어, 케이크 먹듯 손쉽게 패배할 수 있다고 우려한 것으로 보인다.

Part 4

4편은 1970년대와 1980년대 초까지 카자흐스탄에서의 중국 정보기관의 활동상으로서, 카자흐스탄 KGB 제2국 국장이 작성한 내용이다. Colonel 니키텐(Nikiten)과 Lt. Colonel 펜코(Penko)가 그들인데, 장문의 제목을 달았다. "On the unique Features of the Subversive Activities by the Chinese intelligence Services against the Soviet Union from the Territory Xinjiang(신장지역에서 중국의 정보기관이 수행한 소련에 대한 전복활동에 대한 독특한 특징). "

이 글에서 KGB공작원을 투입하여 중국 정보기관들의 카자흐스탄 지역을 중심으로 활동한 수법·출처 등에 관해 알아낸 것을 생생하게 늘어놓았다.

KGB 저널은 앞서 3편에서 보여주었던 것처럼, 그 당시 기준으로 가장 최근에 열렸던 공산당 대회 결론을 적시하는 것으로 어김없이 시작한다. 1981년 2월 열린 26차 당대회로서, 소련 지도부가, 중국이 서방제국주의 세력과 연대하여 소련을 사보타주한다고 비난했다.

Nikiten과 Lt. Colonel Penko는 이 성명을 시작점으로 간주하고, 중국의 공격적인 반소비에트 계획과 지정학적 디자인이 점차 중국 정보기관의 적대적 활동에 반영되었다고 지적한다. 당시 KGB 방첩국에는 카자흐스탄 출신 2명이 고위직을 차지하고 있었다.

중국 정보기관은 1960년대부터 카자흐스탄 지역에 대한 관심을 기울여왔다. 그 이후 정보수집 대상을 늘려 카자흐스탄에 배치된 소련군 활동, 경제상황, 국경경비대 인프라, 농업계획, 국내 및 국제정치 이슈, 생물학적 데이터 및 자원 등에 이어 KGB와 소련 내무성 근무인원과 생활조건, 태도, 중국 화교들의 분위기에까지 범위를 확대해나갔다.

카자흐스탄에서 중국 정보기관 활동의 launching pad(착수 발판)는 바로 이웃인 **신장**이었다. 중국 정보기관이 소비에트에 첩보원을 부식하는데 희희낙락거리며 구사한 수법은 불법적으로 국경을 넘나드는 사람들을 활용하는 것이었다.

1960년대 중반이후부터 불법적으로 국경을 넘나드는 사람이 증가하는 현상에 주목했다. 800여명이 넘었다. 1978년 69명, 1979년 72명, 1980년 89명, 1981년 120명 등이다. 인종적 분포도 다양했다. 한족, 위그루족, 카자흐족이었는데, 1980년대 초에 이르면, 이들 중 상당수는 고등교육을 받은 젊은 층이었다.

이런 추세는 중국 정보기관이 이들을 이용하여 기만전술을 펼칠 수 있고, 반대로 KGB도 불법월경자를 협조자로 포섭하여 밀봉교육을 시킨 뒤 중국으로 귀향시켜 KGB가 부여한 임무를 수행케 하는 것이다. 불법 월경자들은 소련의 사법 시스템에 매우 친숙했다. 왜냐면 체포되어도 단기간 수감생활을 한 뒤 소련 땅에 남을 수 있도록 해주었기 때문이다. 이 관행은 중국 정보기관의 공작 활동의 포인트가 되었다. 비밀요원을 불법 월경자로 위장하여 자연스럽게 소련 제도권(국방관련 분야나 정보기구 등)에 부식시키는 것이다.

이에 KGB는 1978과 1980년 카자흐스탄 지부가 중심이 되어 소련 국경을 불법 입경한 중국 정보요원 10여명의 정체를 까발렸다.

첫 번째 케이스는 코드네임 **"Nyui"**(1960년생)로 1980년 8월에 검거되었다. 감옥 안에 협조자를 투입하여 입수한 것을 포함해서 KGB가 조사한 결과, "Nyui"는 중국 공안부에서 훈련받았는데, 임무는 KGB에 협조한 대가로 중국으로 돌아가 KGB를 위해 일하는 것이었다(일종의 이중간첩 역할). 그렇게 신임을 얻은 뒤 KGB 조직망을 공안부에 은밀히 누설하는 수법이었다.

또 다른 케이스는 허위 귀순 범주에 속하는 것으로, 코드네임 **"Kin(1957년생)"**이다. 1980년에 체포되었다. "Kin"도 공안부에서 훈련받았으나, "Nyui"와는 달리 1969년 중국 정부가 탄압한 Eastern Turkestan Revolutionary Party(동부 투르키스탄 혁명당)" 멤버로 자칭하라는 지령을 받았다. KGB에게 자금/무기와 같은 물질적 지원과 더불어 신장지역에서 비밀리에 활동하는 동료들을 데려와서, 중국 중앙정부를 상대로 봉기할 수 있는 준비를 하는데 도와달라고 요구했다.

중국은 공안부외에도 인민해방군 산하 정보부서도 허위 귀순공작을 했다. 코드네임 "**Student**(1958년생)"가 대표적인 케이스이다. "Student"는 인정했다. 1977년 5월부터 1978년 9월까지 신장자치구 군 본부에서 특수훈련을 받고, deep cover agent(장기은닉 간첩)로 소련 땅에 뿌리를 박는 것이었다. 카자흐스탄에 흩어져 살고 있던 친/인척들과 만나면서 중국과 접촉면을 기다렸다.

한편 중국 인민해방군은 변경지역에 소규모 특수부대를 꾸려 소련 시민을 납치하기도 했다. 코드네임 "스푸트니크(**Sputnik**)"가 대표적인 케이스이다. 1932년 중국에서 태어나 소련시민권을 획득한 인물로 카자흐스탄 목동 출신이었다. 1978년 돌연 사라졌다가 2개월 후 홀연히 다시 나타났다. 중국 정보기관에 포섭된 것이다. 밀봉교육 동안 상당한 심리적 압박을 받으면서 반소비에트 성명서 등을 작성하는 방식으로 스파이로 만들고자 했다고 체포된 뒤 KGB 방첩국에 실토했다.

이러한 "설득" 수법은 중국 태생 소련시민에게도 적용했다. 주로 애국심에 의존했다. 중국 태생의 같은 민족임을 강조하면서 소련전복활동을 지원해야 하는 당위성을 설득력 있게 제시하고자 했다.

그 결과, 1970년대 말에 이르면 포섭된 협조자 수가 크게 늘어났는데, 신장지역에 살던 중국인들의 카자흐스탄 가족 방문 횟수가 상당히 증가한 것이 이를 반증한다. KGB 저널에는, KGB 방첩국이 중국 방문객들을 감시한 방법에 대해선 언급하지 않고 있으나, 이들 중 포섭대상자를 선별, 방첩활동에 투입한 것은 의심의 여지가 없다.

신장지역 중국 군부대는 가끔 소련 영역으로 비밀리에 침투하여 소련의 방위태세를 점검했다. 1970년대에 소련과 중국 국경경비 대원들 간에 간헐적인 총격전도 벌어지기도 하여 1971년 8월, 2명의 중국 군인이 17km 떨어진 국경 근처에 총을 쏜 사건도 있었다. 러시아-중국어 사전에는 **their belongings**(소지품)가 있는데, 이는 지역민을 접촉해서 정보 수집하려는 신호로 해석했다.

KGB 특수부대는 1978년 6월 Alaqol(알라콜) 국경지역에서 서독제 machine gun cartridge(기관총 카트리지)를 발견했는데, 그 무기는 소련 서부 적대세력이 무장했던 것이었다는 사실도 알아냈다. 같은 선상에서 미국은 1981년 중국에게 소련미사일과 통신망을 감청할 수 있는 감시 장비를 제공했으며, 그 장비는 신장 국경지역을 따라 설치되었다.

니키텐 대령(Colonel Nikiten)과 펜코 중장(Lt. Colonel Penko)은 중국 정보기관이 자신들이 접촉한 사람 중에서 첩보원으로 포섭하는 능력에 대해 특히 귀를 쫑긋 세웠던 것으로 보인다. 신장지역에서 정보임무를 마치고 귀환한 KGB 요원조차 크게 의심했다.

1981년 여름 신장에서 귀국한 코드네임 "Un"이 그 케이스이다. 1971년에 신장으로 파견되었고 10년 후 친척 3명과 함께 소련으로 돌아왔다. 동명과 그 친척 중 한명이 이중간첩으로 의심하고 KGB가 조사한 적이 있었다.

중국 정보기관이 소련 땅으로 침투시킨 요원 등은 증가했지만, 이에 비례하여 KGB 스스로의 방첩능력도 성공적이었음을 강조하면서도, KGB 방첩국이 "aggressive and insidious (공세적이면서 극악한)" 적대세력을 분쇄하는 완전한 해독제를 구비하지 못하고 있음도 실토한다.

결론적으로 근본적인 발단은, KGB가 1970년대 중국 정보기관을 "a very dangerous adversary(대단히 위험천만한 적대국)"으로 간주했다는 점이다. 물론 미국처럼 "주요 적대국(main adversary)"로 낮추기는 했지만.

중국 첩보활동의 가장 큰 특징은 각국 주재 대사관을 첩보활동의 컨트롤 타워로 삼고, 대사관 행사를 첩보원 포섭의 통로로 삼는다는 점이다.

중국 화교와 이민자들이 주된 목표인 것은 중국 정보기관 입장에선 너무나 당연한 첩보원 확보의 풀이다. 철도 승무원이나 불법 월경자를 활용하여 중국 정보기관과 KGB가 벌인 **"false defectors(허위 귀순자)" 게임**도 흥미진진한 기만 게임이었다.

Part 5

나데쥔(Nadezhin) 중장은 KGB내 중국 정보기관 전문가로서, KGB 요원을 훈련시키는 the Higher School(일종의 정보학교)에서 중국 정보기관들의 활동 수법과 방첩 등을 가르친 사람이다. 그는 1985년에 "Ideological Diversion of the Special Services of China and the Struggle of the KGB against it(중국 정보기관의 이념 전환과 KGB의 투쟁)"이란 글을 발표한 바 있다. 이 글에서 그는 중국 정보기관의 첩보활동과 여타 전복활동 등에 관해 기술했다. 카자흐스탄. 키르기스탄. 타지크와 우즈베키스탄 내 KGB 지부가 수집한 것들을 바탕 자료로 삼았다.

그는 중화민국을 소련의 "가장 위험스런 적대국"으로 보았고, 수단과 방법을 가리지 않고 소련의 이익을 뒤엎을 집단으로 간주했다. 소련이 중국을 위협대상으로 보고, 이에 대해 토론하고 나름 해결책을 제시한 회의가 소비에트 공산당 제25차, 제26차, 제27차 회의였으며, 1970년대 말과 1980년 초 KGB 본부와 지부 고위 책임자 회의에서도 유사한 결정이 있었다.

중국에 대한 방첩업무는 본부의 경우, 제2총국(the Second Chief Directorate : Counterintelligence), 제3국(military counterintelligence),제5국(ideological counterintelligence)이 맡고, 소련 휘하에 있던 중앙아시아와 극동지역에 있는 공화국이나 지부에도 유사한 기구들이 설치되어 활동했다.

Nadezhin은 ideological diversion(이념전환) 개념부터 짧게 설명한다. 소련을 기둥뿌리로부터 흔들어 약화시키려는 "전 방위적 활동"으로 정의한다. 중국의 행동은 마오쩌둥을 비롯한 중국 공산당 지도부가 갖고 있는 극렬한 "반 소비에트주의"가 동기로 작용했다. 중국 지도부의 생각인 "contested regions(경합지역)"에 대해서는, 중국이 소비에트 통제 하에 있는 특정지역에 관해 역사적 권리가 있다고 주장하는 지역으로 보았다. 대표적인 지역이 러시아 일부분과 중앙아시아 지역의 여러 공화국이었다.

중국의 ideological diversion의 목표는 국제 사회주의 공동체내에 소련에 대한 평가를 엉망으로 만들고, 소련 내에서 활동하는 반소비에트 그룹을 은밀히 지원하는 방법 등을 동원하여 소련 내부의 안정을 흔드는 것이었다. 중국의 정보활동은 중앙아시아 공화국 후손/군인/비러시아인 국경경비대원 등에게 초점을 맞추었다.

이외에도 소련에 흩어져 살고 있는 30만 명 가량 되는 화교도 포섭대상이 되었다. 이들을 상대로 소련의 제도에 대한 불신 여론을 확산시키고, 소련의 정치시스템에 불복하도록 고무하고자 했다.

중국공산당 중앙위원회는 소련을 상대로 한 모든 정보활동을 컨트롤 했으며, 중국 정보기관은 중국 공산당 지도부가 대외정책의 목적을 달성하는데 일조하는 도구 중 하나에 불과했다. 1980년대 초 KGB 데이터에 따르면, 중국 정보기관은 외국어를 능숙하게 구사하거나, 기술적 능력이 뛰어난 요원이 적어 애를 먹었다고 기록되어 있다. 그런데 이 고민에 돌파구를 열어준 국가가 미국이다. 미국은 미중 수교 이후 중국 정보기관에게 기술적 노하우를 가르쳐주었는데, 소련 국경 근처에 감시시설 설치와 운용 방법 등이 대표적이다.

중국은 소련 땅에 반소비에트 메시지를 전파하는 수단으로 라디오를 적극 활용했다. <라디오 베이징> <신장 인민라디오방송국> <라디오 우름치(Urumqi)> 등이 대표적으로, 반소비에트 뉴스를 여러 언어로 방송했다. 흥미로운 것은, 이미 1960년대 초에 중국은 소련 방송국들이 신장지역민을 대상으로 소비에트 방송을 틀었다고 종종 불만을 제기하곤 했다는 사실이다.

이 당시 보도내용은 소비에트 정부의 활동에 대한 격렬한 비판에 모아졌다. 한 예로, "소련이 데탕트를 지원하는 것은 트랩이고, 주의를 분산시키려는 전술적 기만이며, 다른 국가들에 대한 공격 의도를 감춘 것"이라는 비판이 그것이다. 자본주의 국가들이 소련의 위협에 대응하기 위해 방위력을 증강시키는 것과 중국이 서방과 반소비에트 연대를 하는 것은 자연적인 논리적 귀결이라고 보았다.

흥미로운 점은, 중국의 반소비에트 방송량이 서방의 반소비에트 방송량을 넘어섰다는 점이다. 이외 특정 라디오 프로그램은 중앙아시아에 주둔한, 비러시아인 소련 부대원을 타깃으로 삼아 제작했다. 소련 공산당 지도부를 거부하고, 불복종을 선동하는 내용이었다.

반소비에트 정치적 메시지는 중국 신문에게서 현저히 눈에 띄었다. 1973년 중국 인민일보와 <홍기(붉은 깃발 Hongqi)>라는 중국 잡지는 무려 반소비에트 기사를 900건이나 실었고, 1978년까지 3,900여건으로 증가했으며, 1980년 초에는 이보다 더 늘었다.

1977년에 간행된 5권 분량의 러시아어로 편찬한 <Selected Works of Mao Zedong(마오쩌둥 선집)>도 반소비에트 활동에 이용했다. 수백만 명의 소련 국민들에게 이 책을 반포하고자 했다. 중국 정부 출판업자는 소련의 반체제 지식인 솔제니친의 저작물인 <The Gulag Archipelago(수용소 군도[29])>등을 간행하여 배에 실어 소련 땅에 살포하고자 했다.

중국 정부와 중국 정보기관은 반소비에트 저작물을 소련 땅에 침투시키기 위해 다양한 채널을 동원했다. 주소를 파악하여 개개인에게 직접 보내는 우편 방식이 가장 큰 비중을 차지했다. 1963년에만 11,000종의 반소비에트 간행물을 KGB가 적발했으며, 1965년도에는 45,000종으로 늘었다. 일부 간행물은 소련 책의 페이지로 덧칠하는 방식으로 위장하기도 했다.

---

[29] 굴라크 시스템은 정치범 수용소로 더 잘 알려져 있으며, 소련의 반체제 인사들을 탄압하는 데 쓰였다. 수감된 자들은 수백 만 명에 이르지만, 서방에 알려진 것은 **알렉산드르 솔제니친**이 1973년에 쓴 『수용소 군도(The Gulag Archipelago)』를 통해서이며, 작품에서 솔제니친은 흩어진 수용소들을 군도에 비유하고 있다

두 번째로 중국 정보기관이 애용한 수법은 베이징과 모스크바 간의 정기열차를 이용하는 방법이었는데, 중국인 열차 승무원을 포섭하여 밀수하듯 소련 땅으로 밀어 넣는 방식이었다. 열차 칸에 그 책 등을 놓아두어 승객들이 "우연히" 그 책을 집어 들도록 했다. 또 중국인 열차 운행자가 비밀리에 반소비에트 책자 등으로 가득채운 짐을 중국계 소련 시민의 짐과 바꿔치기하는 수법도 동원했다. 이런 일련의 활동은 KGB 제2국의 공작요원에 의해 저지당했다.

중국 정보기관은 또 시위대를 조직하여 중소 국경지역에서 마오쩌둥의 초상화와 소비에트 지도자들의 캐리커처를 들고 큰 소리로 시위하도록 조장했다. 변경에서 시선을 끌기 위해 몽골/시베리아 전통 유목민들의 텐트이자 부와 번영의 상징인 백색 yurt(유르트)를 설치하는 술책도 구사하여 장기적으로 소련 목동들의 충성을 얻고자 했다.

제2혁명 불지피기?

소련 땅에서 활동하는 중국 정보기관 요원들은 5개나 되는 공식 외교 조직을 악용했다. 각 부서는 대략 150여명의 중국인을 고용했는데, 이 중 30여명은 정보요원이었다. 1960년대 중국 외교관들은 모스크바로 유학 온 중국 학생들을 정치적으로 급진화시키는데 중요한 역할을 했으며, 레닌 마우솔레움(Mausoleum)에서 봉기하여 소련 시민들과 투쟁하도록 지시했다.

1970년대에는 중국 화교들을 포섭하여 긴밀히 작업하는 것에 좀 더 많은 역량을 투입했다. 빈번히 모스크바 외곽으로 여행가는 것을 허가해주도록 요청하여, 1976-1977년에 20건이던 것이 1978년에 이르면 34건으로, 50% 이상 늘어났다.

중국 외교관들은 소련 각 지역 여행을 핑계로 중국 화교들로부터 그 지역의 정치 및 경제 상황과 군사정보를 수집했다. 동시에 중국 정부가 바라보는 반소비에트 관점을 확산시키고자 했다. "러시아 극동지역과 중앙아시아 공화국이 중국령에 속한 적이 있었다"는 내용을 주장하는 경우도 있었고 두 명의 중국 외교관은 위그루 학생들에게 반소비에트 활동에 가담하도록 설득한 적도 있었다.

종종 모스크바에 있는 중국 대사관으로 중국 화교들을 초청하여 연회를 베풀었다. 1978년에 중국 대사관은 대략 200여명을 대사관으로 초청했고, 1500통의 우편을 받았다. 중국 대사관은 모든 것이 녹화되고, 중국 고향에 대한 연민을 보인 방문객에게는 "임무"도 부여하는 장소로 활용되었다. 중국 화교들 중 쓸 만한 사람을 포섭하기 위해 모스크바에서 열리는 다양한 강의/전시회 등 사회적 이벤트에 참석하여 공개 정보를 수집했다. 소련 간행물도 가리지 않고 사들여 분석했다.

1977년 중국 대사관은 소련 신문을 구독하는데 4,500루블을, 과학기술 자료가 담긴 소련 저널을 구독하는데 157,000루블을 지불했다. 다른 나라에서 유학 온 학생들과도 같은 대학원생처럼 활동하며 우호적 관계를 쌓았는데, 미국/일본/서독/튀르키예/스웨덴/파키스탄/이집트/북한/유고슬라비아/루마니아 등이 대표적이었다.

KGB 對방첩 활동은 신분을 감추고 중국 정보요원 몇 명을 체포했지만, 그들에게는 "Mole(두더지)" "Bake" "Jackal(자칼동물)" "Fanatic(광신도)"와 같은 코드네임만 부여하여 진짜 이름은 잘 모른다. 유일하게 파악된 인물이 이름의 마지막 글자가 사비르자노프(Sabirdzhanov)인데, 중국 정보기관이 반소비에트 지하조직을 건설하는 임무를 맡겼던 인물이다.

그리고 중국 정보기관은 요원들을 그룹별로 훈련시켜 소련 국경 전역에 침투시켰다. 이 그룹들은 소련 내 중국인 동조자를 구합하여 "제2혁명을 조직하고, 소련 땅에 살고 있는 모든 중국인들이 그 혁명에 참여하는 것이 최대 임무"라는 지시를 받았다. 소련 시민권을 가진 중국인 후손이 중국에 있는 친척을 방문할 때도 같은 수법이 사용되었다.

이에 KGB는 그 어떤 대가를 치러서라도 중국의 전략적 기습 공격을 차단하는데 주력했다.

Part 6

1978년 카라예프(Karyaev) KGB 중장은 KGB내 군방첩국인 제3총국(the Third Directorate)에 소속되어, 수준 높은 능력을 발휘한 메이저였다. 1983년까지 그의 저술과 연구 능력 덕분에 필드에서 활약하던 방첩분야에서 벗어나 차세대 KGB 요원을 키우는 교육 분야로 자리바꿈하게 되었다. the Higher School에 배속되어 중국을 타깃으로 한 방첩교육 프로그램을 보강하는 역할을 맡았다. 한 예로, 1983년까지 중국에 대한 방첩 전문가 4세대가 the Higher School Faculty No.3 과정을 이수했다. 이는 1970년대 중반까지 모든 훈련프로그램이 운영되었음을 시사한다.

1970년대와 1980년대 초까지 중국과 관련된 프로그램을 추동한 힘은 KGB 지도부의 신념에 기인한 바가 컸다. KGB가 소련과 중국 간의 스파이전쟁에서 뒤처지고 있다는 불안감이 그것이었다. 한 예로, 1981년 5월 열린 KGB 수뇌부 미팅에서, KGB는 중국 보안기관에 대응할 정도로 "충분한 에이전트"를 확보하지 못했다고 결론지었다. 1980년 5월 KGB 부의장 블라드미르 피로스코프(Vladimir Pirozhkov)가 러시아 극동지부 간부회의에서 언급한 내용이 그 고충의 한 구석을 보여준다.

   "소련 땅에서 중국 정보기관이 벌이는 공작에 대응하고, 소련제국을 수호하기 위해서는 對방첩 요원 충원이 더 이루어져야 한다."

   특히 중요한 것은 에이전트 충원 문제였다. 중국 국가기관이나 정보 및 안보기관에 침투하여 그 조직 내부의 속셈과 역량을 알아내는 것이 당면과제 중 하나였기 때문이다.

   Karyaev는 이러한 목적을 성공적으로 달성하는 전략 전술을 짜기 위해 불철주야로 고민하게 된다. 중국을 상대로 한 침투공작은 상당히 난해했다. 이유는, 적대국인 중국이 "KGB가 수행하는 대방첩 활동과 방식에 매우 친숙"하기 때문이었다. 다른 말로 하면, 중국 정보기관은 소련과의 관계가 좋았던 시절에 KGB로부터 그 수법을 전수받은 탓이다.

그래서 **댕글**(dangles[30])이나 전형적인 방첩 술책만으론 중국을 기만하기 어려웠다. 여기에다 한족 출신을 첩보원을 포섭하기 위해서는 명심해야할 문화적 복잡성도 있었다. 중국인들의 "민족적 특성"에 관해 세심하게 인식하는 것인데, "당국이라면 깜박 죽는 습성, 동료와의 사회적 유대, 관계당국의 2중3중의 감시망" 등이 걸림돌이었고, 첩보원 포섭에 적지 않은 영향을 끼쳤다.

이는, 현실적으로 시간을 너무 많이 잡아먹는 첩보원 충원 방식으로, 바람직하지 않다고 보았다. 의도치 않은 노출이 커질 위험성 때문이었다. 하지만 동시에 신속한 첩보원 충원 노력은 "중국인들이 만만디 습성으로 인해 서두는 것을 좋아하지 않아" 역풍이 불 수 있었다.

더구나 KGB 요원과 포섭하려는 첩보원 사이에 **라포(rapport**, 인간적인 마음의 친밀감)가 형성되지 않으면, 겉으론 받아들이는 척 하지만, 내심은 반감을 가져, 결국 포섭에 실패하게 된다.

첩보원 포섭 논리 측면에서, 소련군에서 복무하지 않은 사람은 이념적이고 정치적 요인이 작동하지 않는다는 점이다. 그들의 경험에서, "그 어떤 중국인도 소련의 이데올로기를 완전히 받아들이지 않으므로" 첩보원 활동을 하려는 다른 동기를 찾아내야만 했다.

---

30) **Dangle**은, 러시아 정보 전문 용어로는 podstava , 프랑스 경찰 및 정보 전문 용어로는 chèvre이다. 정보활동에서 한 정보기관이나 그룹의 요원 또는 임원이 이탈하거나, 다른 정보기관이나 그룹으로 전향하는데 관심이 있다고 가장하는 것을 지칭할 때, 사용되는 용어이다 .
댕글의 목표는 외국 정보기관에 이중 스파이 역할을 제안함으로써, 그들의 충성심이 바뀌었음을 확신시키는 것이다

개인적으로 물질적인 이득을 챙겨주는 것 등이다. 소련 시민권을 받지 못한 중국 이민자를 KGB 군 방첩 첩보원으로 포섭하는 것 등이 한 사례이다.

첩보원 충원의 수단 중 하나로 blackmail(공갈 협박)도 종종 사용했다. 조종관이 첩보원을 완벽하게 포섭하여 "전적으로 의존하게 만드는 술책" 중 하나는 여차하면 관계 단절 엄포를 놓아 분노케하거나, 애간장을 태우고, 활용할 기회가 있어도 가만히 지켜보는 것이다.

동시에 중국인들의 체면 중시(saving face) 문화를 잊어서는 안 된다고 강조한다. 그래서 KGB는 중국인을 첩보원으로 포섭할 때 공갈협박을 주요 무기로 삼았다. 공갈협박이 약발이 먹히는 경우가 있는데, 중국인들은 남들이 보는 곳에서 망신을 당하는 것을 극도로 꺼리기 때문에, 포섭된 당사자는 조종관이 요구하는 대로 응해줄 가능성이 높다.

또 하나의 방법은, 포섭하고자 하는 대상자와 같은 고향이거나 동향인 사람을 조종관으로 고르는 것이다. 중국인들은 고향이나 동향의식이 매우 강한 점을 역이용하는 것이다. 그러므로 중국 북부지역 출신이 윈난성이나 광동성 등 남부지역 사람들에 대해 어떻게 생각하는지를 먼저 알아야 한다고 교육 시킨다. 베이징 등 북부지역에 사는 중국인들은 "남부지역 중국인들은 성질도 급하고 믿음성도 없다"고 본다.

반면 남부지역 사람들은 "북부지역 사람들을 고집이 세고 보수적"이라고 비아냥거린다. 그래서 KGB는 중국인들의 지역에 따른 기질을 면밀하게 분석하여 중국인들과 상호작용하고자 노력했다.

첩보원 포섭 장소로 가장 선호한 곳은 베이징과 모스크바 간 정기 철도 운행 역사/소련 국경지역에 있는 중국 이민자 커뮤니티/전략적 혹은 군사적으로 중요한 시설 근처 등이었다.

이 중 가장 유망한 충원 통로는 고향에 사는 가족들을 자주 만나러 가는 중국인 이민자 커뮤니티에 속한 중국인이었다. 이런 사람들은 중국 보안기관들이 눈을 부릅뜨고 주시하고 있는 사람들로서, 자신들도 감시받고 있음을 눈치 채고 있는 사람들이다. 이런 전 방위적인 감시는, KGB 대방첩 프로그램이 공리적인 가이드를 갖고 중국을 다루어야 함을 시사했다.

중국에 대한 기존의 對방첩 노력과 활동을 개선하기 위해 몇 가지 노력도 곁들여졌다.

1) KGB 지역지부와 특수부서로 알려진 KGB 대방첩 부서 간의 커뮤니케이션 채널을 개선하고 보강하는 것이었다. KGB는 기관별로 갈가리 찢어져 있고, 지역주의가 판을 치고, 중복해서 벌이는 공작이 흔했기 때문이다.
2) 인물이나 기관 등에 대한 데이터베이스를 한 곳으로 모으는 부서를 만들고, 관련 정보 공유를 확대하고자 했다.
3) 소련 지역 변경에 있는 중국지방이나 거주민들의 특성을 종합 분석하는 분석 센터를 설치했다. 이 센터는 KGB 여러 국에 산재되어 있는 대방첩 요원과 the High School에서 훈련 받은 중국 전문가들을 한 곳으로 모았다. 관련 대방첩 첩보를 존안하고 분석 평가한 보고서를 KGB 지도부에 배포하여, 추가적으로 해야 할 임무에 참고토록 했다.

한편 새로 도입한 조치와 실천방안이 의도한 대로 작동되는지를 테스트하기 위해 "as if" 훈련이나 실험과 같은 케이스별 훈련을 실시했다.

"인위적으로 설정한 조건"하에서 중국 정보기관과 방첩기관이 전복활동 같은 예상되는 활동양태에 관해 시뮬레이션을 했다. 이 같은 기만적인 활동은 KGB의 대방첩 활동 파일에 축적된, 유구한 역사를 지닌 중요한 전통이다.

KGB는 윤리적인 정당성을 확보하고자 했다. 이유는, 기존의 제도적 기구가 억지로 끼어 맞춘 위협에 대응하는 방법에서 얻은 교훈은 업무를 향상시키는데 필수불가결 했기 때문이다.

문제는, 실제 활동 현장 등에서 이 방법이 얼마나 실효를 발휘 했는 지와 KGB의 대방첩부서의 중국에 대한 공작에 체감할 수 있을 정도의 효과가 있었는지에 대한 사후평가를 할 수 없다는 점이다.

KGB의 중국 겨냥,
시베리아에 장기
부식한 첩보원

　1981년 8월 9일 페트로프(Petrov)로 불린 젊은이가 불법적으로 소련영토에서 중국으로 월경했다. 1년 후 동명이 소련으로 돌아왔을 때 평범한 소련인이 아닌 중국의 스파이로 변신해 있었다. 1980년대 초 Major General 블라드미르 사프로노프(Vladimir Safronov)는 KGB의 중국 국경 근처에 있는 시베리아 치타(Chita) 지역의 지부장이었다. 1984년 그는 KGB가 만드는 저널 스보르니크(Sbornik)에 1급 비밀에 해당하는 내용을 기사화했다. 중국 공안이 소련 시민을 첩보원을 채용하여 소련 내에 sleeper 에이전트로 부식을 시도한 내용이었다.

소련이 붕괴하고 KGB가 여러 정보기관으로 쪼개진지 30여 년이 지났지만, 스브로니크에 대한 것은 러시아 정부가 비밀해제한 적이 없으며, 푸틴 정권하에서도 비밀로 남겨져 있다. 그러나 많은 스브로니크 이슈들은 <the Genocide and Resistance Research Centre of Lithuania>에서 디지털 작업을 한 덕분에 연구자들도 손쉽게 이 자료를 접하고 있다.

이번에 번역한 내용은 영어로 된 사프로노프(Safronov)의 기사에 대한 최초의 토론이다. 동명에 대한 기사는 정보역사 측면에서 특별한 가치가 있으며, 냉전기 동안 소련과 중국이 벌였던 스파이 전쟁의 한 단면을 추가적으로 살펴보게 해준다. 아울러 KGB내에서 방첩부서와 조사부서가 상호 협력하는 방식도 보여준다.

사프로노프(Safronov)는 1981년 8월 9일 이름을 알 수 없는 개인이 국경을 넘어 중국으로 월경한 방법에 대해 소상히 묘사한다. KGB 국경경비대는 그 사람이 월경하는 것을 탐지하지 못했다. 사프로노프(Safronov)는 1년 뒤인 1982년 7월 21일 젊은 친구 한 명이 가지무르스키 자보트(Gazimursky Zavod, 중국 국경에서 100여km 떨어진 마을) 마을에 있던 경찰관에 접근해서 KGB 본부에 관해 물었다.

그 젊은이는 자신이 페트로프(Petrov)라고 불리는 KGB 요원이라고 말하면서 1981년 8월 중국으로 불법 월경한 사람이라고 자백했다. 중국에 거주하는 동안 첩보원으로 채용되어 중국 공안부에서 훈련받았으며, 다시 sleeper agent 역할을 하기 위해 소련으로 되돌려 보내졌다고 고백했다. 그러면서 중국 핸들러와 끈을 유지한 상태로 KGB 정보원으로 활동할 의향이 있다고 덧붙였다.

사프로노프(Safronov)는 페트로프(Petrov)를 신속히 체포하여 불법월경혐의로 기소했지만, KGB 방첩부서는 중국을 상대로 한 기만공작에 이중스파이로 활용할지 여부를 놓고 심각한 고민에 빠졌다. 동시에 KGB가 조심해야 할 몇 가지 징후도 나타났다. 일례로 KGB 조사부서는 국경을 넘기 전 며칠 동안의 행적과 눈에 띄지 않은 이유(누가 extra care를 했는지 등)에 대해 조사키로 결정했다.

비상식량을 감추고 메인 도로에서 벗어난 곳에서 생활한 점 등이다. 나아가 국경 근처의 소련 첫 마을인 네르친스키 자보트(Nerchinsky Zavod)에 도착했을 즈음 지방 경찰관이나 KGB 요원 접촉을 시도하지 않은 상태에서 재빨리 쥐도 새도 모르게 국경을 넘어갈 궁리만 했다는 것이다.

이것이 조사의 주요 포인트였다. KGB조사관들은 공작부서에게 도움을 요청했다. KGB 공작관은 에이전트 미로노프(Mironov)를 Petrov가 수감된 감옥에 stool pigeon(끄나풀)로 투입하여, 일단 Petrov로부터 신뢰를 얻도록 했다. 미로노프가 일정 기간 Petrov에 접근공작을 하면서, 점차 Petrov는 마음을 열기 시작했다. 미로노프가 곧 방면될 것임을 암시하자, Petrov는 지금껏 감추어 둔 카드를 테이블 위에 올려놓기 시작했다. 역으로 중국 공안부를 위한 활동에 그를 채용하고자 시도했다.

Petrov는 미로노프에게 중국 국경을 불법적으로 넘는 방법을 가르쳐주고, 중국 국경경비대가 기다리는 지점도 알려주었다. 그들과 대화하는 패스워드도 노출시켰다. 또한 중국 핸들러에게 보낼 편지도 준비했다. 그 편지에서 자신에게 일어났던 일과 자신을 훈련시키는 동안 저질렀던 실수에 대한 조언도 포함했다.

미로노프가 KGB 공작관에게 이 편지의 존재에 대해 밀고한 이후 Petrov가 수감된 방을 수색하여 그 편지를 압수했다. KGB 조사관들은 이 편지를 Petrov의 자백을 받아내는 압박 수단으로 활용했다. 자신이 중국을 불법 월경한 이유는 소련에서의 정치 경제적 여건이 마음에 들지 않아서라고 인정했다. 소련과 중국 간의 긴장이 지속되고 있었기에 소련으로 되돌아 가길 원치 않았다고 말했다.

그러나 중국 국경에 들어서자마자 국경경비대가 자신을 체포하고 국경 마을인 카일러(Khailar)로 데려갔으며, 그 곳에서 오랜 시간 중국 공안의 조사를 받았다. 그 조사과정에서 국경 근처에 있는 소련 경비대와 군대들의 대비실태 등에 관한 정보를 제공할 의향이 있는지도 물었다. 특히 Petrov에게 Chita 지역에 산재한 소련의 군사시설과 다우리아(Dauriya), Chita, 이르쿠츠크(Irkutsk)나, 스베르들로프(Sverdlov)나, 타슈겐트(Taskent) 와 같은 곳의 철도 수송 네트워크와 철도역 위치 등에 대한 상세한 일러스트레이션을 그리도록 했다. 무려 4개월간 조사를 받은 뒤 소련에 체류하며, 중국 공안의 sleeper agent로 일한 의향이 없는지 제안 받았다.

Safronov는 동명이 스파이로 변신하여 소련으로 귀향한 동기에 대해선 언급하지 않았다. 동명의 재판에서 발언한 내용을 보면, 자신의 의지에 반해 스파이활동을 하도록 강요받은 흔적이 없다. Petrov는 조사 과정에서 중국공안으로부터 나쁜 대우를 받았는지에 대해 언급하지 않았지만, 자신의 행동에 대한 변명거리로 삼았다. 다른 말로 하면 Petrov는 상대적으로 괜찮게 대우받았으며, 중국공산당의 반소비에트 정보활동에 협조할 의향도 있었다.

Petrov가 협조할 의향을 보이자 **씨에화(XIE HUA)**란 코드네임을 부여받고, 베이징 남부 소도시로 이송되었다. 그 곳에 있는 안전가옥에서 6개월 동안 스파이 훈련을 이수했다.

1982년 여름, 동명의 정보활동 방향에 대한 윤곽이 그려졌다. 불법적으로 다시 소련으로 돌아왔고, 재빨리 국경지역을 벗어났다. 어머니와 접촉한 결과, KGB가 여전히 자신을 찾고 있음을 알았다.

그리고 진짜 이름을 사용한 신분서류를 발급받아 Chita와 Irkutsk 지역에서 직업을 찾고자 하면서도, 가짜 이름으로 작성한 신분증명서도 확보했다. 신분 서류 문제가 해결되자, Petrov는 소련 군사 시설에 관한 정보를 최우선적으로 수집하기로 하고, 사진을 찍거나 군사지역에 근무자들과도 접촉하기 시작했다.

소련실정에 염증을 느끼는 사람을 중심으로 협조자를 물색했다. 범죄혐의자들도 대상이 되었다. 적절한 후보자가 물색되면, 안전하게 국경을 넘어 중국 공안과 연결하는 법을 가르쳤다. Petrov는 필요할 경우, 소련의 공식 문서(민간인, 군인들의 ID 카드, 여권, 외교관증 등)를 구입하거나 절취했다. 그리고는 가능하면 지형 지도를 그리고자 했다.

특히 흥미 있는 것은 Petrov가 수집한 정보를 중국 측 핸들러에게 넘기는 수단과 방법이었다. 편지통신원을 이용했다. Mrs 베시올로바(Vesyolova)라는 랴잔(Ryazan) 지역 여성으로서 중국에 거주하는 친척집을 종종 왕래했다. 그 곳은 KGB도 잘 알고 있어 별다른 의심도 받지 않았다.

Petrov가 베이징 근처 안전가옥에 거주하는 동안 Vesyolova의 글씨체 모방 훈련과 코드화된 단어로 보고하는 법을 훈련받았다.

1982년 여름 중반, 중국 공안부는 Petrov가 소련 내에서 스파이 임무를 수행할 정도가 되었다고 판단했다. 1982년 7월 15일 3,450 루블 공작금을 받고, 중국과 소련을 가로지르는 강을 도강했다. 소련에서 입었던 옷들을 다시 입고 코냑 한잔을 들이켰다. "the water was cold"이기 때문이었다. 중국 국경 수비대는 처음에 그를 알아채지 못했지만, 다시는 그를 다시 보지 못했다. 6일 후 Petrov는 소련 경찰에 다가갔고, 곧바로 체포되었다.

Safronov에 따르면, Petrov는 월경한 뒤 Nerchinsky Zavod 소련지역 마을 인근에 사는 일부 주민들과 친숙한 관계를 쌓았다. 이들은 동명의 술친구(drinking buddies)가 되어 경찰의 추적을 따돌리고, 300루블을 받고 국경 외곽으로 데려다 주었다. Petrov는 국경에서 100km 이상 떨어진 곳에 머물면서도 "곧 잡힐 것 같다는 불길한 예감에 사로잡혀서 먼저 자인하고 협조를 제안키로 결심했다"고 주장했다.

그러나 마지막 순간에 그 스토리는 다시 꼬인다. Petrov는, 이 같은 제안은 "중국 핸들러가 난처한 상황에 처하면 이런 방식으로 하라고 조언한데 따른 것임"을 인정했다. KGB가 동명을 첩보원으로 채용해서 중국으로 되돌려 보내기를 희망했기 때문이다. 중국은 이를 통해 KGB의 요구 내용과 수법을 알아낼 수 있다고 보았다.

결국 Chita 지역 KGB 지부는 중국 공안부의 술책에 걸려들지 않았다. 조사부와 공작부서들이 신속하게 상호 협조한 덕택이었다. Safronov는 열정적으로 소련 전역에 흩어져 있던 체키스트 동료들과 함께 스보르니크(Sbornik) 페이지를 통해 자신이 겪은 긍정적 경험을 공유했다.

Petrov는 스파이활동에 따른 배반죄와 중국에 비밀 군사정보를 넘겨준 혐의로 기소되었지만, 지역 군사법정에서 이상하리만치 관대한 처분을 받았다. 겨우 10년 징역형이었다.

분명한 것은 소련 공안기구들이 중국의 sleeper spy가 되려는 페트로브의 운 나쁜 시도로 인해 적지 않은 이득을 챙겼기 때문이다. 소련은 경쟁국인 중국 공안당국의 수법과 정보수요에 관해 많은 것을 얻었기에 가혹한 처벌을 하지 않았다.

푸틴의 스파이기관들 : 오늘과 어제

1쇄 발행 : 2025년 8월
지은이　 : 이일환 교수
발행처　 : 인트루스(in-truth) 출판사
　　　　　 서울 중구 수표로 48-12, 203호
　　　　　 FAX 겸 일반전화 (02) 2261 - 1009
이메일　 : leeih0902@naver.com
인쇄　　 : 이레문화사
ISBN　　 : 9791197755675
정가　　 : 16,000원